Lo que todo adulto mayor debe comer

Nota de la editorial

Los editores de FC&A han puesto el máximo cuidado para garantizar la exactitud y la utilidad de la información contenida en este libro. Tenga en cuenta que algunos sitios web, direcciones, números telefónicos y otra información pueden haber cambiado después de la impresión de este libro.

La información que se ofrece en este libro debe utilizarse únicamente como referencia y no constituye práctica ni consejo médico. No podemos garantizar la seguridad o eficacia de los consejos o tratamientos mencionados. Exhortamos a nuestros lectores a consultar con profesionales de la salud y obtener su aprobación antes de iniciar las terapias sugeridas en este libro. Aunque se ha hecho todo lo posible para asegurar que la información sea precisa, podría haber errores en el texto y nuevos hallazgos podrían sustituir la información aquí disponible.

"Por último, fortalézcanse en el Señor y en la fuerza de su poder".
Efesios 6:10

Índice

Claves para mantener el cerebro en forma

Bebidas calientes para un cerebro inteligente

Empezar la mañana con una taza de café humeante o relajarse a media tarde con una taza de té caliente es bueno para el cerebro. Varios estudios indican que beber café o té puede proteger contra la enfermedad de Alzheimer y el deterioro cognitivo.

El café cuida el cerebro. Se habla mucho de la crisis de los cincuenta, pero poco se habla de que el consumo de café en la mediana edad podría evitar otra crisis más adelante: la crisis del cerebro. Un estudio realizado en Finlandia con 1409 participantes encontró que las personas de alrededor de 50 años que bebían café con moderación eran menos propensas a desarrollar alzhéimer y otros tipos de demencia en el futuro.

Los bebedores moderados que bebían entre tres y cinco tazas al día redujeron el riesgo de sufrir demencia entre un 65 y 70 por ciento y el riesgo de desarrollar alzhéimer entre un 62 y 64 por ciento, en comparación con los que bebían poco café, entre cero y dos tazas al día. Un estudio realizado en Francia arrojó resultados similares. La disminución de la capacidad para recordar era menor en las mujeres que bebían más de tres tazas de café al día, que en las mujeres que bebían una taza o menos al día.

Los investigadores creen que la explicación se encuentra en los antioxidantes del café. En la Universidad de Dakota del Norte, un estudio reciente realizado con conejos arrojó luz sobre la manera como funcionaría el café. Se sabe que la barrera hematoencefálica impide el paso de sustancias potencialmente dañinas hacia el cerebro. Niveles elevados de colesterol en la sangre pueden producir "fugas" en esta barrera y esta degradación de la barrera hematoencefálica puede causar o agravar la enfermedad de Alzheimer.

El estudio tuvo una duración de 12 semanas y concluyó que en conejos alimentados con una dieta alta en colesterol, la cafeína ayuda a evitar estas alteraciones de la barrera hematoencefálica. La dosis de cafeína utilizada en el estudio (3 miligramos) es el equivalente a una taza de café al día para una persona de estatura promedio. Según los investigadores, tan sólo una taza al día podría ser suficiente para ayudar a prevenir la enfermedad de Alzheimer.

La hora del té retrasa el deterioro cognitivo. Para mantener la agudeza mental a cualquier edad, asegúrese de disfrutar de dos tazas diarias de té verde. En Japón, un estudio evaluó el estado mental de 1000 personas mayores de 70 años y observó que las que bebían como mínimo dos tazas de té verde al día tenían un riesgo menor de deterioro mental. De hecho, estas personas tenían una probabilidad 54 por ciento menor de presentar signos de deterioro que las personas que bebían tres tazas de té verde o menos a la semana. El mérito se lo llevaría un antioxidante en el té verde llamado epigalocatequina-3-galato (EGCG). Estudios de laboratorio y con animales demuestran que este antioxidante ayuda a prevenir la formación de las placas características del alzhéimer y el párkinson.

Pero el té verde no es el único estimulante mental. En un estudio realizado en China con adultos mayores, se descubrió un vínculo entre el consumo regular de té, especialmente de té negro y té *oolong*, y un riesgo menor de deterioro o declive de las capacidades mentales. Debido tal vez a su intensa actividad antioxidante, el té *oolong* y el té verde también contribuyeron a revertir el deterioro mental y reducir la degeneración del cerebro en ratones. La teanina, un aminoácido presente casi exclusivamente en el té, ayuda a aumentar la concentración y el rendimiento en pruebas de memoria. Los resultados son aún mejores si se combina con cafeína.

Advertencia antes del primer sorbo. El café y el té son seguros para la mayoría de las personas, pero no para todas. No mezcle las bebidas que contienen cafeína con inhibidores de la monoaminooxidasa (una clase antigua de antidepresivos). Esta combinación podría provocar la elevación brusca de la presión arterial. Asimismo, las personas con problemas cardíacos, osteoporosis, acidez estomacal, gastritis, dolores de cabeza o ansiedad tal vez deban limitar su consumo de cafeína.

Jugos que rejuvenecen el cerebro

Las frutas enteras, como la manzana, la banana, la naranja, la ciruela, la uva y la cereza ofrecen abundante protección antioxidante contra el estrés oxidativo, que puede ser un factor determinante en las enfermedades neurodegenerativas, como el alzhéimer. Sin embargo, no es necesario morder la fruta para obtener sus beneficios.

Beneficios de beber jugo. Un estudio reciente de la Universidad de Vanderbilt sugiere que el jugo es mejor que las frutas y las verduras. Para gozar de buena salud y llevar una vida independiente a los 90 años, éste es un estudio a tener en cuenta. Tras un seguimiento de 10 años a 1836 estadounidenses de origen japonés en Seattle, se reportó que el riesgo de alzhéimer era un 76 por ciento menor entre los que bebían jugo de frutas o verduras al menos tres veces a la semana que entre los que bebían jugo menos de una vez a la semana.

Es posible que el poder del jugo se deba a los polifenoles, las sustancias químicas antioxidantes que se encuentran mayormente en la piel y la cáscara de las frutas y verduras. Algunos polifenoles pueden cruzar la barrera hematoencefálica, que es una especie de filtro que protege el cerebro de las sustancias nocivas y del daño oxidativo. Otros se distinguen por sus propiedades antiinflamatorias de gran alcance. El jugo también tiene otros compuestos beneficiosos, como los minerales, el folato y las vitaminas antioxidantes. Lo importante es saber que con tan sólo tres vasos a la semana se puede reducir considerablemente el riesgo de desarrollar alzhéimer.

Un estudio que midió el contenido fenólico de varios jugos y bebidas comerciales, reveló que el jugo de uva morada tiene la concentración más alta de polifenoles (casi la misma que el vino tinto ligero). También tiene la mayor capacidad antioxidante. Otras buenas opciones son el jugo de arándanos rojos (*cranberry juice*, en inglés), el jugo de toronja y el jugo de manzana sin filtrar.

El jugo de manzana también se mostró promisorio en pruebas de laboratorio con ratones. En un estudio reciente, los ratones que recibieron el equivalente humano de dos vasos de jugo de manzana al día durante un mes, produjeron menos amiloide beta, un fragmento de proteína que forma las placas en el cerebro de los pacientes con alzhéimer. Los jugos de manzana y de uva son excelentes opciones para conservar la memoria.

Bayas buenas para la memoria. Los arándanos azules (*blueberries*, en inglés) ayudan a mantener la agilidad mental gracias a que están repletos de polifenoles, en especial de antocianinas, que le dan su color al arándano azul. En estudios realizados en la Universidad de Tufts, las ratas que recibieron extractos de arándano azul y de fresa se desempeñaron mejor en las pruebas de laberinto que medían la memoria y el aprendizaje. A largo plazo, los polifenoles de las bayas se acumulan en el cerebro y contribuyen al buen funcionamiento de las células cerebrales maduras.

El pterostilbeno, un compuesto que se encuentra en las bayas y las uvas, previno el estrés oxidativo en pruebas de laboratorio. Además, revirtió el deterioro cognitivo y mejoró la memoria funcional en ratas de edad avanzada. Investigadores británicos obtuvieron resultados similares y muy alentadores con los arándanos azules.

Frene el envejecimiento con pescado

Los ácidos grasos omega-3 del pescado pueden ayudar a prevenir el deterioro cognitivo, el alzhéimer, el párkinson y la depresión.

Salga a pescar recuerdos. Varios estudios señalan que consumir pescado ayuda a conservar las facultades mentales. En Noruega se comprobó que las personas mayores que comieron tan sólo 10 gramos de pescado al día se desempeñaron mucho mejor en pruebas mentales que las que comieron menos. Para obtener mejores resultados, trate de consumir diariamente 3 onzas de pescado (alrededor de 75 gramos).

Investigadores holandeses hallaron una relación entre niveles más altos de omega-3 y un deterioro cognitivo menor. Los adultos mayores con los niveles más altos de omega-3 en la sangre al inicio del estudio presentaron menos deterioro cognitivo durante los tres años siguientes, sobre todo en las pruebas que medían la velocidad del pensamiento.

No sólo importa la cantidad de pescado que se consume; también importa su preparación. El atún o cualquier pescado con alto contenido de ácidos grasos omega-3, si es preparado a la plancha o al horno, puede ayudar a reducir el riesgo de deterioro cognitivo en los adultos mayores. En otro estudio, las personas que comieron este tipo de pescado tres o más veces a la semana redujeron en un 26 por ciento su riesgo de tener pequeñas lesiones cerebrales que pueden causar pérdida de la capacidad para pensar, accidentes cerebrales o demencia. Eso sí, el pescado frito no tuvo efecto alguno.

A buen pescado, buen humor. Cuanto menor sea el consumo de omega-3 en una población, mayor será la incidencia de depresión. Una posible explicación es que el cerebro convierte el ácido eicosapentaenoico (EPA, en inglés), que es un ácido graso omega-3, en sustancias químicas que necesita para su buen funcionamiento. También puede ser que los ácidos grasos omega-3 afecten las señales cerebrales, activando o bloqueando ciertos receptores. Se ha comprobado que tomar suplementos que contienen entre 1.5 y 2 gramos de EPA al día eleva el ánimo de las personas con depresión, pero que más de 3 gramos no aumenta el beneficio. Un estudio reciente señala que el consumo de pescado ayuda a las mujeres a reducir el riesgo de sufrir síntomas depresivos crónicos. Las mujeres que comieron la mayor cantidad de pescado redujeron su riesgo en un 25 por ciento en comparación con aquéllas que comieron la menor cantidad. En otro estudio, el suplemento de EPA alivió la angustia psicológica y los síntomas depresivos en mujeres con menopausia. También les ayudó a aliviar los sofocos. Y en Francia se vio que comer pescado graso puede reducir el riesgo de depresión en hombres y no fumadores, pero no en las personas que fuman.

¿Por qué es bueno para el cerebro comer pescado? Alrededor de dos tercios del tejido cerebral están compuestos por lípidos o grasas, por lo que es importante obtener el tipo adecuado. Las grasas saludables, como los ácidos omega-3 del pescado, promueven la comunicación entre las células cerebrales y mantienen su elasticidad. Está comprobado que las dietas ricas en un ácido graso omega-3 llamado ácido docosahexaenoico (DHA, en inglés) protegen contra el alzhéimer, el párkinson y la depresión.

Entre las buenas fuentes de ácidos grasos omega-3 están la anchoa, el arenque, la trucha de lago, la caballa, el salmón, la sardina y el atún. Haga un esfuerzo por comer pescado dos o tres veces a la semana para nutrir su cerebro. También se obtiene omega-3 de los frutos secos y de las verduras de hoja verde oscuro.

Solución para los marineros de tierra. No a todos les gusta el pescado. Por suerte, los beneficios de los ácidos grasos omega-3 también se pueden obtener de los suplementos de aceite de pescado. Un estudio encontró que tomar un gramo de EPA junto con *Prozac*, un antidepresivo con receta médica, funcionó mejor para combatir la depresión que tomar cada uno por separado. A diferencia del pescado, con los suplementos no hay que preocuparse por los niveles de mercurio, plomo y otros contaminantes. Las personas que están tomando medicamentos para diluir la sangre o bajar la presión deben tener cuidado, ya que el aceite de pescado aumentará dichos efectos.

El riesgo de una dieta alta en grasas

El cerebro necesita grasa, pero asegúrese de que sea del tipo adecuado. Un estudio con ratones realizado en Canadá observó los efectos de una dieta con una proporción baja entre ácidos grasos omega-3 y omega-6. Los ratones recibieron ya sea una dieta alta en grasas o una baja en grasas. Los investigadores encontraron que una dieta alta en grasas, junto con una proporción baja entre omega-6 y omega-3, promovía cambios en el cerebro parecidos a los que se presentaban en la enfermedad de Alzheimer.

Para mejorar su proporción de ácidos grasos omega, consuma más pescado, sobre todo pescado graso como el salmón, la caballa, el arenque y el atún. Evite también las frituras, la margarina y los aliños que contengan aceite de maíz o de soya. Utilice en su lugar aceite de oliva o de *canola*.

Comer delicioso para nutrir el corazón y el cerebro

Por sí solos, las frutas, las verduras y el pescado aportan suficientes beneficios para el cerebro, pero como parte de una dieta saludable se vuelven aún más poderosos. Los ácidos grasos omega-3 del pescado y los antioxidantes de las frutas y verduras son tal vez los dos agentes naturales rejuvenecedores más poderosos del mundo, pero también los más ignorados. Son parte de la dieta mediterránea, que además incluye frutos secos, granos, semillas, frijoles, aceite de oliva y vino en moderación (una copa al día para las mujeres y hasta dos copas para los hombres). Esta dieta, que también incluye lácteos y muy poca carne, es la receta para un corazón más sano y una mente más lúcida.

Un estudio reciente comprobó que el riesgo de desarrollar alzhéimer en las personas que seguían una dieta mediterránea y hacían ejercicio era 60 por ciento menor en comparación con las que no hacían ninguna de las dos cosas. En un estudio anterior realizado por los mismos investigadores se encontró que seguir la dieta mediterránea reducía tanto el riesgo de desarrollar deterioro cognitivo leve como el riesgo de que este deterioro evolucionara hacia el alzhéimer.

Unas palabras de advertencia: si usted no bebe alcohol, no empiece ahora. El alcohol aumenta el riesgo de cáncer de mama, de cirrosis del hígado y de otros problemas serios de salud. En su lugar, agregue más uvas y jugo de uva a su dieta.

Cuatro maneras sabrosas de proteger el cerebro

Las hierbas y especias le agregan sazón a sus comidas, pero también aumentan sus defensas contra el alzhéimer y la depresión.

Sálvese con salvia. Un nuevo estudio revela que este remedio herbario poco conocido no sólo puede ayudar a reducir los síntomas de la demencia, sino que también mejora el estado de ánimo. En el estudio, el extracto de salvia ayudó a las personas con alzhéimer leve a moderado. El equivalente de alrededor de 1.5 cucharaditas de salvia al día propició una mejoría significativa en los procesos cognitivos después de 16 semanas de tratamiento. La salvia estimula los niveles de acetilcolina, una sustancia química producida por el cerebro que es esencial para la memoria a corto plazo. La salvia incluso ayuda a levantar el ánimo de las personas sanas sin problemas de memoria.

Cuídese con cúrcuma. La especia que le da ese amarillo característico al curri también puede prevenir y controlar la enfermedad de Alzheimer al reducir la acumulación de proteínas dañinas en el cerebro. Alrededor de 4 cucharaditas al día son suficientes.

Con ajo crudo se anda seguro. Las pruebas de laboratorio demuestran que el extracto de ajo previene los depósitos de amiloide beta en el cerebro, un factor clave de la enfermedad de Alzheimer. Si bien tanto el ajo fresco como el cocido detuvieron la formación de las placas de amiloide, sólo el ajo fresco provocó la degradación de los depósitos ya existentes. Gracias a sus poderosos compuestos de azufre y a sus propiedades antioxidantes, comer más ajo ayudaría a prevenir o retrasar el alzhéimer.

Anímese con azafrán. Esta costosa especia, que le da ese color amarillo a la paella, bien vale su precio en oro. Los estudios muestran que tanto los pétalos como los estambres del azafrán tienen poderosos efectos antidepresivos. De hecho, 30 miligramos de azafrán pueden ser tan efectivos como el *Prozac* u otros antidepresivos comunes para tratar la depresión de leve a moderada.

Favorezca el folato para defenderse de la demencia

¿Qué hacer para llegar a los 70 años con plena lucidez mental? Puede ser tan sencillo como comer más espinacas y espárragos. Estos dos alimentos están repletos de folato, la vitamina que no puede faltarle porque cuida el corazón, estimula el cerebro, protege contra los accidentes cerebrovasculares y levanta el ánimo.

La deficiencia de folato triplicó el riesgo de desarrollar demencia entre los adultos mayores que participaron en un estudio realizado recientemente en Corea del Sur. Incluso los adultos que tenían niveles bajos pero no deficientes de folato presentaban un riesgo más alto de demencia. Los investigadores señalaron que es posible que los cambios en los niveles de folato se deban, en parte, a la pérdida de peso que suele ocurrir en las primeras etapas de la demencia. Asimismo, un estudio llevado a cabo en los Países Bajos vinculó los niveles más altos de folato en la sangre a un mejor desempeño en diversas pruebas mentales.

Sin embargo, no es tan sencillo. El folato está estrechamente relacionado con la homocisteína, un subproducto del metabolismo de las proteínas. Una deficiencia de folato puede llevar a niveles más altos de homocisteína. Y niveles altos de homocisteína han sido asociados al deterioro cognitivo, la demencia y la depresión, así como a las enfermedades cardíacas y los accidentes cerebrovasculares; las mismas afecciones asociadas a los niveles bajos de folato. De modo que es difícil determinar si la culpa la tienen los niveles bajos de folato o los niveles altos de homocisteína. El folato sí es un factor determinante en el metabolismo de los ácidos grasos esenciales, lo que ayudaría a explicar su efecto sobre el funcionamiento del cerebro.

Las personas olvidadizas, irritables o que no logran dormir bien podrían tener una deficiencia de folato. Los síntomas incluyen depresión y confusión mental, además de fatiga, irritabilidad y dolores de cabeza. Aumentar su consumo de folato puede hacer que se sientan mejor en apenas dos días.

Para obtener más folato a través de la dieta, prepárese una ensalada con alimentos ricos en folato que ayudan a prevenir los efectos devastadores del alzhéimer. Podría ser una de las decisiones nutricionales más importantes que tome. Elija los que más le apetezca: betarraga, espinacas, espárragos, verduras de hoja verde, frijoles carita, lentejas, frijoles, pimientos rojos y verdes, alcachofas, papaya y semillas. También obtendrá folato del hígado, así como de los panes, los cereales para desayuno, las pastas y los granos enriquecidos.

Gánele la guerra a la pérdida de memoria y la depresión

El folato no es la única vitamina B que es buena para el cerebro. La vitamina B12 y la vitamina B3 también son armas esenciales en la lucha contra el envejecimiento.

Mejore la memoria. Un estudio reciente encontró que las personas con niveles bajos de vitamina B12 eran seis veces más propensas a presentar signos de atrofia o contracción cerebral, que pueden llevar a la pérdida de memoria o la enfermedad de Alzheimer. Otro estudio concluyó que los niveles altos de ácido metilmalónico, que se elevan cuando los niveles de la B12 están demasiado bajos, predicen un declive más rápido en la salud mental.

Se puede obtener más vitamina B12 de la dieta, a través de las carnes, el pescado, los cereales fortificados para desayuno y la leche. De hecho, beber tan sólo dos vasos de leche al día podría ayudar a proteger contra el alzhéimer, según un estudio reciente de la Universidad de Oxford. La leche descremada también tiene ese efecto.

La nicotinamida, una forma de vitamina B3 o niacina, ayudó a ratones con demencia a efectuar tareas de memoria en un estudio reciente. Cuando se agregó nicotinamida a su agua, los ratones pudieron efectuar dichas tareas como si no tuvieran demencia. Esta forma de B3 también estimuló la memoria a corto plazo de los ratones sin demencia. Es posible que la vitamina funcione al reducir los niveles de una proteína que contribuye a la formación de los ovillos responsables de obstruir las células cerebrales y conducir al alzhéimer. Procure consumir 14 miligramos (mg) de B3 al día. Se encuentra en los productos lácteos, las aves de corral, el pescado, los frutos secos, las carnes magras, los huevos y los granos integrales.

La vitamina que revive el ánimo. La vitamina B12 también puede ayudar a lidiar con la depresión. Las mujeres con niveles bajos de B12 tienen más del doble de probabilidades de sufrir de depresión que las que tienen niveles normales. Los estudios muestran que las personas que reciben 0.4 mg al día de B12 presentan menos síntomas de depresión.

Además de los alimentos, se puede obtener la B12 en forma sintética como suplemento o complejo multivitamínico. A medida que se envejece y se produce menos ácido gástrico, se puede tener dificultad para absorber la B12 de los alimentos. Eso sí, no caiga en la trampa de las bebidas vitaminadas y con poco valor nutricional. Hay que beber casi cinco latas de un refresco enriquecido con vitaminas para obtener la cantidad de vitamina B que el cuerpo necesita. Algunas vitaminas se degradan en un medio ácido, como las colas o gaseosas. Las aguas vitaminadas a menudo están repletas de azúcar agregada. Es mejor obtener sus vitaminas B a través de una dieta saludable.

Con D de defensa

La llamada "vitamina del sol" realmente brilla cuando se trata de combatir la demencia y la depresión. Aumentar el consumo de vitamina D puede reducir el riesgo de sufrir de muchas enfermedades relacionadas con el cerebro.

Demencia. Un estudio británico encontró que niveles bajos de vitamina D en la sangre pueden incrementar el riesgo de demencia. En un estudio realizado con personas mayores, las que tenían los niveles más bajos de vitamina D eran 2.3 veces más propensas a mostrar signos de deterioro cognitivo en comparación con las que tenían los niveles más altos.

En otro estudio, las personas con los niveles más altos de vitamina D tuvieron un mejor desempeño en las pruebas de "función ejecutiva", que son pruebas que miden las capacidades mentales para planificar, organizar, prestar atención a los detalles, formular conceptos y pensar en abstracto. Asimismo, estas personas eran menos propensas a presentar daños en los pequeños vasos sanguíneos del cerebro o lesiones en la sustancia blanca del cerebro.

Si bien aún no se ha establecido un vínculo directo, sí se han encontrado receptores para la vitamina D en las áreas del cerebro involucradas en las tareas de planificación compleja, procesamiento y formación de nuevos recuerdos.

Enfermedad de Parkinson. Investigadores de la Universidad de Emory han descubierto que las personas con la enfermedad de Parkinson son más propensas a tener niveles insuficientes de vitamina D que las personas sanas o con alzhéimer. Es posible que la exposición al sol sea menor en las personas con párkinson que tienen problemas de movilidad. Eso explicaría su deficiencia de vitamina D. Sin embargo, niveles bajos de vitamina D también pueden contribuir al párkinson, por lo que aumentar su consumo puede ser beneficioso.

Depresión. Pasar más tiempo bajo el sol también puede ayudar a reducir el riesgo de depresión. Investigadores en los Países Bajos constataron que las personas mayores con depresión tenían niveles más bajos de vitamina D en la sangre. A su vez, niveles más bajos de vitamina D han sido asociados a una depresión más grave. Por supuesto, también es posible que la depresión sea la que lleve a un estado de deficiencia de vitamina D, y no al revés. Las personas deprimidas suelen pasar menos tiempo al aire libre y a menudo descuidan su alimentación. Obtener más vitamina D puede ser una manera muy sencilla de mejorar la salud mental.

Para más información acerca de la vitamina D, vaya a la página 82.

Pasos para potenciar la memoria

A veces menos es más. Ése podría ser el caso de las calorías y la memoria. Por otro lado, a veces más es mejor. Aumentar el consumo de agua y de vitaminas antioxidantes, por ejemplo, puede potenciar la memoria.

Coma menos para recordar más. En un estudio que se llevó a cabo recientemente en Alemania, las personas mayores con sobrepeso que redujeron su consumo de calorías en un 30 por ciento no sólo bajaron de peso, sino que también mejoraron considerablemente su memoria y sus destrezas de pensamiento. Estas mejoras se debieron, probablemente, a la reducción de la resistencia a la insulina y de la inflamación, dos factores que pueden contribuir a un declive mental asociado a la edad. Aunque comer menos puede ayudar a recordar mejor, también es importante alimentarse bien y mantener un peso corporal saludable a medida que se envejece.

Riegue el cerebro. Como las plantas, el cerebro necesita mucha agua para florecer. La deshidratación puede llevar al deterioro de la memoria a corto plazo y a dificultades para aprender y concentrarse. De hecho, la deshidratación que provoca la pérdida de tan sólo un uno por ciento del peso corporal puede tener un efecto negativo en el rendimiento mental. Muchos expertos recomiendan a las personas que hacen ejercicio o que están expuestas a temperaturas altas beber alrededor de ocho vasos de ocho onzas de agua al día o más.

Gánele a la grasa. Una comida alta en grasas no sólo hace que la ropa le ajuste, también puede afectar la memoria de las personas mayores con diabetes. Afortunadamente, dosis altas de las vitaminas C y E pueden ser útiles, según un estudio realizado en Canadá. La diabetes tipo 2 causa estrés oxidativo, y las comidas ricas en grasas aún más. Pero las vitaminas antioxidantes minimizan la acción de los radicales libres que dañan la memoria. Los participantes en este estudio tomaron 1000 miligramos (mg) de vitamina C y 800 unidades internacionales (UI) de vitamina E con sus comidas. Proteja su memoria evitando las comidas con alto contenido de grasas y optando por alimentos ricos en vitamina C y E.

Desayune para despertar el cerebro

Un desayuno saludable puede combatir la fatiga y el estrés, mejorar el ánimo y agudizar la concentración. Pase del agotamiento extremo a la vitalidad plena con estos seis consejos para vencer la fatiga.

Anímese con el aroma del café. La cafeína puede darle una inyección de energía en las mañanas, pero bastaría con el olor del café para librarse del estrés. En un estudio con ratas a las que no se les dejó dormir, el aroma de los granos de café tostado cambió los niveles de ciertas proteínas cerebrales; clara señal de su función antioxidante y de su efecto calmante sobre el estrés. Beber café también puede reducir el riesgo de depresión.

Tómese el cereal en serio. Según un estudio, las personas que se servían regularmente cereal para el desayuno se sentían menos deprimidas y menos estresadas y tenían niveles más bajos de angustia emocional que las personas que no tomaban desayuno todos los días. Lo mejor es elegir un cereal integral, rico en fibra. El alto consumo de fibra ha sido asociado a niveles más bajos de fatiga, angustia emocional y dificultades mentales.

Cuente con los carbohidratos. Los carbohidratos aportan más energía porque se descomponen en glucosa, la principal fuente de combustible del cuerpo. Consuma una combinación de carbohidratos complejos y simples. Los carbohidratos complejos, incluidos los granos enteros y las verduras con almidón como la papa, se absorben más lentamente, por lo que proporcionan un flujo constante de energía.

Los carbohidratos simples, en cambio, proporcionan una carga rápida y pasajera de energía. Las frutas y la miel, que contienen fructosa, son ejemplos saludables de carbohidratos simples. Para obtener ambos tipos en el desayuno, agregue algunas frutas a un tazón de cereal integral. Este desayuno con frutas y alto contenido de fibra es una gran manera de llenarse de la energía necesaria para hacerle frente a una mañana ajetreada.

Los carbohidratos también afectan el estado de ánimo. En un estudio realizado en Japón, los hombres que comieron más carbohidratos fueron menos propensos a presentar síntomas de depresión que los que comieron menos. Un consumo alto de carbohidratos ayuda a que el aminoácido triptófano llegue al cerebro, lo que estimula la síntesis de la serotonina, que es la sustancia química del bienestar.

Ponga proteínas en el plato. Para la resistencia física también debe incluir proteínas en su desayuno. Las proteínas ayudan a regular la liberación de energía del organismo. Buenas fuentes son los huevos, las carnes y los productos lácteos bajos en grasas.

Beneficíese de las B. La depresión ha sido asociada a niveles bajos de las vitaminas B, como el folato y la B12. Los panes y cereales enriquecidos proporcionan folato, mientras que las carnes, los productos lácteos y los huevos aportan vitamina B12.

Agregue antioxidantes. Investigadores en Japón descubrieron que los hombres de edad avanzada que comían grandes cantidades de alimentos ricos en vitamina C y carotenoides (incluido el betacaroteno, que es la forma vegetal de la vitamina A), tenían menos síntomas depresivos que los que comían cantidades menores. Estas vitaminas antioxidantes podrían proteger el cerebro del estrés oxidativo que contribuye a la depresión. Los cítricos y otras frutas y verduras de colores brillantes son buenas fuentes de estas vitaminas.

Éstas son algunas ideas para un desayuno saludable. Pruebe un *bagel* o rosca de pan integral con queso, un tazón de avena con pasas, o una tostada integral con crema de cacahuate y fruta. También puede disfrutar de huevos revueltos con tostada y fruta, o bien de rodajas de huevo duro con pan de pita integral.

Secretos para saborear la soya

Hay buenas y malas noticias cuando se trata de la relación entre la soya y el cerebro. Demasiada soya puede ser perjudicial para el cerebro, pero algunas formas de soya pueden ser su salvación.

Reduzca el tofu. Un estudio británico reciente hizo un seguimiento a 719 personas de edad avanzada en Indonesia y encontró un vínculo entre el consumo elevado de tofu y la pérdida de memoria. Es posible que los fitoestrógenos en el tofu sean el problema. Los fitoestrógenos son estrógenos de origen vegetal que se asemejan al estrógeno producido naturalmente por el organismo. Los estudios han demostrado que la terapia de estrógeno duplica el riesgo de demencia en las mujeres mayores de 65 años.

Estos resultados reflejan las conclusiones de un estudio a largo plazo hecho en Hawai, que encontró que tanto el riesgo de demencia, como el riesgo de un aumento en la contracción cerebral y una disminución en la función cerebral, eran mayores en las personas que comían tofu más de dos veces a la semana. Aquí también, los científicos creen que las toxinas son las posibles culpables. En Indonesia a veces se agrega formaldehído al tofu para conservar su frescura.

Analice las alternativas. Ese mismo estudio encontró un vínculo entre el consumo elevado de *tempeh* (un producto de soya entera fermentada) y la conservación de la memoria. Al igual que el tofu, el *tempeh* tiene niveles altos de fitoestrógenos. Pero como se trata de un producto fermentado también es rico en folato, lo que ayudaría a compensar los efectos negativos.

El *natto* es un alimento fermentado elaborado a partir de granos cocidos de soya que se consume en Asia hace más de mil años. El *natto* también ofrece cierta protección, gracias a una enzima llamada natoquinasa. En pruebas de laboratorio, la natoquinasa disolvió coágulos de sangre y fibrillas de amiloide, que son las aglomeraciones de proteínas que se asocian a la enfermedad de Alzheimer.

El *natto* también tiene sus desventajas. Es difícil de encontrar en Estados Unidos y es, tal vez, más difícil aún tomarle el gusto, debido a su fuerte olor y su textura pegajosa.

Moderación ante todo. Además del efecto que pueda tener sobre el cerebro, el exceso de soya puede llevar, entre otros problemas, a una función tiroidea disminuida y a un riesgo mayor de cáncer de mama en mujeres mayores. Sin embargo, muchos expertos en salud consideran que el consumo moderado de tofu y de otras formas de soya no es un problema. Simplemente no se exceda.

Dieta baja en carbohidratos priva al cerebro de nutrientes

¿Ha dejado de comer carbohidratos para perder peso? Pues corre el riesgo de perder también un poco de memoria. Según un estudio reciente de la Universidad de Tufts, cuando las mujeres dejaron de consumir carbohidratos al empezar una dieta baja en carbohidratos les fue peor en las pruebas de memoria que las que siguieron una dieta equilibrada baja en calorías. Es probable que los malos resultados se deban a que tenían niveles muy bajos de glucosa, el principal combustible del cerebro. En cuanto empezaron a consumir una cantidad pequeña de carbohidratos, recuperaron sus niveles normales de memoria.

Lo que se debe y no se debe comer para el párkinson

El "Hombre de Hierro" podrá ser un superhéroe, pero el hierro en sí no es nada súper cuando se trata del párkinson. El exceso de hierro —especialmente de fuentes vegetales— puede aumentar el riesgo de desarrollar párkinson. Lo asombroso es que los mismos alimentos que elevan el riesgo de gota pueden reducir el riesgo de párkinson.

Vigile el hierro. En un estudio reciente, investigadores de Italia descubrieron que las personas que consumían más hierro no hemo, es decir hierro de fuentes vegetales y no de las carnes, tenían un riesgo 30 por ciento mayor de desarrollar párkinson que las que consumían menos. Si además consumían poca vitamina C, el riesgo se disparaba a un 92 por ciento.

El hierro podría contribuir al párkinson al aumentar el daño oxidativo en el cerebro. El hierro no hemo, que el cuerpo no absorbe fácilmente, puede acumularse en el cerebro. Estudios anteriores han confirmado la presencia de más depósitos de hierro en las regiones del cerebro afectadas por el párkinson. Entre las principales fuentes de hierro no hemo están los granos y los cereales para desayuno fortificados.

Póngale atención al ácido úrico. Un estudio de Harvard concluyó que los alimentos que aumentan los niveles sanguíneos de ácido úrico, que es un compuesto asociado a la gota, también reducen el riesgo de párkinson. Asimismo, investigadores canadienses han señalado que la probabilidad de desarrollar párkinson es un 30 por ciento menor en las personas mayores que sufren de gota. Es posible que gracias a sus propiedades antioxidantes el ácido úrico proteja las neuronas cerebrales del estrés oxidativo. Entre los alimentos que elevan el ácido úrico están las anchoas, el arenque, la caballa, las almejas, las vísceras, las salsas para acompañar las carnes y el alcohol. Sólo recuerde que su consumo puede aumentar el riesgo de gota.

Tómese una taza de café o de té. Si a usted realmente le gusta el café, será feliz con la siguiente noticia. Según un estudio realizado en Finlandia, beber 10 tazas al día puede reducir el riesgo de aparición de párkinson en un asombroso 84 por ciento. La cafeína en el café estimularía la dopamina, la sustancia química cerebral cuya deficiencia caracteriza a la enfermedad de párkinson. Al igual que con el café, más té significa más protección contra el párkinson. Un estudio conducido en China encontró que las personas que bebían por lo menos 23 tazas de té negro al mes tenían un riesgo 71 por ciento menor de desarrollar párkinson que las que bebían menos. En el caso del café, la cafeína también ha sido asociada al menor riesgo de párkinson. En el caso del té negro, son sus otros ingredientes, como los antioxidantes complejos, los que parecen ofrecer esta protección. En pruebas con animales, los polifenoles presentes en el té verde también se muestran promisorios en la lucha contra el párkinson.

Valore la vitamina E. Según un estudio canadiense, una dieta rica en esta vitamina antioxidante le podría proteger contra el párkinson. Obtenga la vitamina E de los alimentos como las verduras de hoja verde, las semillas, las nueces y el aceite de oliva, en lugar de buscarla en los suplementos.

Protéjase de las proteínas. Las proteínas dietéticas pueden interferir con la levodopa, un fármaco común contra el párkinson. Mejore la eficacia de la levodopa, tomándola con una galleta 45 minutos antes de las comidas. Es mejor limitar el consumo de proteínas ese día.

Otros remedios naturales

Reconsidere el *ginkgo* como auxiliar de la memoria

Hay dos lados en cada historia y el *ginkgo* no es una excepción. Durante mucho tiempo el *ginkgo* ha sido considerado como un suplemento de gran valor para la memoria, pero estudios recientes han puesto en duda su eficacia.

Un panorama sombrío. En Oregón, un estudio reciente con personas mayores de 85 años encontró que tomar este suplemento no suponía un claro beneficio para prevenir los problemas de memoria. Peor aún, entre las personas que tomaban *ginkgo* se incrementó el riesgo de sufrir un accidente cerebrovascular (ACV) o un ataque isquémico transitorio (AIT).

En un estudio más amplio llamado "Evaluación de la Memoria con *Ginkgo*" (GEM, en inglés), en el que se hizo un seguimiento a más de 3000 personas mayores de 75 años durante un promedio de seis años, el *ginkgo* no ayudó a prevenir la demencia ni la enfermedad de Alzheimer. Pero ésa no fue la única noticia mala. El riesgo de desarrollar demencia aumentó en un 56 por ciento entre las personas que tenían problemas cardíacos al empezar el estudio.

El uso del *ginkgo* plantea otras inquietudes. Se cree que puede interactuar de manera peligrosa con los medicamentos para diluir la sangre, como la aspirina y la warfarina. Evite el *ginkgo* si tiene algún trastorno hemorrágico o si ha tenido un ACV. Algunas personas pueden experimentar efectos secundarios como nerviosismo, dolores de cabeza y dolor de estómago cuando toman dosis altas de *ginkgo*.

Un rayo de esperanza. No todas las noticias sobre el *ginkgo* son desalentadoras. En los estudios recientes con resultados no tan positivos, la falta de adherencia al tratamiento pudo haber sido un factor determinante. En el estudio de Oregón, por ejemplo, las personas que siguieron las indicaciones y de manera fiable tomaron el suplemento presentaban un riesgo 68 por ciento menor de desarrollar demencia leve. Al concluir el estudio GEM, sólo el 60 por ciento de los participantes estaban tomando los medicamentos que se les había asignado, lo que puede haber sesgado los resultados.

Varios estudios anteriores dieron resultados positivos, especialmente para las personas en las primeras etapas de la demencia. Un estudio incluso encontró que el *ginkgo* era tan eficaz como el medicamento *Aricept*, pero con menos efectos secundarios. En varios estudios, el *ginkgo* mejoró la memoria a corto plazo y la concentración incluso en personas sin problemas de memoria.

Se cree que el *ginkgo* funciona porque aumenta el flujo sanguíneo hacia el cerebro. La restricción del flujo de sangre y oxígeno podría ser un factor determinante en el desarrollo del alzhéimer. El *ginkgo* también ayudaría a aumentar la actividad de la acetilcolina, que es un neurotransmisor esencial para la memoria a corto plazo.

Analice el estado actual de su salud, sopese los pros y los contras del *ginkgo* y hable con su médico antes de tomar cualquier suplemento. Si decide probar el *ginkgo*, busque productos que contengan el extracto de la hoja de *ginkgo biloba* (GBE, en inglés) con un 24 por ciento de glucósidos flavonoides. La dosis estándar varía entre 120 miligramos (mg) y 240 mg al día.

Estimulantes cerebrales que vale la pena conocer

Hay suplementos que pasan desapercibidos, pero no por eso son menos eficaces.

Bacopa monnieri. Esta planta herbácea rastrera que crece en zonas pantanosas de la India, Australia y los trópicos, tiene poderosas propiedades antioxidantes y ayuda a reducir el estrés oxidativo. Pruebas de laboratorio realizadas en Tailandia han demostrado que protege las neuronas de la muerte celular causada por las proteínas amiloide beta, que forman las placas cerebrales relacionadas con el alzhéimer. Esto la convierte en un tratamiento alternativo promisorio para la enfermedad de Alzheimer y otros trastornos del cerebro.

En un estudio de 12 semanas de duración conducido en Oregón, las personas de edad avanzada que tomaron 300 miligramos (mg) de *bacopa monnieri* mejoraron sus resultados en las pruebas de memoria y de aprendizaje. Asimismo disminuyeron sus niveles de depresión y de ansiedad. La *bacopa monnieri* parece mejorar la función de las neuronas del hipocampo, región del cerebro que es importante para la memoria.

Huperzina A. Se trata de una sustancia química purificada que se obtiene de las hojas del licopodio aserrado chino (*Huperzia serrata*) y que también puede ser producida sintéticamente. Tres estudios conducidos en China con más de 450 personas encontraron que la huperzina A mejora los síntomas del alzhéimer y otras formas de demencia. Sus efectos positivos sobre la memoria, el pensamiento y el comportamiento en las personas con demencia hacen que sea un suplemento merecedor de la "A" que lleva en su nombre.

Al igual que algunos medicamentos recetados para tratar el alzhéimer, la huperzina A actúa bloqueando la degradación de la acetilcolina, un neurotransmisor que es esencial para la memoria a corto plazo.

Para tratar la enfermedad de Alzheimer, las dosis oscilan entre 50 y 200 microgramos (mcg) dos veces al día. Como beneficio adicional, la huperzina A puede aumentar los efectos de los medicamentos con receta como *Aricept* y *Cognex*, de modo que se puede reducir la dosis de éstos y así experimentar menos efectos secundarios. Úsela con precaución si usted padece del corazón, ya que puede disminuir el ritmo cardíaco.

Gotu kola. También conocida como centella asiática, la *gotu kola* es una antigua planta herbácea utilizada por la medicina ayurvédica para mejorar la memoria. Los estudios parecen indicar que también ayuda a aliviar la ansiedad. En varias investigaciones, la *gotu kola* redujo el deterioro cognitivo en ratas con alzhéimer. Los investigadores han identificado recientemente el posible mecanismo molecular que explicaría sus propiedades estimulantes para la memoria en las ratas. Aún no está claro si la *gotu kola* es efectiva en humanos.

Juvenon para mantener la juventud del cerebro

Los boxeadores que saben cómo lanzar combinaciones de golpes suelen tener más éxito que los que se limitan a lanzar un solo golpe simple tras otro. Lo mismo ocurre con los suplementos. A veces es mejor darle al cerebro un golpe doble, como la clásica combinación del "uno-dos" del boxeo: uno de acetil-L-carnitina, más uno de ácido alfa-lipoico. Se trata de dos compuestos que estimulan la energía y el cerebro, y que ahora están disponibles juntos como los principales ingredientes del suplemento *Juvenon*.

La acetil-L-carnitina es un aminoácido que, según se cree, participa en la producción de la acetilcolina, un importante neurotransmisor. Y el ácido alfa-lipoico actúa como un antioxidante. Si bien el cuerpo sintetiza ambas sustancias de manera natural, también se pueden obtener a través de los alimentos. Juntas, tienen un efecto positivo sobre las mitocondrias, que son las diminutas centrales energéticas de las células que queman los alimentos para convertirlos en combustible. Los cambios que ocurren en las mitocondrias a lo largo de la vida son decisivos al envejecer. Su debilitamiento puede aumentar el riesgo de aparición del párkinson o acelerar el avance del alzhéimer. La acetil-L-carnitina les asegura a las mitocondrias la grasa que convertirán en combustible, mientras que el ácido alfa-lipoico las protege del daño de los radicales libres.

Los estudios de *Juvenon* con humanos aún están en las fases iniciales, pero los resultados de los estudios con animales son promisorios. En un estudio, un grupo de ratas sedentarias de edad avanzada duplicaron espontáneamente su actividad física. En otro, las ratas mayores se desempeñaron mejor en las pruebas de memoria y presentaron un nivel de daño mitocondrial menor que las ratas que recibieron el placebo. El suplemento también mejoró el aprendizaje y la memoria a corto plazo en perros beagle.

Cada tableta de *Juvenon* contiene 500 miligramos (mg) de carnitina y 200 mg de ácido lipoico, aunque en los estudios con animales se utilizaron dosis muy altas. Puede adquirirlas en línea en *www.juvenon.com* (en inglés) o llamando al 800-567-2502.

Evite las interacciones peligrosas

El corazoncillo puede que funcione tan bien como algunos fármacos con receta médica, pero no siempre funciona bien cuando se combinan. Tenga cuidado con las interacciones. Este remedio herbario puede disminuir la eficacia de muchos fármacos, entre ellos los reductores del colesterol, los antihipertensivos y los anticoagulantes.

Tomar corazoncillo junto con un inhibidor selectivo de recaptación de serotonina (SSRI, en inglés), como Prozac o Zoloft, puede causar una peligrosa enfermedad llamada síndrome de la serotonina. Sus síntomas son confusión, calores, sudoración, ansiedad, dolores de cabeza, dolores estomacales, espasmos musculares y convulsiones.

Derrote la depresión naturalmente

¿Busca una alternativa natural y segura a los antidepresivos con receta médica? No busque más, la tiene en el corazoncillo. También llamado hipérico o hierba de San Juan (*St. John's wort*, en inglés), este remedio herbario puede levantar el ánimo sin los desagradables efectos secundarios.

Varios ensayos clínicos y revisiones de estudios han determinado que para la depresión de leve a moderada, el corazoncillo funciona mejor que un placebo (pastillas inactivas) y tan bien como los antidepresivos con receta médica, como *Prozac* y *Zoloft*.

Una noticia aún mejor es que en una revisión reciente de 29 estudios, investigadores alemanes concluyeron que el corazoncillo también puede funcionar para la depresión severa con la misma eficacia que los antidepresivos con receta médica. En un estudio de seis semanas de duración que comparó el corazoncillo con el fármaco antidepresivo paroxetina (*Paxil*), las personas que tomaron corazoncillo mejoraron sus puntuaciones de depresión en un 57 por ciento, en cambio las personas que tomaron paroxetina mejoraron sus puntuaciones en sólo un 45 por ciento y fueron más propensas a experimentar efectos secundarios, como boca seca, mareos, náuseas y diarrea.

Es probable que la eficacia del corazoncillo se deba a la hipericina y la hiperforina, sus dos ingredientes activos. Se cree que actúa al inhibir la recaptación de la serotonina, la dopamina y la norepinefrina. Eso significa que, en lugar de ser reabsorbidas y recicladas por las células que las produjeron originalmente, estas sustancias químicas permanecen en el cerebro y pueden así mejorar el estado de ánimo.

El tratamiento típico es de 900 miligramos (mg) al día, divididos en dos o tres dosis. Puede que tenga que esperar entre dos y cuatro semanas para notar una mejoría.

Sonría más con SAMe

Este popular suplemento para la osteoartritis no sólo calma el dolor en las articulaciones, sino que también puede iluminar la sonrisa. La S-adenosil metionina, mejor conocida como SAMe, puede ser una opción segura para combatir la depresión.

La SAMe es un compuesto natural que se encuentra en cada célula del cuerpo y que tiene propiedades antioxidantes y antiinflamatorios. En un estudio reciente con 30 personas, investigadores de Harvard observaron que la SAMe ayudó a algunos pacientes con depresión grave que no respondían a fármacos tradicionales. Cuando les dieron SAMe junto con un antidepresivo estándar, como *Zoloft* o *Effexor*, los índices de respuesta fueron de entre 40 y 50 por ciento. A diferencia de algunos antidepresivos estándar, la SAMe no causa aumento de peso ni disfunción sexual.

En estudios anteriores a corto plazo se demostró que la SAMe funciona mejor para tratar la depresión que un placebo y tan bien como los tricíclicos, una clase más antigua de antidepresivos. Se están realizando estudios para comparar la SAMe con los nuevos fármacos, entre ellos los inhibidores selectivos de recaptación de serotonina (SSRI, en inglés).

La dosis varía entre 400 miligramos (mg) y 1600 mg al día. El costo varía entre $18 y $50 o más al mes. Para evitar posibles náuseas o malestares estomacales, busque un suplemento con recubrimiento entérico. A menos que se lo haya recetado un médico, no tome SAMe junto con otros antidepresivos. La SAMe puede provocar el paso a una fase maníaca en las personas con trastorno bipolar.

Dos remedios para aliviar la ansiedad y la depresión

Hay remedios herbarios para conciliar el sueño y los hay para mantenerse despierto. La valeriana combate el insomnio, mientras que la raíz de oro combate la fatiga, pero ambas pueden ayudar a combatir la ansiedad y la depresión.

Valeriana. Conocida por ser un auxiliar para el sueño, la valeriana también puede ser útil para aliviar la ansiedad. Los estudios que se han hecho sobre la valeriana, aunque pocos son alentadores. En un estudio, la valeriana ayudó a personas con trastorno de ansiedad generalizada y en otro, mejoró las mediciones de estrés —como la presión arterial sistólica, el ritmo cardíaco y la tensión reportada por los propios participantes—. En un estudio con personas con depresión y ansiedad, las que tomaron valeriana junto con corazoncillo obtuvieron mejores resultados que las que tomaron únicamente corazoncillo.

La valeriana parece actuar sobre la actividad del neurotransmisor GABA en el sistema nervioso central, que es el objetivo de la mayor parte de las pastillas para dormir y los tranquilizantes con receta. La dosis típica es de entre 400 y 600 miligramos (mg) al día. Tenga en cuenta que puede tardar varias semanas en hacer efecto.

Raíz de oro. Utilizada generalmente para tratar la fatiga crónica, la raíz de oro o *rhodiola rosea* (*goldenroot*, en inglés) también puede ser de ayuda para mejorar el estado de ánimo. En un estudio realizado en Suecia se encontró que reducía los síntomas de depresión en las personas con depresión de leve a moderada. Además, mejoró sus funciones cognitivas. En otro estudio hecho en Armenia con personas con depresión de leve a moderada la raíz de oro mejoró la depresión, el insomnio y la inestabilidad emocional, sin efectos secundarios serios. La dosis fue de 340 o de 680 mg al día durante seis semanas.

La raíz de oro también sobresale por sus poderes antiestrés. Ha ayudado a médicos extenuados a trabajar en condiciones estresantes y ha contrarrestado los efectos de la anorexia nerviosa en ratas. Actúa normalizando los niveles de las sustancias químicas del cerebro que afectan el estado de ánimo y contrarresta los efectos del estrés.

Vida saludable

Supere la depresión y la demencia con ayuda de los amigos

La esperanza de vida se puede prolongar hasta en un 22 por ciento con sólo tener más amigos. La socialización ayuda a vivir más tiempo, a vencer la depresión y a eludir la demencia. En un estudio realizado en Australia, se observó que los adultos mayores que contaban con redes más amplias de buenos amigos tenían una probabilidad mayor de sobrevivir durante los 10 años del período de seguimiento. Es más, la probabilidad de morir para los que más amigos tenían era un 22 por ciento menor, en comparación con las personas menos sociables. Los investigadores creen que para un adulto mayor los amigos son un aliciente para cuidar mejor de sí mismo. También podrían ser un factor de buen humor y autoestima que ayuda a superar los momentos difíciles de la vida. Así que haga más amigos y disfrute de la vida.

Sólo asegúrese de que sus amigos sean felices. Según un estudio de la Universidad de California, en San Diego, la felicidad es contagiosa. La probabilidad de ser feliz es mucho mayor cuando se vive rodeado de gente feliz. Si un amigo que vive cerca es feliz, la probabilidad de que usted también lo sea aumenta en un 25 por ciento. Se notaron efectos similares entre esposos, hermanos que vivían cerca y vecinos.

Los amigos no sólo contagian la felicidad, sino que también ayudan a agudizar la mente. En un estudio reciente con 2249 mujeres de

78 años o más, las mujeres que tenían círculos sociales más amplios presentaban un riesgo menor de demencia, en comparación con las que tenían círculos más pequeños de amigos y familiares.

Tal vez no sea necesario contar con un círculo enorme de amigos. Relacionarse activamente con pequeños grupos de familiares o amigos cercanos también puede mantener la mente en forma. Recuerde, las interacciones sociales no tienen que ser siempre cara a cara. Es posible mantenerse en contacto a través de llamadas telefónicas, correos electrónicos y cartas.

Incluso hablar ayuda. En un estudio de la Universidad de Michigan se comprobó que para estimular la memoria y las capacidades mentales, tener una conversación de 10 minutos era tan efectivo como realizar una actividad intelectual. Eso significa, en otras palabras, que visitar a un vecino o a un amigo puede ser tan útil para conservar la lucidez mental como hacer un crucigrama cada mañana. Lo mismo ocurre cuando se juega a la cartas, porque ésta es otra actividad donde se combina la actividad mental con la interacción social.

Las relaciones románticas son igualmente importantes. Hace poco, un interesante estudio sugirió que las personas que viven solas durante la mediana edad pueden correr un riesgo mayor de desarrollar alzhéimer. Para las que viven en pareja durante la mediana edad, sin embargo, el riesgo de desarrollar demencia más adelante en la vida sería un 50 por ciento menor.

Beneficio inesperado para los cuidadores

Cuidar de un cónyuge no solo ayuda a la persona que recibe los cuidados, también puede ayudar a la persona que los brinda. Un estudio reciente de la Universidad de Michigan encontró que los adultos mayores que pasaron al menos 14 horas semanales cuidando a un cónyuge incapacitado vivieron más tiempo que los que no tuvieron que hacerlo.

Orar para vivir más y mejor

La práctica religiosa puede ayudar a las personas de edad avanzada a pasar menos tiempo en un centro de cuidados a largo plazo. Un estudio de la Universidad de Duke mostró que las creencias religiosas y la espiritualidad influyen en el número de días de cuidados prolongados que necesitaría un adulto mayor.

El estudio se concentró en actividades como rezar, leer la Biblia, escuchar programas religiosos en radio o televisión y en las experiencias espirituales cotidianas. Entre los adultos mayores que se dedicaban a estas actividades la probabilidad de necesitar cuidados asistenciales o de rehabilitación en un centro especializado fue menor. Durante el estudio, las personas que más participaban de estas actividades tenían estadías significativamente más cortas en estos centros que las que menos participaban. El efecto era más pronunciado entre los participantes de raza negra y las mujeres.

Todas estas actividades implican un apoyo social mayor, lo que pudo haber sido un factor clave. Otra explicación es que las personas religiosas provienen de familias religiosas, que suelen preferir cuidar de sus seres queridos a depender de un centro de cuidados geriátricos. La religión, por otro lado, también puede ofrecer esperanza y servir como motivación para cuidar su salud.

Las actividades religiosas y espirituales han sido asociadas a una mejor salud física y mental, y a una vida más larga. La oración puede ser beneficiosa para la mente y el cuerpo, así como para el alma. *Amén.*

Es mejor dar que recibir

Ser generoso con el dinero puede hacer felices a las personas. Un estudio reciente encontró que las personas que gastan su dinero en regalos y en obras de caridad eran más felices que las que lo gastaban en sí mismas. Gastar tan sólo $5 en otra persona puede mejorar el ánimo.

Controlar el peso para mantener el cerebro en forma

Mantener un peso saludable puede ayudar a mantener saludable la mente. Tras revisar siete estudios anteriores, investigadores holandeses concluyeron que el sobrepeso aumenta considerablemente el riesgo de demencia. Las personas mayores de 65 años que eran obesas al iniciarse los estudios resultaron ser 80 por ciento más propensas a desarrollar algún tipo de demencia.

La Universidad Johns Hopkins condujo una revisión de 10 estudios internacionales realizados en Estados Unidos, Finlandia, Suecia, Francia y Japón, y llegó a una conclusión similar. Las personas obesas tienen un riesgo 80 por ciento mayor de desarrollar la enfermedad de Alzheimer, en comparación con las que tienen un peso normal. Las edades al iniciarse estos estudios oscilaban entre 40 y 80 años, y el seguimiento duró entre tres y 36 años. Pero no exagere al tratar de adelgazar. Tener un peso inferior al normal también plantea un riesgo ya que la probabilidad de desarrollar demencia se vuelve un 36 por ciento mayor. La clave está en mantener un peso saludable.

El lugar donde se concentra la grasa también es un factor a tener en cuenta. Un estudio reciente encontró que un vientre voluminoso en la mediana edad implica un riesgo mayor de demencia más adelante. La probabilidad de demencia era casi tres veces mayor en las personas que tenían la mayor cantidad de grasa abdominal que las que tenían la menor cantidad. Incluso las personas con un peso normal, pero con una gran barriga, corrían un riesgo mayor.

Muévase para mejorar la memoria

Es posible lograr que el cerebro piense mejor, recuerde más y se mantenga joven durante más tiempo. No cuesta ni un centavo, y se puede empezar ahora mismo. Es más, usted verá los beneficios enseguida. Simplemente empiece a moverse. El ejercicio tiene un efecto profundo sobre el cerebro. Esta solución cien por ciento natural lo logra todo: hace crecer nuevas células cerebrales, detiene la presión arterial alta y previene la contracción del cerebro.

Quítele años al cerebro. Un estudio reciente de la Universidad de Illinois encontró que el ejercicio aeróbico ayuda a frenar (e incluso a revertir) la contracción del cerebro en adultos mayores sanos. Durante el estudio de seis meses de duración, los participantes aumentaron el volumen de su cerebro, tanto en sustancia gris (las neuronas) como en sustancia blanca (las conexiones entre neuronas), en regiones del cerebro que suelen deteriorarse con la edad.

Según el investigador principal Arthur Kramer, después de tan sólo tres meses los participantes ya habían logrado aumentar el volumen de su cerebro a como lo tenían tres años antes. Y lo hicieron con un ejercicio muy sencillo: caminando a paso ligero durante tres horas a la semana.

Este efecto positivo del ejercicio puede que se deba a que mejora el flujo sanguíneo hacia el cerebro, provocando un aumento en los neurotransmisores y el nacimiento de nuevas células cerebrales. El ejercicio regular también ayuda a mantener la elasticidad de las arterias para asegurar el flujo normal de la sangre, lo que ofrece protección contra la presión arterial alta y los accidentes cerebrovasculares.

Reduzca el riesgo de demencia. Una caminata diaria de 30 minutos puede ser todo lo que se necesita para estimular el cerebro. En un estudio realizado en Italia con hombres y mujeres de edad avanzada, el riesgo de sufrir demencia entre los que salieron a caminar a paso ligero con mayor frecuencia cayó en un 27 por ciento en comparación con los que caminaron lo menos posible.

Los ejercicios aeróbicos no son los únicos que ayudan. Está demostrado que el entrenamiento de fuerza, como levantar pesas, también ofrece beneficios para el cerebro.

Otro estudio sugiere que el ejercicio regular puede retrasar la aparición de la enfermedad de Alzheimer y otras formas de demencia. En comparación con las que hicieron ejercicio menos de tres veces a la semana, las personas mayores que hicieron ejercicio tres o más veces a la semana redujeron sus factores de riesgo para la demencia y el alzhéimer entre un 30 y 40 por ciento.

Según un estudio conducido por la Clínica Mayo, el ejercicio moderado entre los 50 y 65 años de edad puede reducir el riesgo de sufrir más adelante un deterioro leve de los procesos del pensamiento, deterioro que con frecuencia evoluciona hacia el alzhéimer.

El ejercicio puede ayudar incluso a las personas que ya tienen alzhéimer. Un estudio comprobó que las personas con alzhéimer que tenían un estado físico no tan bueno presentaban una contracción del cerebro cuatro veces mayor que las personas con un mejor estado físico. Es más, los pacientes que están en las primeras etapas de la enfermedad de Alzheimer podrían preservar su función cerebral durante más tiempo si practicaran ejercicio de manera regular.

Manténgase activo. La actividad física no sólo le ayudará a gozar de una vida más larga y saludable, sino que también podría determinar el lugar donde usted pasará sus años dorados. El ejercicio regular puede ayudar a conservar la lucidez mental, a eludir el alzhéimer y a evitar tener que internarse en un centro de cuidados para ancianos.

La Wii da vitalidad a los mayores

Diviértase mientras hace ejercicio con el sistema de juegos Wii, de Nintendo. Es tan fácil de usar que se ha vuelto muy popular entre los adultos mayores.

A diferencia de la mayoría de los videojuegos con controles complicados, la Wii tiene un control de mano sensible al movimiento. El jugador sólo tiene que imitar las acciones propias del deporte virtual que elija, ya sea el tenis, el boliche, el béisbol o el golf. Es una divertida manera de estimular la coordinación visomotora, mejorar el equilibrio y mantenerse físicamente activo. Estos juegos también promueven la socialización, otro gran beneficio para el cerebro. Sólo tenga cuidado con no abandonarse al juego y olvidar sus limitaciones físicas. El sistema Wii cuesta alrededor de $250, pero su efecto positivo sobre el cerebro no tiene precio.

Derrote la depresión caminando

El ejercicio no sólo mejora la memoria, sino que también mejora el estado de ánimo. La actividad física es una manera natural y poderosa de combatir la depresión. No es necesario matricularse en un gimnasio, correr o levantar pesas. Basta con caminar.

Un estudio realizado en Filadelfia con 380 mujeres menopáusicas encontró que caminar puede ayudar a reducir los niveles de estrés, ansiedad y depresión. Las mujeres del estudio caminaron a un ritmo de intensidad moderada durante una hora y media, cinco días a la semana.

Incluso 20 minutos de labores domésticas ayudan, siempre y cuando se hagan con una intensidad moderada. Un estudio británico determinó que tanto limpiar la casa como caminar disminuyen el riesgo de depresión en un 20 por ciento, y que la jardinería lo reduce en un 24 por ciento. La clave es que la actividad física se haga durante 20 minutos seguidos y que le deje con la sensación de haberse quedado casi sin aliento.

El ejercicio puede ayudar a limitar los factores de riesgo biológicos para la depresión, como la intolerancia a la glucosa, la inflamación y los problemas cardiovasculares. Lo cierto es que las personas que padecen estrés y ansiedad son las menos propensas a hacer ejercicio. La depresión conduce con frecuencia a una disminución de la energía y de la motivación. Para una persona con depresión es difícil encontrar en sí misma la motivación para moverse, pero es sorprendente lo bien que se sentirá después de haber hecho alguna actividad física.

El ejercicio puede ayudar a mejorar el estado de ánimo y la salud emocional, según un estudio de la Universidad del Estado de Luisiana. El ejercicio regular también puede mejorar la calidad de vida para las mujeres mayores inactivas y con sobrepeso.

El aire fresco también ayuda. Investigadores británicos descubrieron que las personas se sentían más felices, menos tensas y con más energía luego de salir a caminar al aire libre, en comparación con lo que sentían las personas que caminaban en espacios cerrados.

Dos medidas para mantener la agilidad mental

Mantener bajo control los niveles de presión arterial y de azúcar en la sangre ayuda a prevenir los ataques al corazón y los accidentes cerebrovasculares, entre otros problemas de salud. No sólo eso. También ayuda a mantener la agilidad mental a medida que se envejece.

Alivie la presión. Las personas con presión arterial alta tienen una probabilidad 600 por ciento mayor de desarrollar demencia vascular. La presión arterial alta restringe el paso de oxígeno al cerebro, pero los síntomas a menudo pasan desapercibidos. Un estudio de la Universidad Howard encontró que en los adultos mayores de 70 años, la presión arterial alta estaba asociada a una función cognitiva inferior a la asociada con la presión arterial normal. Según la Sociedad de Alzheimer, la presión arterial alta también duplica el riesgo de otro tipo de demencia: la enfermedad de Alzheimer.

Para conservar la lucidez con la edad, se deben tomar medidas para controlar la presión alta. Es importante chequearse periódicamente la presión. También lo es seguir una dieta baja en sodio y alta en potasio, hacer ejercicio regularmente, mantener un peso saludable, limitar el consumo de alcohol, dejar de fumar y controlar el estrés.

Controle el azúcar. Un nuevo estudio de la Universidad de Columbia encontró que los niveles elevados de azúcar en la sangre pueden ser parcialmente responsables de las fallas de memoria. Se estableció que existe una relación entre el aumento de los niveles de azúcar en la sangre y la disminución de la actividad del giro dentado del hipocampo, la región del cerebro que es clave para la memoria. Reducir el nivel de azúcar en la sangre debería estimular la actividad del giro dentado, lo que sería beneficioso para el cerebro.

Un estudio a largo plazo realizado en Suecia, encontró que los hombres que desarrollaron diabetes en la edad mediana eran más propensos a desarrollar alzhéimer a una edad avanzada. La diabetes también fue asociada al trastorno de los procesos del pensamiento, que a menudo precede al alzhéimer. El ejercicio puede ser una buena manera de mantener el azúcar en la sangre bajo control.

Plan de acción
para los problemas de memoria

El diagnóstico temprano es clave cuando se trata de la enfermedad de Alzheimer. Con demasiada frecuencia, sin embargo, las personas niegan o encubren sus síntomas. Esto sólo posterga el tratamiento, a veces hasta que ya es demasiado tarde. Los medicamentos de hoy sólo retrasan el progreso del alzhéimer, por lo que es necesario empezar antes de que la enfermedad se agrave.

Un diagnóstico temprano también le permite al paciente participar en las decisiones sobre su tratamiento. También es importante descartar problemas de memoria por otras causas, como la depresión, los problemas tiroideos, las deficiencias vitamínicas y los efectos secundarios de ciertos medicamentos.

El diagnóstico debe incluir un examen físico completo, además de pruebas de laboratorio y de imágenes por resonancia magnética (MRI, en inglés), así como de evaluaciones mentales. El diagnóstico será más preciso si es realizado por un centro especializado en geriatría o en la enfermedad de Alzheimer.

Trucos inolvidables para recordarlo todo

¿Alguna vez olvidó el nombre de alguien momentos después de conocerlo? Para evitar que esta situación incómoda se vuelva a repetir siga estos consejos infalibles.

■ Concéntrese. Es importante prestar atención. Cuando una persona se presenta, mírela directamente para evitar las distracciones.

■ **Repítalo.** Repita el nombre de la persona tan pronto lo escuche: *"Encantado de conocerte, Quique"*. Para fijar el nombre en la memoria es mejor decirlo en voz alta en lugar de simplemente escucharlo. También puede hacer un comentario acerca del nombre: *"Mi mejor amigo de la infancia se llamaba Quique"*.

■ **Deletréelo.** Pida a la persona que deletree su nombre: *"¿Es Quique con Q o con K?"*.

■ **Visualícelo.** Fórmese una imagen mental para que el nombre sea más vívido y fácil de recordar. Por ejemplo, si conoce al señor Flores, imagínelo con un ramo de flores.

■ **Asócielo.** Hay nombres que se pueden relacionar con algún rasgo de esa persona. Tal vez sienta que Rosa efectivamente huele a rosas o le llama la atención el júbilo de Julia.

■ **Úselo.** Utilice el nombre con frecuencia en la conversación para que se le fije en la memoria.

Si suele olvidar dónde dejo las llaves del auto, adquiera el hábito de dejarlas siempre en el mismo lugar. O como los comentaristas deportivos que describen cada jugada al detalle, anúncielo en voz alta: *"Ahora estoy colocando las llaves sobre la mesa"*.

Si lo que desea es recordar una lista breve de cosas por hacer, pruebe cantar la lista al son de una canción que conoce bien o invente un acrónimo utilizando la primera letra de cada palabra en su lista. También puede utilizar un recordatorio curioso, como colocar un zapato sobre la pila de cuentas por pagar. En algún momento usted notará que algo está fuera de lugar y así recordará lo que debe hacer.

¿No puede recordar una palabra que tiene en la punta de la lengua? Recite el alfabeto. Cuando llegue a la letra con la que empieza esa palabra, puede que le venga a la memoria. Si todo lo anterior falla, lo mejor que puede hacer es relajarse. Dedíquese a otra cosa y deje que el lado inconsciente del cerebro haga su trabajo. Es posible que la palabra aparezca de la nada.

Siete superestrategias para salvar el cerebro

Úselo o piérdalo. Ésa es la clave para mantener el cerebro en su mejor forma. Utilice estas estrategias para mejorar la memoria y evitar la demencia.

Dele vuelta a las cosas. Utilice distintas partes del cerebro para hacer tareas familiares. Por ejemplo, cepíllese los dientes con la mano no dominante o báñese con los ojos cerrados. Tome un camino distinto para ir al trabajo o cambie la disposición de los asientos a la hora de sentarse a la mesa a comer. Todo lo que es novedoso genera nuevas células cerebrales y nuevas conexiones entre ellas.

Elija pasatiempos estimulantes. Un estudio reciente encontró que ciertas actividades pueden retrasar o prevenir la pérdida de memoria. Las personas que recurrieron a la lectura, los juegos de mesa, las actividades que hacen uso de la computadora y las manualidades, como la cerámica y el bordado, redujeron entre el 30 y el 50 por ciento su riesgo de desarrollar pérdida de memoria, en comparación con las personas que no hicieron estas actividades.

Apague el televisor. Ese mismo estudio constató que las personas mayores que ven la televisión durante menos de siete horas al día tienen la mitad de probabilidades de sufrir pérdida de memoria que las que están más de siete horas al día frente a la televisión.

Aprenda otros idioma. Según un estudio de la Universidad de Tel Aviv, hablar muchos idiomas puede proteger el cerebro contra los efectos del envejecimiento, ya que aprender un idioma crea nuevas conexiones neuronales.

Trabaje menos. Sólo trabajar y nunca divertirse podría llevar a una disminución de la función cognitiva. Un estudio realizado en Finlandia entre funcionarios públicos británicos encontró que las facultades mentales, incluida la memoria a corto plazo, de los que trabajaban más de 55 horas a la semana eran inferiores a las de los funcionarios públicos que trabajaban no más de 40 horas a la semana.

Evite el humo de segunda mano. Investigadores de la Universidad de Cambridge encontraron que el humo de segunda mano aumenta las probabilidades de deterioro cognitivo. Los investigadores midieron la concentración de cotinina en la saliva, un marcador biológico de la exposición al humo de segunda mano y concluyeron que las personas con las concentraciones más altas presentaban un riesgo 44 por ciento mayor.

Impóngase retos. Lo importante es ejercitar el cerebro. Haga crucigramas o resuelva los rompecabezas de números de *Sudoku*, dedíquese a los juegos de mesa o los juegos de cartas, pruebe nuevas recetas, tome una clase, viaje a un lugar que no conoce o atrévase a descubrir un nuevo pasatiempo que le obligue a aprender algo nuevo.

Ejercite la mente con alta tecnología

Navegar por internet y entretenerse con un videojuego no son actividades reservadas para los nietos adolescentes. Los pasatiempos de alta tecnología pueden mejorar las funciones cognitivas a medida que se envejece.

Un reciente estudio realizado por la UCLA encontró que hacer búsquedas por internet estimula y, posiblemente, mejora la función cerebral en los adultos de mediana edad y de edad avanzada. Sorprendentemente, las búsquedas que se hacen en la web serían aun más útiles que la lectura de libros porque implican una mayor actividad en las regiones del cerebro que controlan los procesos de toma de decisiones y de razonamiento complejo.

Cuando se hace una búsqueda en la web, es necesario tomar decisiones sobre dónde hacer clic para encontrar más información. Según un estudio, tanto leer como hacer búsquedas en la web estimulan la actividad de las regiones del cerebro que controlan el lenguaje, la lectura, la memoria y las capacidades visuales.

Al igual que con cualquier otra actividad nueva, la práctica hace al maestro. Un estudio comprobó que las personas con la mayor experiencia en internet tenían una actividad cerebral más intensa que las personas con experiencia limitada. Así que actualícese y dedique unas horas a navegar por la web.

Tampoco sería mala idea probar cómo le va con los videojuegos. Un estudio reciente de la Universidad de Illinois encontró que los adultos mayores que aprendieron a jugar un videojuego complejo mejoraron en las pruebas de memoria y razonamiento. También mostraron una mayor capacidad para llevar a cabo múltiples tareas a la vez, lo que podría ser útil en la vida diaria. Según los investigadores, es mejor jugar con otras personas, para no desaprovechar los beneficios de la interacción social.

Usted también podría ir a un "gimnasio cerebral". En lugar de levantar pesas o correr en una caminadora estacionaria, tendrá que sentarse frente a una computadora con un programa de "ejercicios mentales". Como cuando va a un gimnasio, también aquí tendrá que pagar una cuota. Los centros comunitarios y de jubilados ofrecen programas similares. Por supuesto, también se puede jugar y resolver rompecabezas en línea de manera gratuita.

Dormir para recordar

Descubra cómo regular naturalmente la liberación de las hormonas que reparan el cerebro y retrasan el proceso de envejecimiento.

Una buena noche de sueño agudiza la memoria. Varios estudios han demostrado el poderoso efecto que tiene el sueño sobre el cerebro. El sueño estimula la memoria procedimental, que es el tipo de memoria que le ayuda a recordar cómo realizar ciertas acciones, la memoria semántica o la capacidad para recordar datos y hechos, y la memoria a corto plazo.

Cuando uno duerme, el cerebro reproduce la información una y otra vez, para consolidar la memoria en el tiempo. El sueño puede incluso ayudar a producir nuevas células cerebrales. Según un estudio, en las ratas privadas de sueño se observa una reducción de la producción de nuevas células cerebrales en el hipocampo, la región del cerebro que es clave para la memoria a largo plazo.

Hasta las siestas son buenas. Algunos estudios coinciden en que tomar una siesta después de aprender algo nuevo podría ayudar a recordar mejor lo aprendido. Incluso una siesta breve de apenas seis minutos puede ser beneficiosa para la memoria. Al momento de quedar dormidos, el cerebro empieza a trabajar para clasificar los recuerdos entre los que son necesarios a largo plazo, los que serán necesarios a corto plazo, y los que son irrelevantes y se deben descartar.

Por eso es que la memoria a largo plazo puede realmente mejorar con la edad. Sólo asegúrese de dormir lo suficiente.

Duerma bien para recordar mejor. Mejorar el sueño ayuda a mejorar la memoria. Éstos son algunos consejos para dormir plácidamente toda la noche:

- Mantenga un horario regular de sueño.

- Haga ejercicio regularmente, pero el ejercicio vigoroso hágalo sólo en las primeras horas del día.

- Evite el café y otras fuentes de cafeína después de la media mañana.

- Evite las comidas pesadas cerca de la hora de acostarse.

- Reduzca o elimine el alcohol.

- Utilice la cama únicamente para dormir o para tener relaciones sexuales, nunca para leer ni ver la televisión.

- No se acueste si no está cansado.

- Trátese cualquier enfermedad que pueda conducir a problemas de sueño, como la depresión, la ansiedad, la apnea del sueño y el síndrome de las piernas inquietas.

- Tome pastillas para dormir únicamente como un último recurso.

- Pregunte a su médico si los efectos secundarios de los medicamentos que está tomando pueden interferir con el sueño.

Asimismo, se recomienda limitar las horas que pasa frente a la televisión o la computadora en las noches. Un estudio realizado en Japón encontró que las personas que lo hacían durante más de tres horas cada noche eran más propensas a decir que no dormían lo suficiente. El uso del teléfono celular antes de irse a la cama también podría alterar el ritmo natural del sueño.

Descubra la relación entre la luz y el cerebro

Una luz intensa en la sala de estar puede retrasar la aparición de la demencia y combatir la depresión. En un estudio realizado en los Países Bajos, instalar luces brillantes en las área comunes de las residencias de ancianos disminuyó el deterioro mental en un 5 por ciento, redujo los síntomas de depresión en un 19 por ciento y frenó el incremento gradual en las limitaciones para realizar las actividades de la vida diaria en un 53 por ciento.

Los investigadores señalan que el ritmo circadiano del cuerpo es determinante para mantener una salud cerebral óptima. Sin embargo, en las personas mayores y en las que tienen demencia este ritmo a menudo sufre alteraciones. La exposición a la luz ayuda a reprogramar el reloj biológico para que recupere su ritmo.

La luz brillante también ayuda a combatir el trastorno afectivo estacional (TAE) o SAD, por sus siglas en inglés, que es una forma de depresión que ocurre al reducirse las horas de luz diurna a fines del otoño y en el invierno. Un estudio reciente en Australia determinó que existe un vínculo entre el TAE y los niveles bajos de serotonina, una sustancia química en el cerebro que regula el estado de ánimo.

En las personas con TAE, la proteína que ayuda a transportar la serotonina lo hace con más diligencia que nunca, tomando la serotonina del flujo sanguíneo y de dónde esté disponible para llevarla hacia las plaquetas, dónde no está disponible. Después de una sesión de fototerapia, la proteína se desacelera, permitiendo que una cantidad mayor de serotonina permanezca en la sangre. Puede que funcione de la misma manera en el cerebro.

Para obtener el mayor provecho de la luz, salga afuera a la misma hora cada día. También debe evitar la luz brillante tres horas antes de acostarse. Si usted cree que tiene TAE, pregunte a su médico sobre la fototerapia, que es una terapia de luz que consiste en permanecer sentado frente a una lámpara con múltiples bombillas fluorescentes durante aproximadamente 30 minutos.

La música ayuda a afinar el cerebro

Escuchar música, sobre todo, canciones conocidas, puede ayudar a retrasar el avance de la enfermedad de Alzheimer. La música también ayuda a combatir la ansiedad y la depresión.

Escuche bien. Escuchar música puede ayudar a los pacientes con alzhéimer a volver a establecer una conexión con sus recuerdos y redescubrir su personalidad. Incluso les puede ayudar a recordar nombres, caras y palabras, según un estudio realizado por el Instituto para la Música y Función Neurológica, de Nueva York. Las melodías familiares pueden ayudar a las personas con demencia a relacionarse con los demás y a sentir alegría.

La música es poderosa. A diferencia de la memoria verbal, la memoria musical no reside en una región específica del cerebro. La música se procesa en distintas áreas del cerebro y, por lo tanto, su recuerdo es más difícil de borrar. Las canciones que fueron populares en la adolescencia o en la juventud son las que tienen la mayor repercusión.

Únase al coro. Hacer música también ayuda. De acuerdo con la Sociedad Británica de Alzheimer, cantar melodías conocidas y aprender otras nuevas puede ayudar a desarrollar la autoestima y a aliviar la soledad en las personas con demencia. Puede incluso retrasar la aparición de problemas de memoria. Un estudio encontró que moverse al son de la música, tocar instrumentos de percusión y cantar facilitó una mayor participación dentro del grupo y un comportamiento menos agresivo y problemático entre las personas con demencia en los hogares de ancianos.

Cantar en grupo, ya sea en un coro de iglesia o un grupo coral de la comunidad, permite además establecer vínculos sociales beneficiosos. Las personas que tienen más vínculos sociales son menos propensas a sufrir una disminución de sus capacidades mentales.

Sintonícese y anímese. Según un estudio de la Clínica Cleveland, escuchar música puede aliviar los síntomas de depresión en un 25 por ciento. Otros estudios han demostrado cómo distintos tipos de música reducen los niveles de cortisol, que es la hormona del estrés, y bajan la presión arterial. La música puede incluso eliminar la fatiga durante una sesión de ejercicios. Un estudio realizado en Corea del Sur encontró que la música puede mejorar la depresión, la ansiedad y las relaciones humanas en las personas que padecen una enfermedad mental.

Alternativas médicas

Nueva pruebas para el diagnóstico precoz del alzhéimer

La detección temprana es clave para tratar la enfermedad de Alzheimer, más aun cuando el número de personas con este mal sigue aumentando a gran velocidad. Investigadores en ambos lados del Atlántico han diseñado recientemente pruebas que son rápidas y precisas para detectar los primeros signos de la demencia.

Investigadores de la Universidad de Emory han desarrollado una prueba en dos partes, llamada MC-FAQ, para detectar el deterioro cognitivo leve, que suele ser la primera fase de la enfermedad de Alzheimer. Esta prueba toma cerca de tres minutos, en lugar de los 40 o 60 minutos de las pruebas estándar, y tiene casi la misma precisión. *Mini-Cog* (MC) es la primera parte y consiste sencillamente en dibujar un reloj y recordar tres elementos. Al mismo tiempo, el cónyuge u otro miembro de la familia debe responder un cuestionario de actividades funcionales (*Functional Activities Questionnaire*, o FAQ, en inglés)

Investigadores del Hospital de Addenbrooke, en Cambridge, Inglaterra, crearon otra prueba llamada "Evalúa tu memoria" (*Test Your Memory* o TYM, en inglés). Esta prueba evalúa 10 tipos de capacidades mentales, incluidas la capacidad de copiar una frase, de calcular, de fluidez verbal y de recordar. Esta prueba no sólo es más rápida que las evaluaciones estándar, sino que también es más precisa, ya que identificó correctamente el 93 por ciento de los casos de alzhéimer, en comparación con el 52 por ciento del Mini Examen del Estado Mental (*Mini Mental State Exam* o MMSE, en inglés), la prueba más comúnmente utilizada para determinar el estado mental de un paciente. Esto significa que la prueba TYM podría convertirse en una mejor herramienta para la detección precoz del alzhéimer.

Para administrar estas pruebas no es necesaria una capacitación especial. Se calcula que el número de nuevos pacientes con alzhéimer aumentará en medio millón cada año. Con estas nuevas pruebas la detección de esta enfermedad será más fácil y más rápida.

Inyección de esperanza para las personas con temblor esencial

Se estima que una de cada cinco personas mayores de 65 años puede sufrirlo. El temblor esencial (TE) es un trastorno neurológico que se caracteriza por contracciones musculares involuntarias, por lo general en las manos. Puede ocurrir cuando el cuerpo se mantiene en cierta postura (temblor postural) o mientras realiza una acción como escribir o comer (temblor cinético). Las personas mayores con TE a menudo también tienen demencia.

Un estudio encontró que las inyecciones de bótox en la muñeca ayudan a reducir el temblor postural, pero las inyecciones podrían debilitar las manos. El bótox o toxina botulínica tipo A ayuda a controlar la hiperactividad del músculo. Pregunte a su médico acerca de este posible tratamiento.

Nuevo uso del tratamiento para el herpes labial

Los medicamentos antivirales que se utilizan para tratar el herpes labial también pueden ayudar a prevenir la enfermedad de Alzheimer. Eso se debe a que el virus del herpes que causa el herpes labial también puede desencadenar las placas de proteínas que se acumulan en el cerebro de las personas con alzhéimer.

Investigadores de la Universidad de Manchester encontraron pruebas de ADN del virus del herpes simple tipo 1 (VHS-1) en el 90 por ciento de las placas de los pacientes con alzhéimer. Ellos creen que el virus ingresa al cerebro de las personas mayores a medida que se deteriora su sistema inmunitario, y que permanece latente hasta que es activado por el estrés o por alguna infección. Esta investigación promisoria sugiere que los medicamentos antivirales pueden servir para tratar la enfermedad de Alzheimer y abre la posibilidad de una vacuna para su prevención.

Tratamiento prometedor para defenderse de la demencia

Las estatinas pueden hacer maravillas para el corazón, pero también pueden proteger el cerebro. Las pruebas sugieren que las estatinas pueden ayudar a prevenir el alzhéimer y otras formas de demencia.

Un estudio de la Universidad de Michigan encontró que las personas mayores que tomaban estatinas eran aproximadamente un 50 por ciento menos propensas a desarrollar demencia o deterioro cognitivo que las que no lo hacían. Parte del "Estudio sobre Envejecimiento en la Población Latina del Área de Sacramento", hizo un seguimiento durante cinco años a 1674 estadounidenses de origen mexicano, mayores de 60 años. Investigadores de la Universidad de Boston descubrieron que el tipo de estatina utilizado puede marcar la diferencia. En este estudio, que utilizó la base de datos del Departamento de Asuntos Veteranos de EE.UU., la simvastatina redujo la incidencia de las enfermedades de Alzheimer y de Parkinson en alrededor de un 50 por ciento. La potencia del medicamento unida a su capacidad para penetrar la barrera hematoencefálica, podrían ser la clave de su éxito. La capacidad de las estatinas para reducir la inflamación, que contribuye tanto al alzhéimer como al párkinson, también podría un factor determinante.

No todos los estudios han tenido resultados positivos. En un estudio reciente no se encontró relación alguna entre el uso de estatinas y el riesgo de alzhéimer o el deterioro cognitivo. Una revisión de dos estudios importantes encontró que las estatinas no funcionaron mejor que el placebo. Todos coinciden en que es necesario seguir realizando estudios ya que las estatinas bien podrían ser un arma eficaz en la lucha contra la demencia.

Los medicamentos que minan la memoria

A veces la solución crea más problemas. Los medicamentos que se toman para la incontinencia urinaria o el párkinson pueden ser dañinos para la memoria. Los anticolinérgicos son fármacos utilizados para tratar las úlceras, los cólicos estomacales, los problemas respiratorios y el mareo por movimiento, pero pueden hacer que las personas mayores pierdan ciertas facultades intelectuales con mayor rapidez. Se sabe desde hace tiempo que empeoran la memoria de los pacientes con alzhéimer, pero estudios recientes sugieren que también pueden afectar la memoria de las personas mayores sanas.

Los anticolinérgicos funcionan al inhibir la actividad de la acetilcolina, una sustancia química del cerebro necesaria para la buena memoria. De hecho, los medicamentos que se utilizan para tratar el alzhéimer retardan la degradación de la acetilcolina. El uso regular de anticolinérgicos puede afectar la capacidad para realizar tareas cotidianas, como ir de compras o administrar el dinero de la casa. Cuanto más medicamentos de este tipo se tomen, mayor será el deterioro de la memoria. Es posible que las personas mayores puedan ser más vulnerables a estos medicamentos debido a los cambios en el cerebro relacionados con el envejecimiento.

Claro que hay otros medicamentos que también pueden dañar el cerebro. De acuerdo con *WorstPills.org*, un recurso para el consumidor con información sobre los medicamentos de venta con receta médica, el deterioro cognitivo inducido por medicamentos se asocia con más frecuencia a las benzodiazepinas, los opiáceos, los antidepresivos tricíclicos y los anticonvulsivos.

Si usted toma uno de estos medicamentos, pregunte a su médico si necesita seguir haciéndolo. Siga su consejo y nunca deje de tomar un medicamento sin su aprobación.

Derrote la depresión con tecnología moderna

Si usted está tomando antidepresivos, pero no se mejora, sepa que no está solo. Los estudios muestran que el 40 por ciento de las personas con depresión no responden a los antidepresivos, y que el 70 por ciento no experimentan una remisión total. Afortunadamente, existe un nuevo tratamiento que puede ayudar.

Se conoce como estimulación magnética transcraneal y se administra a través de un dispositivo llamado NeuroStar, que estimula la corteza cerebral mediante pulsos magnéticos en áreas específicas del cerebro relacionadas con la regulación del estado de ánimo. NeuroStar ha sido aprobado por la Administración de Alimentos y Medicamentos (FDA, en inglés) para personas con problemas serios de depresión que no han experimentado alivio con los fármacos antidepresivos. Éste es un tratamiento con receta médica, no invasivo, seguro y eficaz que se administra en el consultorio de un médico. Cada tratamiento dura aproximadamente 40 minutos al día, durante cuatro o seis semanas. El paciente permanece despierto y alerta durante el procedimiento.

Para conocer más información sobre NeuroStar o para ubicar a un proveedor cerca de usted, vaya a *www.neuronetics.com* (en inglés) o llame al centro de atención al cliente de Neuronetics al 877-600-7555.

Salud cardíaca para llevar una vida plena

Superalimentos que reducen el riesgo cardíaco

Si hubiera una dieta que prolongara su vida en cinco años y que incluyera toda clase de alimentos deliciosos, ¿usted la probaría?

Según los expertos, las personas que organizan la mayor parte de sus comidas alrededor de los alimentos fabulosos de la lista que sigue (y evitan los que no están en la lista, como el azúcar refinada, la harina blanca y las grasas saturadas), gozan de mejor salud y viven más tiempo. Algunos de estos superalimentos son parte de la tan estudiada dieta mediterránea, que desde hace siglos se sigue en Italia y Grecia. Otros son parte de una dieta llamada *Polymeal*, que es un plan de comidas para la salud cardiovascular.

- frutas y verduras
- frijoles
- uvas o vino tinto
- panes y cereales integrales
- pescados grasos, como el salmón
- frutos secos, como las almendras y las nueces
- chocolate oscuro
- aceite de oliva
- ajo y otras especias

Las historias que siguen ilustran las distintas maneras en las que estos alimentos ayudan al corazón, y nos recuerdan que también es importante saber cómo combinarlos bien. Entérese de lo que estos alimentos pueden hacer por su salud en general.

Prolongan la vida cinco años. Más de 3000 miembros de la asociación estadounidense de jubilados AARP participaron en un estudio respondiendo a preguntas sobre lo que comían, cómo vivían y sobre su estado de salud. Después de cinco años se les pidió que respondieran otro cuestionario. Al final del estudio, se comprobó que era más probable que los participantes que siguieron una dieta mediterránea de manera estricta gozaran de buena salud que los que no lo hicieron. La dieta mediterránea está basada en los alimentos tradicionales de Grecia y del sur de Italia, donde el índice de enfermedades crónicas era bajo y la esperanza de vida era larga.

Este plan de comidas también funciona en el mundo moderno de hoy, ya que se ha demostrado que reduce en un 50 por ciento el riesgo de sufrir un ataque al corazón. Entre las personas que ya habían tenido un ataque al corazón, las que siguieron este plan presentaban un riesgo menor, de entre 50 y 70 por ciento, de sufrir un segundo ataque al corazón u otra complicación cardíaca comparadas con las personas que siguieron una dieta occidental tradicional.

Reducen el riesgo cardíaco en un 76 por ciento. Los investigadores determinaron que el pescado, el vino, el chocolate oscuro, las frutas y verduras, las almendras y el ajo eran los seis principales alimentos de la lista, y los agruparon en lo que llamaron la dieta *Polymeal*. Consumir en abundancia estos alimentos ayuda a disminuir el riesgo cardiovascular, ya que estos alimentos reducen los niveles de presión arterial y de colesterol lo que, a su vez, reduce las probabilidades de sufrir un ataque al corazón o un accidente cerebrovascular, y prolonga la esperanza de vida. En otras palabras, estos deliciosos alimentos ayudan a vivir más tiempo y a disfrutar de ese tiempo con mejor salud.

Disminuyen el riesgo de presión arterial alta. En España, los hombres y las mujeres que siguieron una dieta mediterránea redujeron su riesgo de tener la presión arterial alta debido a factores relacionados con la edad. Los expertos consideran que este beneficio se debe a los polifenoles, que son compuestos naturales de origen vegetal que se encuentran en el aceite de oliva. El aceite de oliva es un ingrediente importante en esta dieta. Los polifenoles regulan la presión arterial al ayudar a conservar la elasticidad de las arterias y prevenir la formación de placa en las paredes arteriales.

Ayudan a prevenir la enfermedad de Alzheimer. Gracias a las mismas propiedades antiinflamatorias y antioxidantes que ayudan a proteger el corazón y los vasos sanguíneos, estos alimentos también pueden mantener joven el cerebro. Obtenga una cantidad abundante de antioxidantes consumiendo suficientes frutas, verduras, legumbres y frutos secos.

Menú a la manera mediterránea

Nunca ha estado en Grecia ni en Italia, pero le gustaría comer como las personas que viven en esos países. Aquí le decimos cómo preparar una cena al estilo mediterráneo.

- Comience con "hummus", un dip hecho de garbanzos y acompañado de pan de pita integral.

- Siga con una ensalada de hojas verdes con un aliño de aceite de oliva y vinagre.

- Para preparar el salmón a la plancha, rocíelo con aceite de oliva y cúbralo con ajo triturado.

- Acompáñelo de habichuelas verdes al vapor con almendras fileteadas.

- Disfrute de un vaso de jugo de uva morada o de una sola copa de vino tinto, si bebe vino.

- Y como postre, una copa de frutas picadas con yogur.

Reducen la probabilidad de cáncer de mama. En un estudio en el que se compararon distintos planes de alimentación se encontró que las mujeres que siguieron una dieta mediterránea eran menos propensas a desarrollar cáncer de mama que las que siguieron una dieta occidental tradicional.

Aproveche el poder curativo de los frutos secos

Un estudio encontró que agregar un puñado de frutos secos al día, durante un año, a la dieta mediterránea fue aún más eficaz para reducir la probabilidad de presentar síndrome metabólico que agregar más aceite de oliva. El síndrome metabólico es una combinación de factores de riesgo para la diabetes y la enfermedad cardíaca, entre ellos la presión arterial alta, la obesidad y los niveles altos de colesterol y de azúcar en la sangre. Para obtener estos mismos beneficios incluya en su dieta una merienda diaria de tan sólo tres nueces enteras, o bien de siete u ocho almendras o avellanas enteras.

Los frutos secos están repletos de grasas saludables, proteínas, fibra e importantes minerales, como el potasio, el calcio y el magnesio. Los frutos secos también se destacan por tener una gran cantidad de antioxidantes. Las nueces y las pacanas, en particular, tienen valores muy altos en la escala CARO que mide la capacidad antioxidante.

Éstos son los beneficios de los frutos secos para el corazón:

Bajan el colesterol alto. Las almendras, las nueces de macadamia y los pistachos son fuentes ricas en grasas monoinsaturadas. El consumo regular de estas grasas "buenas" ayuda a reducir los niveles de colesterol "malo" LDL. Los pistachos también contienen fitoesteroles, que son compuestos de origen vegetal que han demostrado elevar los niveles de colesterol "bueno" HDL. Elegir grasas saludables, en lugar de las poco saludables que se encuentran en la carne y la mantequilla, es bueno para la salud cardíaca.

Promueven el equilibrio de azúcar en la sangre. Algunos frutos secos, como las almendras, son buenos para el corazón porque ayudan a reducir la respuesta glucémica del organismo y así evitan que el azúcar en la sangre se dispare después de las comidas. Las almendras están en la lista de los seis alimentos que se deben comer todos los días según la dieta *Polymeal* para un corazón sano.

Mantienen la hipertensión bajo control. Está demostrado que los alimentos con alto contenido de ácido linoleico, como las semillas de girasol, reducen el riesgo de tener la presión arterial alta. Además, comer una variedad de frutos secos reduce el riesgo de sufrir una enfermedad del corazón. Pero no exagere. Los frutos secos salados contienen demasiado sodio. No coma más de un cuarto de taza al día.

Cuando los beneficios superan los riesgos

El consumo promedio de pescado y mariscos en Estados Unidos es de 16 libras (más de 7 kilos) por persona al año. Tenga cuidado. Algunos peces, sobre todo los grandes peces depredadores que se alimentan de peces más pequeños, pueden contener mercurio y bifenilos policlorados (PCB, en inglés), entre otros contaminantes. La acumulación de mercurio puede causar daños en los nervios o problemas cardíacos, mientras que los PCB pueden causar cáncer.

No renuncie al pescado, ya que los beneficios potenciales de su consumo superan los riesgos. Sólo evite comer pez espada, tiburón, caballa real y blanquillo, ya que tienen niveles altos de mercurio. Y limite su consumo de filete de atún, hipogloso y pargo a sólo una vez al mes. Procure consumir dos porciones a la semana de las opciones más seguras.

- Opte por el salmón y la platija, o por el bagre de canal y la trucha arco iris criados en granja, que tienen bajos niveles de mercurio.

- Elija porciones congeladas que por lo general no provienen de peces depredadores grandes.

- Elimine la piel, así como la grasa del vientre y del lomo del pescado, para descartar los PCB.

A la pesca de un corazón sano

Todos necesitamos comer un mínimo de grasa, así que lo mejor es elegir el tipo de grasa que beneficia el corazón. Sustituya las grasas saturadas de la carne por las grasas no saturadas del pescado y de los productos de origen vegetal. Su corazón se lo agradecerá.

Años de investigaciones han demostrado lo milagroso que puede ser el pescado para el corazón. Un estudio reciente realizado en Japón y Estados Unidos encontró que los hombres de mediana edad que comían mucho pescado duplicaban sus niveles de ácidos grasos omega-3. Por lo tanto, su riesgo de desarrollar una enfermedad cardíaca se reducía. En Japón, se tiende a comer alrededor de 3 onzas (85 g) de pescado al día, mientras que en Estados Unidos por lo general se come pescado sólo dos veces a la semana.

Entre los ácidos grasos omega-3 presentes en el pescado graso que tienen efectos beneficiosos están el ácido eicosapentaenoico (EPA, en inglés) y el ácido docosahexaenoico (DHA, en inglés). Todos necesitamos estos ácidos grasos omega-3, más los ácidos grasos omega-6, que se obtienen de alimentos como el aceite de maíz y el aceite de girasol, y los ácidos grasos omega-9 del aceite de *canola*. Estos tres tipos de ácidos grasos esenciales son importantes para el organismo, pero las personas que siguen una dieta occidental obtienen mucho más omega-6 que omega-3: la proporción es aproximadamente de diez a uno. Los expertos sostienen que es más saludable consumir una combinación más equilibrada de los tres tipos de grasas.

Éstos son los beneficios de consumir más ácidos grasos omega-3:

- Reducción de los niveles de colesterol y de triglicéridos.

- Una acumulación más lenta de placa en las arterias. Como si fuera un aceite antiadherente en aerosol, los omega-3 recubren las arterias para que la sangre fluya sin problemas.

- Arterias más flexibles para ayudar a bajar la presión arterial alta.

- Un riesgo menor de sufrir un ataque al corazón, así como un riesgo menor de muerte por insuficiencia cardíaca congestiva.

Es fácil añadir más ácidos grasos omega-3 a su dieta. En primer lugar, la próxima vez que salga a comer pida un pescado graso, como el salmón, en lugar de una chuleta de res. Pero no lo pida frito ni empanizado, ya que estaría agregando más grasa y calorías al plato.

Y para obtener más omega-3 cuando coma en casa, rocíe los filetes de pescado con aceite de oliva, espolvoréelos con especias italianas y áselos en el horno por ambos lados. O bien compre los filetes de pescado congelados, que son más sabrosos y saludables que las típicas barras de pescado empanizadas. En la sección de productos congelados del supermercado también encontrará filetes de salmón o de lenguado (*sole*, en inglés) dorados a la sartén o asados a la parrilla. Pero aléjese de la tilapia de granja, ya que tiene niveles altos de omega-6, pero no muchos omega-3. La tilapia criada en piscifactorías se alimenta de maíz rico en ácidos grasos omega-6, por lo que tiene tanto omega-6 como el tocino o las hamburguesas.

Otra opción para obtener más omega-3 son los suplementos de aceite de pescado. También puede agregar linaza o nueces a las comidas. El cuerpo convierte el ácido alfa-linolénico (ALA, en inglés) presente en estos alimentos de origen vegetal en los beneficiosos omega-3. Por último, existen muchos alimentos enriquecidos con omega-3, como los huevos, el yogur y el jugo de naranja.

Detrás del pescado se esconde un peligro poco conocido

El pescado graso y los suplementos de aceite de pescado son una buena idea para la mayoría de personas, pero no para todas. Los estudios demuestran que las personas con angina de difícil control, función cardíaca muy deficiente o arritmias ventriculares, no deberían consumir mucho pescado ni tomar suplementos de aceite de pescado.

Los expertos especulan que la acción de los ácidos grasos omega-3 bloquea ciertas células cardíacas que suelen causar las arritmias. Generalmente, eso es bueno. Pero cuando el corazón está dañado y no cuenta con suficientes células sanas, los omega-3 podrían afectar el ritmo cardíaco. Si usted tiene un desfibrilador cardioversor implantable (DCI), o si padece una angina grave o una insuficiencia cardíaca congestiva, consulte a su médico antes de empezar un tratamiento con aceite de pescado.

La grasa trans que es buena para el corazón

Las grasas trans son las grasas problemáticas que se encuentran en los productos horneados envasados, la margarina en barra y las papas fritas, y que pueden provocar enfermedades cardíacas al elevar los niveles de colesterol.

Algunas ciudades, como Boston y Nueva York, han prohibido el uso de estas grasas en los restaurantes. Sin embargo, no todas las grasas trans son malas. Las grasas trans "artificiales", también conocidas como aceites parcialmente hidrogenados, son el resultado de agregar hidrógeno al aceite vegetal para crear una grasa sólida y barata para hornear y freír. Estas grasas elevan el colesterol "malo" LDL.

Las grasas trans "naturales" son diferentes. Se encuentran en la carne y en los productos lácteos, y no elevan el colesterol. Este tipo de grasa, que se conoce como ácido trans-vaccénico, puede incluso tener un efecto beneficioso ya que inhibe la absorción de colesterol y grasas perjudiciales en el intestino.

Por el contrario, las grasas saturadas en la carne y en los productos lácteos enteros pueden causar daños, como elevar el colesterol, elevar los triglicéridos y crear problemas en el flujo sanguíneo hacia el corazón. Siempre que pueda, elija carnes magras y lácteos bajos en grasa.

Razones de salud para comer chocolate

La vida es dulce:se puede comer chocolate y proteger el corazón al mismo tiempo. Esto se debe a que dos compuestos naturales en el chocolate, los flavonoides y el resveratrol, actúan como antioxidantes, combatiendo los radicales libres. Eso previene el daño celular que puede conducir a una enfermedad cardíaca.

El chocolate oscuro reduce los niveles de la proteína C reactiva, un marcador de inflamación en el cuerpo. Gracias a sus propiedades antioxidantes, el chocolate también puede mejorar el funcionamiento de los vasos sanguíneos y reducir la presión arterial alta. Además, el chocolate oscuro mejora el perfil de colesterol. En un estudio, las personas que comieron chocolate oscuro tenían niveles más bajos de colesterol "malo" LDL y más altos de colesterol "bueno" HDL.

Cuando se escucha hablar del resveratrol, la mayoría de las personas lo relacionan con las uvas. Investigadores en la compañía Hershey's compararon los niveles de resveratrol de varios alimentos y encontraron que el cacao en polvo, el chocolate para hornear y el chocolate oscuro son buenas fuentes de resveratrol, ocupando el segundo lugar en importancia después del vino tinto y el jugo de uva.

Sin embargo, no coma chocolate junto con un vaso de leche. Las investigaciones muestran que beber leche con chocolate reduce los beneficios para la salud. Esto se debe a que la leche inhibe la absorción de antioxidantes del chocolate. Olvídese de la leche con chocolate y elija el chocolate oscuro en lugar del chocolate con leche.

No se consienta demasiado pensando en que el chocolate es bueno para el corazón. Fíjese como objetivo 7 gramos de chocolate oscuro al día. Ése es el tamaño aproximado de una pieza y media de *Hershey's Kisses*. Comer más de esa cantidad no aporta beneficio alguno y el exceso podría acumularse alrededor de la cintura.

Coma como los franceses para mantenerse joven

¿Es posible bajar el colesterol, fortalecer los vasos sanguíneos, reducir las probabilidades de desarrollar una enfermedad cardíaca e, incluso, rejuvenecer el cuerpo por dentro? Estos compuestos naturales en las uvas permiten dar marcha atrás al reloj interno del cuerpo y del corazón.

Resveratrol. La uva es una fuente excelente de resveratrol, un compuesto natural que hace maravillas para mantener la juventud del corazón y del cuerpo. El resveratrol estimula el crecimiento de nuevos vasos sanguíneos, reduce la inflamación e incluso hace más lento el proceso de envejecimiento. Por tratarse de un antioxidante, inhibe la acción de los radicales libres perjudiciales que pueden dañar las células y causar enfermedades cardíacas y otros problemas de salud graves.

El resveratrol se encuentra en la piel de la uva y defiende a la fruta del estrés de los hongos y el mal tiempo. El vino tinto contiene más resveratrol que el blanco, porque se fermenta durante más tiempo con la piel de la uva. El resveratrol presente tanto en las uvas, como en el vino y en el jugo de uva, parece funcionar a nivel celular para retrasar el proceso de envejecimiento. Esta sustancia fitoquímica es la que explicaría la "paradoja francesa". Los franceses suelen acompañar sus comidas con una copa de vino tinto y a pesar de comer mantequilla, quesos y alimentos ricos en grasas saturadas, presentan índices más bajos de afecciones cardíacas y de obesidad que los estadounidenses.

Pterostilbeno. Las uvas y los arándanos azules también contienen pterostilbeno, un compuesto natural con propiedades antioxidantes que puede reducir los niveles de colesterol mejor que los fármacos con receta. Este compuesto funcionó de maravilla en hámsters que tenían el colesterol alto: bajó su colesterol mejor que el ciprofibrato, un fármaco de uso común para reducir el colesterol. Los científicos estudian el uso del pterostilbeno para prevenir el cáncer de colon.

Quercetina. Otra gran sustancia fitoquímica presente en la piel de la uva es la quercetina, conocida por sus muchos beneficios para la salud. Los investigadores han determinado que el riesgo de enfermedad cardíaca es menor en las personas que consumen más quercetina. Esta sustancia natural de origen vegetal también es abundante en las manzanas y las cebollas rojas.

Para aprovechar el poder curativo de estas sustancias fitoquímicas incluya uvas, jugo de uva o vino en su dieta. Opte por el jugo de uva morada en lugar de la blanca, y busque un jugo hecho de pura fruta con poco o nada de azúcar agregada.

Si disfruta de un trago ocasional, elija vino en vez de otros tipos de alcohol. Muchos investigadores consideran que no es el alcohol sino las sustancias naturales de origen vegetal en el vino las que aportan los beneficios para la salud. De hecho, el alcohol puede causar otros problemas para el corazón, como elevar la presión arterial o empeorar un latido cardíaco irregular. Además, algunas personas pueden volverse dependientes del alcohol.

La quercetina se consigue en forma de suplementos, incluidos algunos que contienen una mezcla de resveratrol y quercetina. Busque la marca *Resvinatrol Complete*, que contiene quercetina y más resveratrol que una botella grande de jugo de uva o de vino tinto.

El café y la salud cardíaca

No beba café justo antes de ir al gimnasio si usted tiene un problema cardíaco. Después de beber café deje pasar por lo menos cinco horas antes de hacer ejercicio. Los expertos creen que la cafeína en el café limita la capacidad del cuerpo para incrementar el flujo sanguíneo hacia el corazón durante las actividades aeróbicas.

Éste no es un problema para las personas con un corazón sano, pero en las personas con una enfermedad cardíaca, el corazón debe trabajar mucho más para bombear la sangre a través de las arterias estrechas. Tome café, pero con cautela. No beba más de dos tazas de café regular al día si usted tiene una afección cardíaca.

Desayune para evitar los problemas del corazón

Comience el día con un desayuno saludable para el corazón. Las estadísticas lo confirman. El mayor riesgo de sufrir un paro cardíaco se presenta en las primeras horas de la mañana. Esto se debe al bajo nivel de líquidos en el organismo después de haber pasado la noche durmiendo, sin comer ni beber. Los estudios también muestran que las personas que toman desayuno suelen tener niveles de colesterol más bajos que las personas que se saltan el desayuno. Éstas son las mejores opciones para llenarse de energía en las mañanas.

Un buen tazón de avena. Disfrutar de un tazón de avena es algo fácil y que se puede hacer todos los días para bajar el colesterol. Es mucho más sencillo que tomar medicamentos o ir al médico. La fibra soluble en la avena reduce el nivel de colesterol "malo" LDL en la sangre sin modificar el nivel de colesterol "bueno" HDL. Los beneficios para el corazón son considerables y actualmente se permite a los fabricantes de avena mencionarlos en la etiqueta de sus productos. Elija la avena natural, en lugar de los paquetes de avena instantánea endulzada con azúcar.

Con qué untar la tostada integral. Verifique la etiqueta del pan para asegurarse de que sea cien por ciento integral. Si sólo dice "trigo" ("*wheat*", en inglés), entonces el pan está hecho de granos refinados. Es necesario el grano entero (que incluye el salvado, el germen y el endospermo) para obtener toda la fibra, las vitaminas, los minerales y las grasas saludables que son beneficiosas para el corazón. Los estudios muestran que las personas que consumen por lo menos dos porciones y media de granos integrales al día pueden reducir en un 21 por ciento su riesgo de sufrir una enfermedad cardíaca.

Aléjese de la mantequilla y sus grasas saturadas que obstruyen las arterias. Elija en su lugar una crema para untar el pan que contenga fitoesteroles, que son sustancias que inhiben la absorción del colesterol en los intestinos. Busque una margarina para untar de marcas como *Benecol* y *Promise Activ*. Sírvase entre dos y tres cucharadas al día para obtener el mayor beneficio.

Naranja entera o en jugo. Una porción extra al día de esta fruta jugosa puede reducir la obesidad, disminuir el riesgo de sufrir un accidente cerebrovascular y combatir las enfermedades cardíacas. No es de extrañar que sea una de las frutas favoritas de la mañana.

Una naranja entera o un vaso de jugo de naranja aportan una gran dosis de vitamina C y más de 170 sustancias fitoquímicas distintas, lo que explica las propiedades antioxidantes de la naranja y su inmenso poder para combatir enfermedades. El folato en el jugo de naranja reduce el riesgo de sufrir un accidente cerebrovascular.

Un estudio encontró que en las personas que bebían tres tazas de jugo de naranja al día la proporción entre el colesterol LDL y el HDL se redujo en un 16 por ciento y el nivel de colesterol HDL se elevó en un 21 por ciento. Estos valores ayudan a mantener las arterias limpias y sin obstrucciones.

Las ventajas de disfrutar de una taza de café

El café como parte de su rutina matutina, no sólo hará que usted se sienta más despierto y alerta por la mañana, sino que también le hará un bien a su corazón. Un estudio encontró que los bebedores de café tienden a vivir más tiempo y eso se debe a que tienen un menor riesgo de morir por un problema relacionado con el corazón.

La cafeína no es el factor salvavidas, ya que los bebedores de café descafeinado del estudio gozaban de una protección similar. Los científicos creen más bien que este beneficio se debe a los fenoles antioxidantes en los granos de café. Es más, los ácidos en el café, como el cafeico, el ferúlico y el p-cumárico, previenen la oxidación del colesterol LDL, así como la consiguiente inflamación.

Investigadores en la Escuela de Medicina de Harvard encontraron que las mujeres que bebían entre cinco y siete tazas de café a la semana eran menos propensas a sufrir un accidente cerebrovascular (ACV) que las que bebían café sólo una vez al mes. La protección probablemente se debe a los antioxidantes del café, que reducen la inflamación y protegen los vasos sanguíneos.

Sin embargo, beber café no es bueno para todos. Siga estos consejos de los profesionales en salud.

■ Evite las variedades sin filtrar, como el café turco o el café preparado en una cafetera de émbolo, también conocida como prensa francesa. El café sin filtrar contiene más cafestol, un compuesto natural que puede elevar los niveles de colesterol LDL. Prefiera el café filtrado.

■ Algunas personas son portadoras de un gen que hace que metabolicen la cafeína de manera más lenta, lo que aumenta su riesgo de sufrir un ataque cardíaco relacionado con el consumo de café. Hasta el momento no existen pruebas para su detección.

■ Si usted tiene una enfermedad cardíaca y no es un bebedor regular de café, aumentar repentinamente su consumo de café podría incrementar su riesgo cardiovascular.

■ No beba café regular si tiene la presión arterial alta, ya que la cafeína puede aumentar la presión arterial.

Sorbos de salud

El té verde es una bebida calmante y refrescante. Desde los tiempos de la antigua China se considera que el té verde tiene propiedades curativas. Esto se debe en parte a sus poderosos antioxidantes llamados catequinas. Usted tal vez ya ha escuchado hablar de una importante catequina, la epigalocatequina-3-galato (EGCG). El té verde tiene más poder antioxidante que el té negro, incluso más que algunas verduras como los repollitos de Bruselas o las espinacas. El té verde incluso contiene ciertas vitaminas y minerales que ayudan a mejorar la acción de estos antioxidantes.

Los nutrientes en el té verde también ayudan al corazón y mantienen las arterias flexibles. De hecho, numerosos estudios muestran que beber té verde regularmente puede reducir la presión arterial, prevenir las enfermedades cardíacas y mejorar la salud de las arterias. Pero es importante elegir el té verde, y no el té negro. Algunos expertos advierten que beber té negro en realidad puede elevar la presión arterial, posiblemente debido a que contiene cafeína. Adquiera la costumbre de beber té verde. Vea todo lo que los nutrientes del té verde pueden hacer por usted.

■ Mantienen los huesos fuertes. Algunos estudios muestran que el té verde mejora la densidad ósea y previene las fracturas de cadera.

- Mantienen la mente aguda. Los expertos creen que los polifenoles, los compuestos naturales en el té verde, pueden brindar protección contra las enfermedades de Parkinson y de Alzheimer.

- Mantienen el abdomen plano. Algunos afirman que las catequinas en el té verde hacen que el cuerpo queme grasa más rápido. Haga la prueba.

Agregar un poco de jugo de naranja o de limón verde o amarillo al té verde potencia sus beneficios. Un par de cucharadas de jugo de un cítrico en una taza de té hace que las catequinas se vuelvan más estables. Para obtener el nivel más alto de catequinas, beba el té verde regular recién preparado. El té verde instantáneo, helado o descafeinado tiene menos catequinas.

Para la mayoría de personas no hay límite para la cantidad de té verde que pueden beber. Pero las personas que toman estatinas deben tener cautela con el té verde. Demasiado té verde —tres o más tazas al día— parece elevar el nivel de estatinas en la sangre, lo que podría causar dolor muscular. Beba menos té verde para evitar esta posible interacción.

Infusión de hierbas para bajar la presión

Las infusiones de hierbas pueden ayudar a bajar la presión arterial, así que pruébelas si no le gusta el té verde. Investigadores encontraron que las personas con presión arterial alta que bebieron todos los días tres o más tazas de una infusión de hierbas con flores de hibisco presentaron excelentes resultados en apenas seis semanas.

La presión arterial entre ese grupo de personas bajó un promedio de 7 puntos sistólicos, que es la primera cifra en una lectura de presión. La mayoría de las mezclas de hierbas para infusiones que se venden en Estados Unidos contienen flores de hibisco.

Cuatro ingredientes que no pueden faltar en la cocina

Además de dar sazón a las comidas, estos cuatro ingredientes ofrecen protección contra casi todas las enfermedades relacionadas con el envejecimiento. Que no falten en su cocina para tener siempre el corazón contento.

Canela. Estudios realizados con animales han demostrado que la canela baja la presión arterial. Simplemente oler la canela de una tarta de manzana puede relajar y calmar a las personas. Su consumo aporta aun más beneficios.

Los efectos de la canela sobre la presión arterial parecen estar relacionados con su capacidad para reducir los niveles de insulina. Un equilibrio adecuado entre la insulina y el azúcar en la sangre ayuda a mantener la presión arterial estable. Ahora se sabe que tomar tan sólo media cucharadita de canela en polvo, dos veces al día y antes de las comidas, puede mantener los niveles de azúcar en la sangre bajo control y reducir el colesterol.

Ajo. Los compuestos naturales del ajo, como la alicina y el selenio, hacen que esta planta salvavidas pueda inhibir el crecimiento de las células cancerosas, prevenir la formación de coágulos de sangre y bajar el colesterol. El ajo puede incluso bajar la presión arterial. La alicina funciona como los fármacos inhibidores de la ECA (enzima convertidora de angiotensina) y contribuye a que los vasos sanguíneos se expandan para permitir que la sangre fluya con facilidad.

Para aprovechar al máximo sus beneficios para la salud cardíaca, elija el ajo fresco. Pero si no puede tolerar su sabor penetrante, pruebe los suplementos de ajo.

Jengibre. Al jengibre, también llamado kión (*ginger*, en inglés), se le conoce por aliviar las náuseas. Sin embargo, el jengibre es también un verdadero regalo para el corazón. Un estudio realizado en Irán encontró que las personas que comieron jengibre tres veces al día durante 45 días tenían niveles más bajos de LDL, el colesterol "malo". Sus compuestos activos, los gingeroles, son los responsables de las propiedades curativas de esta antigua especia.

Cúrcuma. En la antigua India se utilizaba curcumina para tratar las enfermedades de la piel, los problemas digestivos, los trastornos inflamatorios de las articulaciones y una variedad de infecciones. La curcumina es el ingrediente activo de la cúrcuma (*turmeric*, en inglés). Estudios recientes muestran que la curcumina actúa como un antioxidante y un antiinflamatorio para combatir la inflamación crónica asociada a las enfermedades cardíacas. Esta especia también puede ayudar a combatir los tumores de colón y de páncreas.

Retire el salero de la mesa para vivir más años

Reducir el consumo de sal a la mitad evitaría 150 000 muertes en Estados Unidos. Un cambio pequeño que salvaría muchas vidas. Adquiera el hábito de reducir la sal en sus comidas sin perder el sabor. El problema con la sal es que casi la mitad es sodio. El exceso de sodio puede elevar la presión arterial y causar daño renal, una afección cardíaca o un accidente cerebrovascular. El sodio hace que los riñones excreten más líquido, añadiendo volumen a la sangre. Eso aumenta la presión arterial y la tensión en los vasos sanguíneos. Cuando la presión arterial es igual o superior a 140/90 mmHg de manera consistente, se habla de presión arterial alta o hipertensión.

Limite la sal. Las personas sanas deben limitar su consumo de sodio a no más de 2300 miligramos (mg) al día, o aproximadamente una cucharadita de sal de mesa. Sin embargo, las personas de mediana edad, mayores o con presión arterial alta deben limitar su consumo a 1500 mg de sodio. Un estadounidense típico consume alrededor de 3400 mg de sodio al día y la mayor parte no viene de un salero. Cerca de tres cuartas partes del sodio que consumimos provienen de los alimentos procesados, como las cenas congeladas, de los alimentos enlatados y de las comidas en los restaurantes.

Sin sal no sabe mal. Reemplace la sal con un sustituto salvavidas. Un sustituto de la sal enriquecido con potasio, como *Morton Lite Salt* o *Cardia Salt*, equilibra el sodio y el potasio en el organismo, dos minerales que trabajan juntos para regular los fluidos. Aumentar el consumo de potasio puede ayudar a bajar la presión arterial.

También puede utilizar un sazonador sin sal, como *Mrs. Dash* o *Spike*, para darle sabor a sus comidas sin aumentar su contenido de sodio. Los expertos estudian otras alternativas a la sal con bajo contenido de sodio, tales como los gránulos de algas marinas, de *Seagreens*.

Cuide su corazón. La presión arterial alta es un importante factor de riesgo para las afecciones relacionadas con el corazón. Un buen equilibrio de minerales podría reducir las muertes por enfermedad cardíaca, presión arterial alta y accidente cerebrovascular. Según un estudio, los veteranos que adoptaron una dieta rica en sal enriquecida con potasio vivieron más tiempo y tuvieron menos enfermedades relacionadas con el corazón que los que no adoptaron la dieta.

Si usted sigue una dieta baja en sal o baja en potasio o si toma un diurético ahorrador de potasio, pregunte a su médico antes de probar uno de estos productos.

Albaricoques reciben una A+ por ser merienda inteligente

Éstas son seis maneras en las que el albaricoque promueve la buena salud. Al albaricoque también se le llama chabacano o damasco.

Rescata el corazón. El potasio en los albaricoques ayuda a regular la presión arterial, a prevenir las enfermedades cardíacas y a mantener el colesterol bajo control. Una taza de albaricoques secos aporta el 40 por ciento del requerimiento diario de potasio. Además, este importante mineral debilita los efectos del sodio en el organismo. Funciona tan bien que algunos expertos creen que una dieta rica en potasio puede reducir el riesgo de sufrir un accidente cardiovascular hasta en un 40 por ciento.

Previene el cáncer. El licopeno es un pigmento carotenoide que le da el color rojo al tomate y el color naranja al albaricoque, y que puede reducir e riesgo de cáncer de próstata en los hombres.

Aleja el alzhéimer. Los expertos creen que las frutas ricas en antioxidantes, como los albaricoques y los arándanos azules, ayudan a evitar los efectos devastadores del alzhéimer.

Combate el cansancio. La anemia es la falta de hierro en la sangre. Incluso en las personas que no tienen anemia, el hierro puede ayudar a que sientan más energía y menos fatiga. Una taza de albaricoques secos aporta casi el 20 por ciento del hierro que una persona necesita al día.

Mejora la piel, el cabello y las uñas. El hierro ayuda a mantener el cabello saludable y a impedir su caída. De hecho, muchas veces se recomiendan los suplementos de hierro para combatir la pérdida del cabello. Coma la fruta para obtener hierro de manera natural. Gracias a su alto contenido de vitamina A, el albaricoque ayuda además a mantener la piel lozana y las uñas fuertes.

Promueve la buena digestión. El albaricoque tiene fibra soluble y fibra insoluble, por lo que es el mejor amigo del aparato digestivo: una taza de albaricoques secos contiene en total más de 3 gramos de fibra. Con sólo 16 calorías cada uno, los puede disfrutar frescos o secos.

Beneficios modernos de un dulce antiguo

El *jaroset* es un dulce que se sirve durante la celebración del Seder, la Pascua judía. Se trata de una mezcla de frutas, frutos secos, vino, canela y miel, que se combinan en una exquisita masa que simboliza la argamasa con la que los esclavos hebreos construyeron las ciudades de Egipto. Sus ingredientes ayudan a combatir el cáncer, a reducir el riesgo de un ataque al corazón, a aliviar el dolor de la angina, a reducir el nivel de azúcar en la sangre y a curar las infecciones.

Manzanas. Esta superfruta puede aliviar la artritis, elevar los niveles de colesterol "bueno", aumentar la capacidad pulmonar y favorecer la digestión. La manzana también puede ayudar a prevenir el cáncer de pulmón y las enfermedades del corazón. Es una extraordinaria fuente nutricional ya que contiene cantidades generosas de fibra, minerales como el boro y sustancias fitoquímicas naturales.

Bananas. Las bananas o plátanos amarillos son una excelente fuente de potasio para compensar el exceso de sodio en la dieta. También mantienen el colesterol bajo control e impiden que el colesterol "malo" LDL se oxide y pueda dañar las arterias.

Canela. Gracias a sus propiedades antioxidantes, esta especia fragante baja la presión arterial, combate las infecciones y mantiene estable el nivel de azúcar en la sangre.

Nueces. Estos pequeños tesoros nutricionales son ricos en ácidos grasos omega-3, que contribuyen a reducir la inflamación y a prevenir la formación de coágulos sanguíneos.

Para preparar *jaroset*, utilice un procesador de alimentos y pique finamente media taza de nueces. Añada un puñado de dátiles, tres bananas, dos cucharadas de miel, dos cucharaditas de canela y un cuarto de taza de vino tinto dulce. Pele y ralle media taza de manzanas para cocinar. Mezcle bien todos los ingredientes hasta lograr una masa homogénea. El *jaroset* debe tener la consistencia del cemento húmedo. Sírvalo sobre galletas saladas.

Cuidado con la "vainilla" de imitación

Las imitaciones baratas de "extracto de vainilla" pueden significar un ahorro para su bolsillo, pero un riesgo para su salud. Algunas imitaciones están hechas de la semilla de haba tonka y no de vainas verdaderas, y usan saborizantes de imitación poco aceptables. La semilla de haba tonka contiene cumarina, una sustancia tóxica que ha sido prohibida en los alimentos en Estados Unidos. La cumarina está relacionada con la warfarina (Coumadin), un medicamento anticoagulante. Consumir cumarina puede ser riesgoso para las personas que están tomando un anticoagulante. La interacción puede aumentar el sangrado.

No arriesgue su salud comprando imitaciones baratas de "vainilla" cuando viaja a México y a otros países latinoamericanos. Y en Estados Unidos, tenga cautela si en la etiqueta del producto no dice claramente que contiene "vanilla bean" (la vaina de la vainilla).

Conozca al rey de las bayas

Aléjese de los jugos pálidos y elija jugos que tengan colores vibrantes y sean rojos, morados o azules. Estos tonos más oscuros son señal de buena nutrición. Las bayas como el arándano rojo (*cranberry*, en inglés), el arándano azul (*blueberry*) y el *açai* (se pronuncia "asaí") contienen poderosos antioxidantes que le dan esos colores profundos a estas frutas. Las investigaciones han demostrado que los arándanos azules pueden bajar el colesterol, de modo que ayudan a mantener las arterias limpias y a reducir el riesgo de desarrollar una enfermedad cardíaca. Otros estudios han demostrado que el jugo de arándano rojo también puede reducir el colesterol.

El rey de las bayas oscuras es, sin embargo, el *açai*. Estas pequeñas bayas de color morado intenso tienen la puntuación más alta en la escala CARO (capacidad de absorción de radicales de oxígeno) que mide la capacidad antioxidante de los alimentos. Protéjase desde ahora contra el envejecimiento, las enfermedades del corazón, el cáncer y el alzhéimer bebiendo jugos hechos con *açai*.

El *açai* se ha ganado la reputación de "superfruta" porque las bayas liofilizadas de *açai* obtuvieron nada menos que un valor de 102 700 en la escala CARO. El *açai* se obtiene de una palmera amazónica de América del Sur, la misma palmera de donde se obtiene el palmito. El *açai* es una maravilla para el corazón porque es rico en potasio, fibra, vitaminas B y ácidos grasos omega-3. Entre las bayas que también tienen valores altos en la escala CARO están los arándanos rojos con 9584 y los arándanos azules con 6552. Tenga en cuenta que sólo el *açai* morado tiene esta extraordinaria capacidad antioxidante, no así la variedad blanca.

Además de su precio elevado, no es fácil de conseguir. Se puede mezclar una pequeña cantidad de jugo de *açai* con jugo de arándanos azules y rojos, las otras dos bayas fabulosas. Verifique la etiqueta para asegurarse de que se trate efectivamente de jugo de fruta puro, y no de un "cóctel" con poco jugo y mucha azúcar. Muchas de las empresas que venden *açai* en línea no producen jugos con la calidad anunciada y pueden tener prácticas de facturación cuestionables.

Fuente inesperada de poderosos antioxidantes

¿Prefiere las verduras a las frutas? Los frijoles también son una fuente rebosante de antioxidantes, cuanto más oscuros mejor. "Los frijoles negros están realmente repletos de compuestos antioxidantes", dice el investigador Clifford Beninger. "No sabíamos que eran tan potentes. Es una llamada de alerta para consumir más frijoles".

El Dr. Beninger y sus colegas compararon 12 frijoles comunes para determinar cuáles tenían la mayor cantidad de flavonoides antioxidantes, que son los pigmentos que se encuentran en la cáscara del frijol. Los frijoles al igual que las frutas, cuanto más oscuros más beneficios tienen para la salud. Los frijoles negros superaron a los frijoles rojos, marrones, amarillos y blancos, en ese orden.

Trucos para alejar a la peligrosa acrilamida

Tenga cautela con las papas a la francesa, las papas fritas en bolsa y cualquier otro alimento con un contenido alto de acrilamida. Así lo advierte la Administración de Alimentos y Medicamentos (FDA, en inglés). Ya se sospechaba que la acrilamida causa cáncer y daños al sistema nervioso. Ahora los investigadores creen que también puede ser perjudicial para el corazón.

La acrilamida es un compuesto nocivo que se puede formar en los alimentos ricos en carbohidratos cuando se cocinan a altas temperaturas, es decir, cuando se fríen, se asan o se preparan al horno. Ejemplos son las papas fritas en bolsa, las papas a la francesa y algunos cereales y cafés tostados. Los estudios muestran que comer en exceso estos alimentos con alto contenido de acrilamida promueve la respuesta inflamatoria del organismo y eleva el nivel de la proteína C reactiva. Eso aumenta el estrés oxidativo y puede hacer que una enfermedad cardíaca empeore.

Los expertos admiten que los participantes en un estudio consumieron alrededor de tres veces más acrilamida que la cantidad presente en una típica dieta occidental. Cada participante consumió 160 gramos de papas fritas —aproximadamente cuatro bolsas pequeñas— todos los días durante 28 días. Aunque su objetivo era estudiar los efectos a corto plazo, los investigadores sospechan que el consumo a largo plazo de grandes cantidades de alimentos que contienen acrilamida tendría efectos similares: inflamación y enfermedad cardíaca.

Se puede reducir la ingesta de acrilamida consumiendo menos papas fritas en bolsa y papas a la francesa. Pruebe estos trucos para reducir la formación de acrilamida durante el proceso de cocción:

- Hornee o hierva las papas en lugar de freírlas.

- Corte las papas y remójelas en agua fría durante dos horas antes de cocinarlas. Esto reducirá su contenido de acrilamida casi a la mitad. Si las va a freír, hágalo en aceite de oliva virgen.

- Agregue romero a la masa de pan antes de hornearla.

Un plan de comidas efectivo y fácil de seguir

En lugar de "come tus verduras", un mejor consejo tal vez sería "come sólo verduras", además de algunas frutas, leche baja en grasa, huevos y granos integrales. Su corazón alabará las virtudes de este plan de comidas vegetarianas.

Saltarse la carne también puede afinar la cintura. Las personas que siguieron una dieta sin carne no sólo perdieron más peso que las que siguieron una típica dieta baja en grasas, sino que les fue más fácil cumplir con la dieta. Se trataba de una dieta vegetariana ovoláctea, que incluía huevos y productos lácteos, pero nada de carnes rojas, aves o pescado. Los que siguieron esta dieta bajaron más de 16 libras (más de 7 kilos) en un año, al consumir menos calorías y menos grasas. Además, sus niveles de colesterol "malo" LDL se redujeron durante ese tiempo. Lo mejor es que les gustó tanto esta dieta baja en colesterol que la continuaron aun después de haber adelgazado.

Tal vez usted no se considere una persona vegetariana, pero renunciar a la carne puede ser más fácil de lo que cree. Es también más saludable pues la grasa saturada en la carne puede elevar el colesterol. Además, todos los componentes de una dieta sin carne son alimentos que ayudan al corazón. Las personas que comen mucha carne roja y mucha carne procesada son más propensas a morir por cáncer o por una enfermedad cardíaca. Para obtener más información sobre el vegetarianismo, vaya a la sección en español del sitio web de The Vegetarian Resource Group, en *www.vrg.org/vegetarianoyvegano*.

Verduras de hoja verde. Las personas que comen más verduras de hoja verde, como espinacas, col rizada (*kale*, en inglés) y lechuga romana, tienen menos problemas de arritmia (latido irregular) y menos enfermedades del corazón. Para aprovechar mejor los beneficios para la salud de ciertas verduras como el brócoli y los pimientos, se aconseja cocinarlas al vapor. Este tipo de cocción hace que se unan a los ácidos biliares, impidiendo la absorción de grasas provenientes de los alimentos. Esto, a su vez, tiene efectos beneficiosos para el corazón.

Lácteos. Tomar leche, sobre todo leche descremada o baja en grasa, puede mejorar el perfil de proteínas en la sangre. Eso es signo de un buen funcionamiento renal y de un riesgo menor de desarrollar una enfermedad cardíaca. La leche también puede bajar la presión arterial y disminuir el riesgo de síndrome metabólico, que es una combinación de factores para la aparición de la diabetes y la enfermedad cardíaca, que incluye la presión arterial alta, la obesidad y niveles altos de colesterol y azúcar en la sangre.

La vitamina D puede reducir el riesgo de sufrir un ataque cardíaco y otros problemas relacionados con el corazón. Para obtener información detallada sobre la vitamina D vaya a la página 82.

Huevos. ¿Es usted de los que creen que si tiene el colesterol alto no debe consumir huevo? Es cierto, la yema del huevo contiene gran cantidad de colesterol dietético, pero el colesterol dietético es sólo un factor que afecta los niveles de colesterol. Otros factores incluyen fumar, tener sobrepeso y no hacer ejercicio. Los expertos dicen que el consumo regular de huevo no eleva el colesterol. De hecho, se ha demostrado que un huevo al día mejora el equilibrio entre el colesterol HDL y LDL. Tenga en cuenta que otros estudios han insinuado que comer más de seis huevos a la semana podría plantear riesgos para la salud, especialmente para las personas con diabetes.

La proteína del huevo es una proteína completa, lo que es importante si no come carne. De hecho, algunos expertos dicen que ciertas proteínas en el huevo en realidad funcionan como un inhibidor de la ECA, reduciendo la presión arterial alta.

Granos integrales. No olvide este importante componente de la dieta vegetariana ovoláctea. Algunos estudios han demostrado que las personas que comen por lo menos un par de porciones de granos integrales (como pan integral, arroz integral o avena) tienen un riesgo menor de sufrir un ataque al corazón o un accidente cerebrovascular.

Champiñones cargados de vitamina D

Los expertos en alimentos están dedicados a la tarea de ofrecerle toda la vitamina D que usted necesita. Para contribuir en esta tarea el Departamento de Agricultura de EE.UU. ayudó a la productora Monterey a desarrollar los nuevos champiñones Sun-Bella.

Los champiñones Sun-Bella son champiñones blancos comunes que han sido expuestos a los rayos del sol mientras crecen, por lo que han adquirido una cantidad mayor de la vitamina del sol. Cada porción de 3 onzas aporta el requerimiento de vitamina D de un día.

Los hongos comestibles no tienen grasas ni colesterol, por lo que son buenos para el corazón. Busque los champiñones Sun-Bella en su supermercado favorito, como Albertsons, Kroger o Whole Foods.

Tres razones para preferir la linaza

La linaza, conocida también como semilla de lino (*flaxseed*, en inglés), es una semilla muy pequeña con tres componentes beneficiosos para la salud: fibra, ácido alfa-linolénico (ALA, en inglés) y lignanos.

Fibra. Casi un tercio de la linaza es fibra, tanto fibra soluble como fibra insoluble. Ésa puede ser la razón por la cual esta semilla tan pequeña es capaz de barrer con el colesterol que obstruye las arterias. En estudios se observó que las personas que consumieron un par de cucharadas diarias de linaza molida lograron, en sólo cuatro semanas, reducir sus niveles de colesterol total y de colesterol "malo" LDL y, a la vez, mantener estables sus niveles de colesterol "bueno" HDL.

Hay tantos componentes beneficiosos en la linaza, que a los expertos les es difícil determinar cuál es el responsable de este efecto reductor del colesterol. Creen que podría ser tanto el mucílago, un tipo de fibra soluble en la linaza, como el ácido alfa-linolénico (ALA), un importante ácido graso omega-3 que ayuda al corazón. La linaza es la fuente de origen vegetal más rica en ALA.

Ácido alfa-linolénico. Un estudio encontró que los hombres con los mayores niveles de ácido alfa-linolénico (ALA) almacenados en la grasa corporal tenían el menor riesgo de sufrir un ataque al corazón. Según el estudio, esta protección se logró con apenas media cucharadita de aceite de linaza al día. El ALA inhibe la inflamación crónica en el organismo, que con el tiempo puede conducir a un ataque al corazón o un accidente cerebrovascular.

Lignanos. La linaza es también una gran fuente de lignanos, hormonas naturales de origen vegetal. Estos compuestos similares al estrógeno se encuentran en la cáscara de la semilla, más no en el aceite. Los lignanos pueden bajar el colesterol y así reducir el riesgo de enfermedad cardíaca y accidente cerebrovascular, también aliviar los síntomas de la menopausia de manera segura y proteger contra el cáncer de mama, de colon y de próstata.

Para obtener estos beneficios para la salud, procure consumir una o dos cucharadas de linaza molida, o una o dos cucharaditas de aceite de linaza. Esta semilla tiene un agradable sabor a nuez. Algunos de los deliciosos alimentos que contienen linaza añadida son:

- Productos horneados, como *bagels*, *muffins* y el pan multigrano

- Cereales en caja para desayuno, pastas y mezclas para panqueque

- Helados y otros postres congelados

También se puede comprar la linaza entera, molida o en aceite, y utilizarla para cocinar o hacer panes.

Descubra el poder de la harina de lupino

Las semillas de lupino, que también se conoce como altramuz, chocho, lupín o tarwi, se obtienen de una planta que pertenece a la familia de las hermosas flores silvestres que incluyen a la *bluebonnet* (bonete azul), la flor oficial del estado de Texas. La planta de lupino se reconoce por sus tallos altos cubiertos de flores pequeñas, que suelen ser de color azul púrpura. Las semillas de lupino se muelen para obtener una harina de color amarillo pálido, popular en Europa y Australia. Tienen hasta un 45 por ciento de proteínas y un 30 por ciento de fibra, pero poco almidón o azúcar. Las investigaciones han demostrado que el lupino ofrece numerosos beneficios para la salud.

Baja la presión arterial. Las personas con sobrepeso que durante cuatro meses consumieron pan hecho con harina de lupino lograron reducir su presión arterial sistólica en 3 mmHg, la primera cifra en una lectura de la presión arterial. El pan se preparó sustituyendo el 40 por ciento de la harina de trigo por harina de lupino. La harina de lupino, que a veces se vende como harina de altramuz, contiene varios compuestos beneficiosos, entre ellos, un alto nivel de arginina. La arginina es un aminoácido necesario para producir óxido nítrico, el gas que relaja los vasos sanguíneos, disminuyendo la presión arterial.

Reduce los niveles de colesterol. Los niveles de colesterol total y de colesterol "malo" LDL fueron menores en los hombres que durante un mes recibieron alimentos con alto contenido de fibra de lupino.

Calma el apetito. Las personas que recibieron pan de lupino para el desayuno sintieron una mayor sensación de saciedad que las que recibieron pan blanco. A la hora del almuerzo aún se sentían llenos y comieron menos.

Los fabricantes de alimentos han empezado a añadir harina de lupino a las pastas, los bizcochos, las galletas dulces, el pan y las papas fritas. Si usted es alérgico a los cacahuates u otros alimentos, tenga precaución, también podría ser alérgico al lupino.

Una noticia amarga sobre las bebidas dulces

¿Qué cambio sencillo se puede hacer en la dieta que realmente beneficie el corazón? Eliminar las bebidas azucaradas. Las investigaciones muestran que las mujeres que beben regularmente bebidas endulzadas, como los refrescos con gas y las bebidas no carbonatadas, tienen un riesgo mayor de enfermedad cardíaca. Estos resultados se mantuvieron aun cuando se tomaron en cuenta otros factores de riesgo, como el sobrepeso y la diabetes.

Los expertos señalan que el consumo de bebidas endulzadas aumenta los niveles de insulina y de azúcar en la sangre, lo que lleva a un aumento del nivel de proteína C reactiva, un marcador de inflamación. Para reducir el riesgo de sufrir un ataque al corazón, tan importante es bajar el nivel de proteína C reactiva como bajar los niveles de colesterol.

Cómo cuidar el corazón con tomate

La campaña *"Go Red for Women"* ("De rojo por la mujer"), de la Asociación Estadounidense del Corazón, recuerda a las mujeres que no son inmunes a las enfermedades cardíacas. Siga su consejo y agregue un tomate rojo intenso a sus comidas cada vez que pueda. Cómalos crudos en ensaladas, cocínelos a fuego lento en una salsa caliente para acompañar una pasta o disfrútelos en una sopa de tomate o como jugo. El tomate es una gran fuente de licopeno, un carotenoide que ayuda a prevenir el cáncer de próstata y que hace que el tomate sea rojo. El licopeno también ayuda a reducir el riesgo cardíaco de varias maneras:

- Baja el colesterol LDL. El licopeno funciona mejor que un medicamento de estatina para bajar los niveles de colesterol.

- Actúa como antioxidante. En investigaciones con hombres de mediana edad con problemas cardíacos se encontró que los antioxidantes protegen las arterias del daño causado por las moléculas inestables llamadas radicales libres.

- Frena la formación de coágulos de sangre. Beber extracto de tomate inhibe la formación de los coágulos de sangre que pueden provocar un ataque al corazón.

- Reduce la presión arterial. Las personas con presión arterial alta que bebieron extracto de tomate durante ocho semanas redujeron su presión arterial sistólica y diastólica.

Se obtiene mucho más licopeno de los productos elaborados con tomate, como el jugo de tomate o la salsa de tomate, pero agregar unas cuantas rodajas de tomate fresco a la ensalada es ya un primer paso para incorporar esta delicia a su plan de comidas. Para las personas a las que no les gusta el tomate, los científicos han desarrollado recientemente una "píldora de tomate" o suplemento de licopeno, llamado *Ateronon*.

Las investigaciones muestran que el organismo absorbe mejor los carotenoides de las verduras cuando las ensaladas tienen un aliño graso, en lugar de un aliño bajo en grasa o sin grasa.

Para que su corazón aproveche mejor los beneficios del tomate, elija un aliño hecho con aceite de oliva, o bien prepare una vinagreta con aceite de oliva y vinagre, o agregue trozos de aguacate a las ensaladas como otra fuente de grasas saludables. Cuando esté cocinando los tomates a fuego lento para preparar una salsa marinara, agregue un chorrito de aceite de oliva.

Opte por lo verde por el bien de su corazón

Nuestras madres tenían razón: comer verduras hace bien. Hoy usted puede elegir entre una gran variedad de verduras, unas más conocidas que otras.

Brócoli. Una verdura tradicional que además de ayudar a prevenir el cáncer, es buena para el corazón. En investigaciones realizadas con ratas de laboratorio se encontró que comer brócoli les ayudó a producir más tiorredoxina, la proteína protectora del corazón.

Al igual que otras crucíferas, como la coliflor y el repollo, el brócoli tiene un alto contenido de una sustancia fitoquímica llamada sulforafano. El sulforafano actúa como un antioxidante con la misión de prevenir el daño en los vasos sanguíneos que produce el azúcar en la sangre de las personas con diabetes. El sulforafano, además, estimula el sistema inmunitario del cuerpo y, de ese modo, ayuda a las personas a envejecer de manera saludable. El brócoli aporta otro nutriente: la colina, que está relacionada con las vitaminas B y es importante para la salud de los nervios. También ayuda a reducir la proteína C reactiva, signo de inflamación y de arterias dañadas.

Verduras de hoja verde. La col rizada (*kale*, en inglés) y las espinacas son fuentes de vitamina K. Un científico danés la llamó K por "*koagulation*", ya que esta vitamina favorece la coagulación de la sangre.

La vitamina K también puede inhibir la inflamación y hacer más lento el endurecimiento de las arterias, lo que beneficia el corazón. Un estudio realizado con mujeres de mediana edad encontró que las que recibieron más vitamina K a través de la dieta presentaban un menor engrosamiento de la aorta. Eso es importante para permitir que la sangre fluya libremente desde el corazón.

La vitamina K, sin embargo, puede interferir con los medicamentos anticoagulantes, como la warfarina (*Coumadin*). Si usted está tomando un anticoagulante, consulte a su médico antes de hacer un cambio en su dieta para incluir más de esta vitamina.

Algas marinas. Estas "verduras de mar" son populares en los países asiáticos desde hace siglos. Bajas en calorías y libres de grasas, las algas son una mejor fuente de minerales que todas las demás verduras. Son un verdadero superalimento ya que además de ser un antiinflamatorio y un tranquilizante para el estrés, pueden reducir el riesgo de enfermedad cardíaca. Existen tres tipos básicos de algas marinas comestibles —las verdes, las pardas o marrones y las rojas— y las tres son comunes en la cocina asiática. Si a usted le gusta el *sushi*, ya conoce las láminas del alga *nori* que se utilizan para enrollarlo.

Ciertos tipos de algas marinas tienen más calcio que la leche entera, más potasio que una banana, y más magnesio y hierro que las espinacas. Algunos tipos tienen más fibra soluble e insoluble que muchas "verduras de tierra". Las algas también se destacan por su contenido de las vitaminas antioxidantes A, C y E. Además, son una de las pocas fuentes vegetales de vitamina B12.

Los ácidos grasos omega-3 en las algas marinas podrían reducir los niveles de proteína C reactiva, un importante marcador de inflamación y riesgo cardíaco. Por último, comer algas marinas puede ayudar a superar la depresión. Se ha demostrado que las mujeres que consumen más ácidos grasos omega-3 tienen menos síntomas de esta enfermedad.

Conozca las "verduras de mar"

Las algas comestibles, también llamadas "verduras de mar", se consiguen en las tiendas de alimentos asiáticos o de alimentos saludables, y a través de los supermercados en línea, como *www.amazon.com* y *www.netgrocer.com*. Las algas por lo general son puestas a secar poco después de su recolección, para así conservar su frescura. Se aconseja almacenar las algas en envases opacos y herméticos a una temperatura por debajo de los 70° F (21° C).

Algas	Cómo se venden	Usos comunes
Nori	En láminas cuadradas; como ingrediente en las galletas de arroz	Tostar o freír los trozos pequeños; utilizar las láminas para enrollar sushi
Lechuga de mar	Secas y envasadas	Agregar a ensaladas y sopas; comer de la bolsa como merienda crujiente
Dulse	Secas y envasadas	Poner en remojo y agregar a ensaladas, sofritos y sopas
Hijiki	Secas y envasadas	Comer de la bolsa como merienda crujiente
Wakame Kombu	Secas y envasadas; secas y envasadas como sopa instantánea	Poner en remojo y agregar a ensaladas, sofritos y sopas de miso; preparar en infusión

Cuatro maneras de atacar un ataque cerebral

Más de 5 millones de personas mueren cada año en el mundo a causa de un accidente cerebrovascular o ataque cerebral. Éstos son cuatro cambios en la dieta que usted puede hacer para protegerse.

Detenga los coágulos mortales con vitamina C. Incluir en la dieta frutas repletas de vitamina C, como la naranja o la toronja, puede prevenir la obstrucción arterial. La vitamina C fortalece las paredes de los vasos sanguíneos, lo que promueve la buena circulación. En algunos estudios se ha demostrado que esta vitamina puede evitar que los vasos sanguíneos se estrechen e interrumpan el flujo sanguíneo hacia el corazón y el cerebro. Un estudio encontró que a partir de la mediana edad las personas que tenían los niveles más altos de vitamina C en la sangre tenían el menor riesgo de sufrir un ataque cerebral en la próxima década.

Pero la vitamina C hace mucho más que eso. Puede incluso preservar la visión. Investigadores de Japón descubrieron que las personas con los niveles más altos de consumo de vitamina C presentaban el riesgo más bajo de desarrollar cataratas. Esto puede deberse a la acción de sus poderosos antioxidantes. La naranja es una gran fuente de vitamina C, pero también lo es la papaya. Tan sólo una taza de papaya cortada en cubos aporta el requerimiento de vitamina C para un día entero. Esta fruta tropical también tiene un alto contenido de fibra, vitamina A, potasio, folato y magnesio. La fibra, el magnesio y el potasio son buenos para el corazón porque ayudan a bajar la presión arterial.

Protéjase con pescado. Los ácidos grasos esenciales en el pescado reducen el riesgo tanto de sufrir un ataque cerebral como de desarrollar alzhéimer. Las personas que comen tres porciones de pescado a la semana —sobre todo atún y otros tipos de pescado ricos en ácidos grasos omega-3— tienen menos lesiones cerebrales que predicen el accidente cerebrovascular y la demencia.

Prefiera el café, el té o la leche. Estas tres bebidas populares son buenas para la salud del corazón.

- Leche. La gran cantidad de calcio que contiene reduce el riesgo de ataque cerebral. Es posible que este beneficio se deba a la capacidad del calcio para bajar la presión arterial.

- Café. El Estudio de Salud de Enfermeras encontró que las mujeres que bebieron cuatro o más tazas de café al día redujeron en un 20 por ciento su riesgo de sufrir un ataque cerebral.

- Té. Beba al menos tres tazas de té verde o té negro cada día para reducir en un 21 por ciento el riesgo de sufrir un ataque cerebral.

Los investigadores dicen que la cafeína en el café y en el té no es lo que protege el corazón, de modo que las variedades descafeinadas también son buenas. El té contiene el antioxidante EGCG y el aminoácido teanina, mientras que el café tiene fenoles antioxidantes.

Elija granos integrales en lugar de refinados. Consuma al menos una porción y media de granos integrales al día para reducir su riesgo de enfermedad cardíaca y de accidente cerebrovascular en un 21 por ciento. Las vitaminas, los minerales, las grasas saludables, la fibra y los antioxidantes se encuentran en el salvado y el germen de los granos integrales. Es por eso que los panes integrales y los cereales integrales para desayuno son mucho mejores que los productos elaborados con harina blanca refinada.

La recuperación después de un accidente cerebrovascular o ataque cerebral es mejor entre las personas que consumen gran cantidad de fibra insoluble, como la de los granos integrales. En esas personas, un accidente cerebrovascular tiende, además, a ser menos grave.

Truco infalible para comer más verduras

Un vaso de jugo de verduras es una opción sabrosa cuando se le antoja una bebida refrescante. Estos jugos vienen en muchas presentaciones, desde el tradicional V8 hasta las mezclas novedosas de jugos de verduras y de frutas. Las personas que beben jugo de verduras todos los días llegan a consumir la cantidad diaria recomendada de verduras.

Éstos son los beneficios. Un estudio encontró que los hombres que bebieron alrededor de dos tercios de taza de jugo de col rizada todos los días tenían niveles más bajos de colesterol después de tan sólo tres meses.

Otro estudio demostró que el jugo de betarraga es otra buena opción. Los participantes en el estudio presentaban niveles más bajos de presión arterial después de beber dos tazas de jugo de betarraga. Incluso los jugos refrescantes de frutas pueden ser buenos para el corazón.

El jugo de granada es el vencedor porque baja la presión arterial, reduce la inflamación y mantiene limpias las arterias. Procure que sea jugo cien por ciento puro, sin azúcar ni otros aditivos.

Otros remedios naturales

Acabemos con los mitos sobre las vitaminas

Tomar megadosis de suplementos vitamínicos o depender de una pastilla multivitamínica no garantiza la salud cardíaca. Conozca las conclusiones de las últimas investigaciones que hacen trizas los mitos comunes sobre las vitaminas.

Primer mito: *Las pastillas de vitaminas previenen enfermedades.* Las personas que toman multivitamínicos lo hacen como si fuera un seguro: se quieren asegurar que de ese modo están compensando los nutrientes que podrían no estar obteniendo de la dieta. Sin embargo, esa estrategia no siempre funciona. En un estudio llamado "Iniciativa para la Salud de la Mujer" se encontró que las mujeres mayores que tomaron un multivitamínico durante ocho años no presentaban un riesgo menor de enfermedad cardíaca, de varios tipos de cáncer o de muerte por cualquier causa comparadas con las mujeres que no tomaron estas pastillas de vitaminas.

Segundo mito: *Los suplementos pueden sustituir una dieta sana.* Incluso un potente suplemento de vitaminas antioxidantes no llega realmente a proteger el corazón, pero una dieta con muchas frutas y verduras ricas en antioxidantes sí le da esa garantía.

Un estudio sobre el riesgo cardiovascular y el uso de antioxidantes en mujeres, conocido como WACS, por sus siglas en inglés, hizo un seguimiento a mujeres de mediana edad durante más de nueve años. Algunas tomaban suplementos de vitamina C, vitamina E o betacaroteno todos los días, otras no lo hacían. Al final del estudio, las mujeres que tomaron los suplementos no tenían menos probabilidades de sufrir un ataque cerebral o un ataque al corazón, de tener una cirugía de derivación cardíaca o de morir por un problema relacionado con el corazón, que las que no lo hicieron. No malgaste su dinero en estas vitaminas. ¿Por qué no ayudan las vitaminas? Porque los resultados de los estudios que muestran cómo funcionan las vitaminas en un laboratorio no siempre se pueden replicar en el cuerpo humano.

Tercer mito: *Más es mejor.* Otro problema es que es fácil excederse con los suplementos de vitaminas, en lugar de obtener los nutrientes de los alimentos. Si se toman en grandes cantidades, los suplementos pueden causar problemas de salud. Un estudio sobre las vitaminas C y E, por ejemplo, encontró que éstas pueden inhibir la respuesta natural del cuerpo al ejercicio. Normalmente, el ejercicio "enseña" al cuerpo a utilizar la glucosa de manera más eficiente y mejora su sensibilidad a la glucosa. Cuando los hombres de un estudio tomaron estos dos suplementos antioxidantes, el ejercicio no mejoró su metabolismo de la glucosa.

Busque las vitaminas de primer nivel que realmente ayudan al corazón, incluida la vitamina D y algunas vitaminas B.

Venza las enfermedades con la "vitamina del sol"

"En general, las personas mayores necesitan más que las jóvenes, las personas más altas necesitan más que las más bajas, las personas con sobrepeso necesitan más que las delgadas, las personas que viven al norte necesitan más que las que viven al sur, las personas de piel oscura necesitan más que las de piel clara, en invierno las personas necesitan más que en verano, las personas que se cubren la piel con protector solar necesitan más que las que no lo hacen, las personas que le tienen fobia al sol necesitan más que las que son amantes del sol, las personas enfermas pueden necesitar más que las sanas".

Esta declaración del Consejo de la Vitamina D demuestra lo complicado que es el tema de la ingesta de vitamina D. Sin embargo, no se puede ignorar el hecho de que esta vitamina está claramente asociada a una esperanza de vida más larga. Los científicos, sin embargo, aún no saben con certeza por qué funciona.

La vitamina D es importante para mantener los huesos y músculos sanos y prevenir las afecciones cardíacas y algunos tipos de cáncer. De hecho, un estudio mostró que las personas con los niveles más bajos de vitamina D en la sangre tenían dos veces más probabilidades de morir por cualquier causa en los próximos ocho años, aunque las muertes relacionadas con una afección cardíaca fueron significativas.

La vitamina D se encuentra en varios alimentos, incluido el pescado graso como el salmón y el atún, y la leche fortificada. Sin embargo, la mayoría de las personas no obtienen suficiente vitamina D de los alimentos. La luz del sol, por otra parte, es fundamental para sintetizar esta vitamina. La luz ultravioleta (UV) del sol reacciona con un compuesto en la piel para producir vitamina D. Una persona de piel clara necesita pasar alrededor de 15 minutos bajo el sol sin protector solar unas cuantas veces a la semana, para obtener suficiente vitamina D de la luz solar. Las personas de piel oscura pueden necesitar aumentar en hasta seis veces el tiempo de exposición a la luz UV. Claro que las diferencias estacionales en el sol determinan, en última instancia, el tiempo de exposición que cada persona necesita.

Las personas mayores tienen un problema especial con la falta de vitamina D, porque a menudo no pasan suficiente tiempo expuestos a la luz del sol. Esto es especialmente grave en el caso de los adultos mayores confinados a su casa o de los que viven en una residencia para ancianos. Los expertos estiman que entre el 40 y 90 por ciento de los adultos mayores no obtienen suficiente vitamina D.

Los suplementos de vitamina D pueden asegurarle que usted sí está obteniendo la dosis adecuada. Las actuales directrices en EE.UU. recomiendan 400 unidades internacionales (UI) para las personas entre 51 y 70 años, y 600 UI para las mayores de 70 años. Sin embargo, varios profesionales de la salud no están de acuerdo y sostienen que la dosis debe ser mayor. De hecho, un estudio realizado sobre las mujeres y las enfermedades cardíacas encontró que tomar tan sólo 400 UI de vitamina D al día no ofrecía ningún beneficio de los suplementos. Los expertos en el Instituto Linus Pauling sugieren que la dosis debe ser de entre 1000 y 2000 UI al día.

Existen dos tipos de suplementos de vitamina D: la vitamina D2 (ergocalciferol) y la vitamina D3 (colecalciferol). La D3 es la forma que resulta más útil para el cuerpo. A la hora de comprar un suplemento, fíjese que la etiqueta diga "vitamina D3". Si usted está tomando un bloqueador de los canales de calcio o diuréticos de tiazida, consulte a su médico antes de tomar suplementos de vitamina D.

Demasiada vitamina D puede llevar a un exceso de calcio en la sangre. Ese calcio puede depositarse en los vasos sanguíneos, el corazón y los pulmones. También puede depositarse en los riñones, lo que puede causar daño e, incluso, insuficiencia renal.

Puede pedirle a su médico que le haga una prueba de sangre. Se trata de una prueba que mide la 25-hidroxivitamina D o 25(OH)D. Incluso existe una prueba casera para medir la 25(OH)D que se consigue del laboratorio ZRT. Solicítela en línea a través de *www.zrtlab.com*.

Las vitaminas B reciben una A+ en salud cardíaca

Un grupo de vitaminas B aporta una serie de beneficios, como bajar el colesterol y prevenir los ataques cardíacos y los accidentes cerebrovasculares, pero sólo si se obtienen en cantidades suficientes a través de los suplementos. Obtenerlas únicamente de fuentes alimentarias no basta. Asegúrese de elegir la vitamina B adecuada para sus necesidades particulares.

Controle el colesterol alto con niacina. También conocida como vitamina B3, algunos se refieren a la niacina por su ingrediente activo: ácido nicotínico. La niacina se encuentra en muchos alimentos, entre ellos la carne, el pescado, los huevos, la levadura, las verduras verdes y los cereales para desayuno.

En forma de suplemento, la niacina en dosis elevadas ayuda a controlar el colesterol alto. Se ha demostrado que esta vitamina puede reducir los triglicéridos en entre un 20 y 30 por ciento y el colesterol "malo" LDL hasta en un 20 por ciento. Aún más importante para algunas personas, la niacina puede elevar el nivel del colesterol "bueno" HDL en casi un tercio. La niacina funciona al impedir que el hígado produzca demasiadas lipoproteínas de muy baja densidad (VLDL, en inglés), que operan como pequeños maletines utilizados para transportar los triglicéridos a través del torrente sanguíneo.

En las pruebas que tuvieron buenos resultados se utilizaron entre 500 y 3000 miligramos (mg) de niacina al día. Los investigadores señalan que con dosis de entre 1000 y 2000 mg se puede producir un incremento significativo en el colesterol HDL. Una dosis de 1000 mg de un suplemento de niacina de liberación prolongada ayuda a mejorar el funcionamiento de los vasos sanguíneos. La niacina también puede ayudar a evitar otros males relacionadas con el corazón, como la aterosclerosis (el endurecimiento de las arterias), y prevenir un segundo ataque cardíaco.

Su médico puede recetarle niacina en dos presentaciones: *Niacor* (de liberación inmediata) o *Niaspan* (de liberación prolongada). Aunque se puede comprar sin receta médica, consulte a su médico antes de tomarla.

La combinación de niacina con una estatina tiene un efecto aún más potente para reducir el colesterol LDL y los triglicéridos y para elevar el colesterol HDL, que tomar el suplemento solo. Ésa es la razón por la cual algunos fabricantes de medicamentos están produciendo pastillas que contienen ambas, estatina y niacina. Si usted está tomando estatinas para bajar el colesterol, pregunte a su médico acerca de estas pastillas combinadas, como *Advicor* (lovastina con niacina) o *Simcor* (simvastatina con niacina).

Cóctel de vitaminas B para prevenir ataques cerebrales. La vitamina B6, la vitamina B12 y el ácido fólico son tres vitaminas que pueden ayudar a prevenir un accidente cerebrovascular o ataque cerebral. Un estudio llamado HOPE 2 (*Heart Outcomes Prevention Evaluation 2*) encontró que las personas con enfermedad cardíaca pueden evitar un accidente cerebrovascular si toman una combinación de estas tres vitaminas B en forma de suplemento. La mejor protección se obtuvo cuando los participantes del estudio tomaron 2.5 mg de ácido fólico, 50 mg de vitamina B6 y 1 mg de vitamina B12 al día.

Esto fue especialmente cierto entre las personas menores de 69 años y entre las personas que procedían de países donde los alimentos no están enriquecidos con ácido fólico. En 1998, la Administración de Alimentos y Medicamentos de EE. UU. (FDA, en inglés) dictaminó que los fabricantes tenían que fortificar todos los alimentos a base de granos con ácido fólico. Pero no todos los estudios han hallado beneficios convincentes como resultado de tomar vitaminas B. De hecho, la Asociación Estadounidense del Corazón ya no recomienda que todas las personas tomen vitaminas del complejo B únicamente para prevenir las enfermedades cardíacas.

Calme los efectos secundarios de la niacina

Entre los efectos secundarios comunes de los suplementos de niacina están el enrojecimiento de la piel, el sarpullido y la picazón. Pruebe estos trucos para evitar esas molestias:

- Tome aspirina o ibuprofeno media hora antes de tomar el suplemento de niacina.

- Tome el suplemento junto con una merienda.

- Evite los baños y duchas calientes en la hora después de tomar el suplemento.

- Tome niacina a la hora de acostarse.

- Empiece con una dosis baja y aumente la dosis gradualmente.

- Pruebe una formulación de liberación prolongada.

Un aceite más eficaz que el aceite de pescado

En la cadena alimentaria, después del aceite de pescado está el aceite de *krill*. Este asombroso aceite tiene beneficios similares, pero mucho más potentes, que el aceite de pescado.

El aceite de *krill* se extrae del kril antártico, un crustáceo diminuto que es el alimento de la ballena barbada, ciertos peces y aves marinas.

Algunas personas afirman que los suplementos de aceite de *krill* no dejan un sabor desagradable en la boca, como lo hace el aceite de pescado.

Al igual que el aceite de pescado, el aceite de *krill* contiene ácido eicosapentaenoico (EPA, en inglés) y ácido docosahexaenoico DHA), dos importantes ácidos grasos omega-3. Sin embargo, el aceite de *krill* es una mejor fuente de estos omega-3 que el aceite de pescado común y, además, proporciona vitamina A, vitamina E y proteínas. También proporciona astaxantina, un compuesto antioxidante de color rojo rosado que le da el tinte rojizo a los camarones y al salmón.

Investigaciones iniciales indican que el cuerpo absorbe con más facilidad los ácidos grasos omega-3 del aceite de *krill* que los del aceite de pescado. Este aceite también ofrece otros importantes beneficios para la salud.

Colesterol alto. Las personas con colesterol alto coincidieron en que el aceite de *krill* fue más eficaz que el aceite de pescado para bajar el colesterol. Los participantes de un estudio que tomaron 3 gramos de aceite de *krill* al día no sólo redujeron sus niveles de colesterol "malo" LDL en alrededor de un 40 por ciento, sino que también lograron reducir sus niveles de colesterol total y de triglicéridos y aumentar sus niveles de colesterol "bueno" HDL. Otros estudios confirmaron esta capacidad del aceite de *krill* para reducir el colesterol.

Enfermedad cardíaca y artritis. Un estudio realizado con personas que tenían enfermedad cardíaca y artritis (osteoartritis o artritis reumatoide), encontró que aquéllas que tomaron 300 miligramos de aceite de *krill* todos los días durante apenas dos semanas tenían niveles más bajos de proteína C reactiva, un marcador de inflamación crónica. También experimentaron una mejoría en sus síntomas de artritis. Los expertos creen que la particular combinación de ácidos grasos omega-3 y astaxantina en el aceite de *krill* inhibe la inflamación.

Cáncer de colon. Pruebas de laboratorio con células cancerosas humanas del colon mostraron que el aceite de *krill* puede detener su crecimiento. Los expertos creen que cuatro moléculas grasas en el aceite de *krill* inhiben el cáncer: el ácido alfa-linolénico (ALA), el EPA, el DHA, más unas moléculas grasas llamadas esfingolípidos.

El aceite de *krill* está disponible en cápsulas, a menudo como *Neptune Krill Oil*, en las tiendas de alimentos saludables o en línea. Entre las marcas populares están *Jarrow*, *Nature's Way* y *Source Naturals*. Una dosis típica es de entre 1 y 3 gramos al día. El aceite de *krill* puede causar diarrea o indigestión en algunas personas. Tenga cuidado si es alérgico a los mariscos, porque puede que también lo sea al aceite de *krill*. Si toma anticoagulantes, el aceite de *krill* puede aumentar los efectos de estos fármacos.

Alta potencia para triglicéridos altos

El aceite de pescado también se vende en cápsulas, disponibles con y sin receta médica. Algunas personas necesitan la máxima concentración sólo disponible con receta médica. Las cápsulas de aceite de pescado de alta potencia —marcas como Omacor y Lovaza— cuestan alrededor de $160 al mes. No todos las necesitan, pero si su nivel de triglicéridos es muy elevado, este tratamiento puede ser beneficioso. Cuatro cápsulas de alta potencia proporcionan 4000 miligramos (mg) de ácidos omega-3. En Europa es común utilizar esta fuente de alta potencia de omega-3 junto con otros fármacos, para prevenir un segundo ataque al corazón.

Antes de elegir esta opción costosa, tenga en cuenta que la mayoría de la personas con enfermedad cardíaca sólo necesitan tres o cuatro cápsulas normales de aceite de pescado al día; alrededor de $10 al mes. Al igual que con todos los suplementos de venta libre, preste atención a la hora de comprar las cápsulas. Busque la mención de "USP Verified" (Verificado por la USP) en la etiqueta, que certifica que el producto ha pasado por las pruebas de pureza y potencia de la Farmacopea de Estados Unidos (USP, en inglés).

Descubra el poder curativo de cinco hierbas populares

Algunas hierbas pueden reducir los niveles de colesterol y ayudar a prevenir los accidentes cerebrovasculares y la insuficiencia cardíaca. Sin embargo, todas enfrentan un riesgo en común: la falta de regulación. Sin saber exactamente cuánto es lo que contiene un suplemento herbario, usted corre el riesgo de tomar una dosis excesiva o insuficiente para tratar el mal que le aqueja. Si usted tiene interés en probar un remedio herbario, aquí le presentamos algunos que han sido puestos a prueba con éxito. Hable con su médico antes de utilizarlos, especialmente si usted está tomando un medicamento con receta.

Ginkgo **contra el ataque cerebral.** El extracto de *ginkgo biloba* se obtiene de las hojas del árbol de *ginkgo*, que se considera sagrado en China. Tomar *ginkgo* diariamente puede ayudar a proteger contra el daño cerebral si usted tiene un accidente cerebrovascular. Este remedio herbario también ayuda a aliviar el dolor en las piernas debido a una obstrucción arterial, lo que se conoce como claudicación.

Los investigadores están estudiando los efectos del *ginkgo* en la insuficiencia cerebral, una afección causada por la obstrucción de los vasos sanguíneos y que resulta en una disminución del flujo sanguíneo hacia el cerebro. La insuficiencia cerebral se manifiesta como problemas de concentración, confusión, debilidad física, fatiga, dolores de cabeza, mareos, depresión y ansiedad. Si usted tiene problemas de hemorragia o de coagulación, está tomando warfarina (*Coumadin*) o se va someter a una cirugía, no tome *ginkgo* ya que es un diluyente de la sangre.

Espino para frenar la insuficiencia cardíaca. Un tratamiento popular para la insuficiencia cardíaca congestiva, el extracto de espino (*hawthorn*, en inglés) está hecho de las flores secas, el fruto y las hojas del arbusto de espino. Los estudios demuestran que es efectivo, especialmente cuando se toma junto con un medicamento para mejorar la función cardíaca.

Chía para controlar el colesterol. La chía contiene fibra y ácido alfa-linolénico, que es una grasa saludable. La chía puede ayudar a reducir los triglicéridos y elevar el colesterol "bueno" HDL. Al mezclar las semillas de chía con agua se forma un gel que se puede agregar a las comidas o bebidas.

Extracto de hoja de alcachofa para bajar el colesterol. Las alcachofas son ricas en antioxidantes y son buenas para usted, pero el extracto de la hoja de la planta puede ser incluso mejor si tiene el colesterol alto. Este extracto es un tratamiento tradicional en Europa para estimular los riñones y el hígado. Los estudios muestran que el extracto de hoja de alcachofa también puede reducir el colesterol alto.

Arroz de levadura roja contra el ataque al corazón. Este arroz fermentado con cierto tipo de levadura es un ingrediente común en la cocina china. Además, se cree que ayuda a bajar el colesterol y a reducir el riesgo de tener un segundo ataque al corazón.

Hace varios años, la Administración de Alimentos y Medicamentos de EE. UU. (FDA, en inglés) ordenó a algunos fabricantes dejar de venderlo porque sus productos contenían monocolina A, el mismo ingrediente activo presente en la lovastatina, un popular medicamento del grupo de las estatinas. A la FDA también le preocupa que las dosis de los suplementos de arroz de levadura roja de venta sin receta médica, no siempre son confiables. Muchos expertos aconsejan seguir tomando las estatinas con receta que sí están reguladas por la FDA.

Vida saludable

4 cambios pequeños = 14 años más de diversión

¿Es posible disminuir la presión arterial, el colesterol y el azúcar en la sangre sin medicamentos costosos? Los expertos dicen que sí y que lo único que se necesita es hacer cuatro cambios pequeños.

Un grupo de investigadores se propuso averiguar qué tan beneficiosas eran ciertas actividades sencillas como comer bien y hacer ejercicio. Se hizo seguimiento a más de 20 000 personas durante una década para determinar si cuidar de sí mismo aporta algún beneficio. Al final del estudio, los expertos concluyeron que los hombres y las mujeres que practicaron los siguientes cuatro hábitos de la buena salud se mostraban 14 años más jóvenes por dentro que las personas que no lo hicieron.

El corazón es el que más se beneficia de estos cambios que no requieren medicamentos caros. Entre las personas que practicaron los hábitos de la buena salud se registraron menos muertes relacionadas con una enfermedad cardíaca que entre las que no lo hicieron. Otros estudios han demostrado que cuidar de sí mismo por tan sólo 12 semanas —es decir, prestar atención a lo que come, mantenerse activo físicamente y evitar malos hábitos como fumar— puede ayudar a reducir la presión arterial, el colesterol y el azúcar en la sangre. Esto es todo lo que usted necesita hacer:

Coma verduras. El efecto sobre la salud de comer por lo menos cinco porciones al día de frutas y verduras es evidente. Un nivel alto de vitamina C en la sangre sería, según los científicos, una buena señal. Obtener los nutrientes adecuados ayuda al organismo a combatir las enfermedades, incluido el cáncer. Los productos agrícolas frescos también aportan fibra, sustancias fitoquímicas saludables, así como importantes vitaminas y minerales, que pueden ayudar a mantener la presión arterial, el colesterol y el azúcar en la sangre en un rango saludable.

Salga y lleve una vida activa. Las personas que odian hacer ejercicios de alta intensidad pueden mantenerse en buena forma física incluyendo actividades divertidas en su vida diaria, como, por ejemplo, usar las escaleras en vez del ascensor, remodelar el jardín o salir a caminar con un nieto.

Los participantes del estudio con los mejores resultados eran los que se mantenían físicamente activos en el trabajo o los que dedicaban por lo menos 30 minutos al día a una actividad divertida, como nadar, bailar o andar en bicicleta. El ejercicio es bueno para el corazón. El sobrepeso puede provocar inflamación en el cuerpo, lo que hace peligrar la salud del corazón a causa de la presión arterial alta, la diabetes y la insuficiencia cardíaca congestiva.

Deje el hábito. Fumar es uno de los principales factores de riesgo del cáncer de pulmón y también es malo para el corazón. En el estudio sobre los hábitos de la buena salud, los fumadores tenían casi el doble de probabilidades de morir por problemas relacionados con el corazón que los no fumadores.

Consuma alcohol con moderación. Beber demasiado alcohol es dañino para el corazón y puede contribuir al desarrollo del cáncer. Si usted bebe, limite su consumo a no más de una bebida alcohólica al día si es mujer o dos bebidas alcohólicas al día si es hombre. Una bebida alcohólica equivale a una botella de 12 onzas (355 ml) de cerveza, un vaso de cuatro onzas (118 ml) de vino o un trago de una y media onzas (44 ml) de licor de 80 grados.

Recupérese más rápidamente después de un derrame cerebral

Un poco de actividad física puede ser el primer paso en el camino hacia la recuperación después de un derrame cerebral o accidente cerebrovascular (ACV). Los estudios han demostrado que el ejercicio, ya sea en una caminadora estacionaria o aprender tai chi, puede ayudar con los problemas para caminar y la falta de equilibrio después de un ACV. Pero no espere a enfermarse para empezar a moverse. Las personas que se mantienen en buen estado físico tienden a sufrir menos daños y a recuperarse mejor si llegan a tener un ACV. Así que levántese, salga y proteja su corazón y su cerebro.

Una manera divertida de borrar la edad

Esta maravilla rejuvenecedora no consiste en una pastilla o una poción mágica, sino simplemente en mantener el cuerpo en movimiento.

Investigaciones en mellizos o gemelos han examinado cómo el entorno afecta el proceso de envejecimiento en personas con la misma composición genética. Los científicos encontraron que las células de los mellizos o gemelos que pasan la mayor parte de su tiempo libre haciendo actividad física envejecen más lentamente. Los más activos hacían más de tres horas de ejercicio a la semana, mientras que los menos activos tan sólo 16 minutos a la semana.

Estos resultados se atribuyeron a la mayor inflamación y estrés oxidativo del cuerpo, así como al mayor estrés sicológico que resulta de la inactividad. Los autores del estudio señalan que estos resultados apoyan las recomendaciones de hacer 30 minutos diarios de actividad física moderada al menos cinco días a la semana.

¿Cómo determinaron los científicos la velocidad del envejecimiento? Midieron la longitud de los telómeros de los leucocitos, es decir, de los cromosomas en los glóbulos blancos. En realidad, los telómeros se encuentran en los extremos de los cromosomas, como las puntas protectoras de plástico en los cordones de zapatos. Los telómeros más cortos son señal de enfermedades asociadas al estrés oxidativo, como las afecciones cardíacas, la diabetes y la osteoporosis. Los científicos constataron que a mayor actividad física menor riesgo para estas enfermedades, y establecieron que la longitud de acortamiento de los cromosomas en los participantes del estudio que hacían ejercicio era de una persona 10 años más joven que la de los que no hacían ejercicio.

En otros estudios quedó demostrado cómo el ejercicio estimula la formación de nuevos vasos sanguíneos para que el corazón pueda hacerle frente a la carga de trabajo adicional. Éstos son varios tipos de actividades físicas que benefician el corazón. Sólo recuerde hablar con su médico antes de iniciar un nuevo programa de ejercicios.

Elija una actividad que le acelere el pulso. Las personas de mediana edad que hacen ejercicios intensos, como correr, tienen una vida más larga y más saludable. Pero no es necesario hacer ejercicios extenuantes para cuidar su corazón. En un estudio realizado en Austria se quiso comprobar si una caminata cuesta abajo tenía los mismos beneficios para la salud que una caminata cuesta arriba. Las personas que caminaron cuesta abajo varias veces a la semana durante dos meses obtuvieron los mismos beneficios para la salud, en términos de reducir el colesterol y mejorar la resistencia a la insulina, que las personas que se esforzaron más y optaron por caminar cuesta arriba. Los científicos sugieren que la actividad menos demandante de caminar cuesta abajo puede ser una buena opción para las personas que no pueden hacer ejercicios agotadores como, por ejemplo, las personas obesas o con insuficiencia cardíaca congestiva.

El ejercicio de ligero a moderado, como caminar algunas cuadras o trabajar en el jardín, también reduce el riesgo de aparición de la fibrilación auricular, una arritmia cardíaca frecuente en las personas mayores de 65 años.

Relájese con *tai chi*. La antigua práctica china de *tai chi*, que consiste en estiramientos suaves, ciertas posturas y movimientos rítmicos, aumenta la flexibilidad, el equilibrio y la fortaleza. Los estudios demuestran que también reduce la presión arterial, mejora los niveles de colesterol y es beneficioso para las personas con insuficiencia cardíaca congestiva.

Levante pesas. Los expertos sostienen que aunque levantar pesas puede afectar los valores de la presión arterial, en el largo plazo este tipo de ejercicio puede mejorarla. Esto se debe a que tener músculos más fuertes hace que el corazón no tenga que trabajar tanto. Levante pesas o haga flexiones o algún otro ejercicio de fortalecimiento muscular dos o tres veces a la semana. Recuerde que no tiene que gastar mucho dinero para mantenerse en forma:

■ Invierta menos de $20 en un podómetro o cuentapasos y camine, camine y camine. Las personas que llevan un podómetro tienden a caminar entre una y dos millas adicionales por día.

■ Cómprese una cuerda para saltar (cuestan menos de $10) y haga ejercicio en la comodidad de su hogar.

■ No compre pesas cuando puede usar su propio cuerpo. Haga abdominales, flexiones y sentadillas. O ejercítese utilizando las latas pesadas de verduras de su despensa como pesas.

■ Si lo que le gusta es la bicicleta, pero odia la congestión vehicular y el mal tiempo, quédese en casa y gaste menos de $100 en un soporte para convertir su bicicleta en una bicicleta estacionaria.

Cúrese a sí mismo con música

Cuando escucha a Bach o a los Beatles, su corazón alegremente acompaña la música. Escuchar música es una manera de bajo costo de mantenerse saludable sin medicamentos. La música despierta la capacidad natural del cuerpo para defenderse de las enfermedades.

Un estudio realizado en personas con presión arterial alta mostró que escuchar música durante aproximadamente media hora todos los días y hacer a la vez ejercicios de respiración lenta y profunda, reduce la presión arterial. El estudio tuvo una duración de cuatro semanas y utilizó música rítmica clásica, celta o de la India. Los participantes experimentaron una caída media de la presión arterial sistólica de aproximadamente 4 mmHg. En otros estudios se obtuvieron resultados similares.

Escuchar música es excelente para aliviar el estrés. Algunos expertos creen que funciona tan bien que además contribuye a mantener la juventud, ya que el estrés a largo plazo debilita el sistema inmunitario. Es más, los científicos dicen que escuchar música que es de su agrado ayuda a expandir los vasos sanguíneos, mejorando el flujo de sangre. Ocurre lo mismo cuando una persona se ríe o toma un medicamento con estatina.

Haga su propia música y los resultados serán evidentes. No tiene que aprender a tocar un instrumento, basta con tararear una melodía alegre. Es la manera más sencilla de reforzar la salud.

¿Y cómo funciona? Cuando una persona tararea, las células del cuerpo liberan óxido nítrico, un gas que tiene efectos tranquilizantes en el cerebro. Es por eso que algunos expertos aconsejan tararear ante una situación estresante, como cuando le van a tomar una muestra de sangre o poner una vacuna contra la gripe. Los científicos analizaron cuánto óxido nítrico se produce mientras se tararea en comparación con mantenerse callado y respirar en silencio. La respuesta es que se produce 15 veces más de esta sustancia química segura y natural.

El óxido nítrico también ayuda a que los vasos sanguíneos se relajen o se dilaten, de modo que la sangre puede fluir más fácilmente y la presión arterial disminuye. Aumentar el óxido nítrico tarareando también mejora la inmunidad, calma la mente y despeja los senos nasales. Y se puede tararear una canción en cualquier lugar.

Rehabilitación musical para las víctimas de un accidente cerebrovascular

Un accidente cerebrovascular (ACV) es causado por un coágulo de sangre o una hemorragia cerebral. La dificultad para hablar y los problemas para caminar y para moverse son algunos de los síntomas que se presentan. La música puede ayudar a los pacientes que han sufrido un ACV a recuperar estas habilidades.

Cantar puede ayudar a aprender a hablar de nuevo a las personas con afasia, un trastorno del habla producido a consecuencia de un ACV. Una lesión en el área de Broca, que es el centro del habla ubicado en el hemisferio izquierdo del cerebro, puede afectar la capacidad del habla. La terapia del canto o terapia de entonación melódica, permite a estos pacientes utilizar las partes no lesionadas de su cerebro —es decir, el hemisferio derecho donde residen las habilidades musicales— para marcar el ritmo, luego cantar y con el tiempo volver a hablar.

Por último, escuchar música agradable puede ayudar a recuperar la visión después de un accidente cerebrovascular, probablemente porque mejora el estado de ánimo de los pacientes y les permite relajarse y concentrarse mejor.

Cuatro maneras poco conocidas para bajar la presión

Estos cuatros consejos fáciles de seguir ayudan a bajar la presión, independientemente de si su médico le ha recetado medicamentos antihipertensivos. Recuerde que nunca se debe dejar de tomar un medicamento recetado por su médico sin su aprobación.

Separe tiempo para un masaje. Recibir un masaje puede que le parezca una extravagancia, pero no necesariamente es una frivolidad. El masaje realizado por un terapeuta especializado en masajes tiene claros beneficios para la salud. Se trata de una terapia de contacto sencilla que logra bajar la presión arterial, reforzar la inmunidad, aliviar los dolores y reducir la fatiga.

Nuevas investigaciones han demostrado que el masaje sueco, un estilo de masaje tradicional que aplica presión suave para "amasar" los músculos, puede disminuir la presión arterial. Otros tipos de masaje, como el masaje de puntos de presión, pueden de hecho provocar el efecto opuesto. La clave parece ser que la persona que recibe el masaje esté relajada y cómoda y no sienta dolor.

¿Cómo funciona? Los terapeutas dicen que el masaje provoca lo que se conoce como "respuesta de relajación" y a la vez aumenta el flujo sanguíneo en todo el cuerpo. Estos cambios ayudan a disminuir los niveles de presión arterial.

Consulte a un quiropráctico. La realineación de la vértebra C-1 o vértebra atlas puede bajar la presión arterial. El atlas es el hueso en forma de anillo que se encuentra en el extremo superior de la columna vertebral. Los estudios muestran que las personas que recibieron un tratamiento quiropráctico para alinear el atlas redujeron en 14 puntos su presión sistólica, el primer valor en la lectura de la presión arterial, y en 8 puntos su presión diastólica, después de ocho semanas. Prácticamente los mismos resultados que se obtendrían después de tomar dos medicamentos antihipertensivos.

Los quiroprácticos dicen que el atlas es la "caja de fusibles" del cuerpo, ya que debido a su ubicación controla importantes procesos del organismo y puede afectar la presión arterial y el funcionamiento de los músculos y nervios. Los expertos creen que los tratamientos quiroprácticos son una buena opción, sobre todo para las personas que han sufrido traumatismo craneal o cervical.

Observe el tiempo. Investigadores en Francia encontraron que la presión arterial en los adultos de edad avanzada, especialmente en los mayores de 80 años, tiende a sufrir variaciones estacionales. Los valores sistólicos y diastólicos se elevaron en 5 puntos como promedio durante el invierno en comparación con el verano. El cambio puede deberse al esfuerzo que hace el cuerpo al contraer los vasos sanguíneos para combatir el frío. Los expertos creen que esta variación explicaría el hecho conocido de que durante el invierno el riesgo de tener un accidente cerebrovascular o un aneurisma es mayor.

Tome nota de los cambios. Hacer un seguimiento de sus niveles de presión arterial ayudó a los participantes de un estudio a bajar esos valores en el mediano plazo. Los científicos hicieron este descubrimiento después de repartir unas tarjetas de bolsillo a un grupo de veteranos con presión arterial alta, para que registraran sus valores de presión arterial y tomaran medidas para bajarla.

Cuidado con los fármacos para el resfriado

Algunos medicamentos de venta libre para el resfriado común son perjudiciales para el corazón. La pseudoefedrina en algunos descongestionantes nasales, como Sudafed, y en jarabes para la tos, como Robitussin PE, contrae los vasos sanguíneos de la nariz. Pero no se detiene ahí. También puede elevar la presión arterial y el ritmo cardíaco. Es poco frecuente, pero puede causar latidos irregulares o incluso un accidente cerebrovascular. Si usted tiene problemas de salud, hable con su médico antes de tomar un medicamento de este tipo.

Expulsar la flema con la tos es, por lo general, una mejor cura para la congestión que suprimir la tos. También puede pararse bajo una ducha caliente para abrir los conductos nasales.

Cinco maneras de evitar las venas varicosas

Esas venas nudosas, hinchadas y visibles a través de la piel son venas varicosas y pueden ser un signo de problemas de circulación. Las venas varicosas ocurren cuando las válvulas débiles en las venas de la pierna dejan que la sangre se acumule en vez de continuar en su camino de regreso al corazón. Pueden ser sólo poco atractivas o pueden causar dolor, coágulos de sangre y úlceras de la piel. Haga estos cambios para mantener las piernas jóvenes a cualquier edad:

■ No use tacones altos. Casi todas las mujeres han cometido el error alguna vez de usar tacones altos. Los tacones altos pueden conducir a la aparición de venas varicosas y problemas de espalda. En cambio, use zapatos de tacón bajo que ayudan a tonificar los músculos de la pantorrilla lo que, a su vez, mejora el flujo de sangre a través de las venas.

■ No cruce las piernas, especialmente durante largos períodos de tiempo. Esto puede elevar el riesgo de aparición de venas varicosas. Cuando se mantienen las piernas en una misma posición durante mucho tiempo, las venas deben trabajar más para bombear la sangre al corazón.

■ Mantenga las piernas en movimiento y los músculos fuertes para mejorar la circulación. Procure caminar, subir escaleras y bailar cada vez que pueda.

■ Baje de peso de ser necesario. Esto mejorará la circulación y aliviará la tensión sobre las venas.

■ Evite usar ropa ajustada, especialmente en las piernas y alrededor de la cintura y de la ingle.

Tres hábitos diarios para la salud cardíaca

Cuidar la salud de su corazón es algo que se debe hacer todos los días. Estos tres hábitos no toman mucho tiempo y son vitales para tener un corazón sano, joven y fuerte.

Camine para mantenerse joven. El ejercicio mejora la salud cardiovascular a cualquier edad. Varios estudios muestran que caminar a paso ligero beneficia a las personas de edad avanzada, haciendo que su corazón funcione como el de una persona hasta 12 años más joven. En un estudio, este tipo de actividad aumentó el consumo de oxígeno en un 25 por ciento. Las personas sedentarias que empezaron a caminar de forma vigorosa durante aproximadamente 45 minutos cuatro veces a la semana experimentaron una mejoría en su capacidad cardiovascular similar a la observada en personas más jóvenes.

Las personas activas que caminan a paso ligero, andan en bicicleta, nadan o hacen excursiones de más de 60 minutos todas las semanas, también sufren menos discapacidades a medida que envejecen. Un programa de caminatas reduce las probabilidades de desarrollar síndrome metabólico, una combinación de factores de riesgo para la diabetes y las enfermedades del corazón, entre ellos la presión arterial alta, la obesidad y niveles altos de colesterol y azúcar en la sangre.

Caminar es especialmente beneficioso para las personas que padecen la enfermedad arterial periférica (PAD, en inglés), que es la obstrucción de las arterias de las piernas que puede causar dolor. Mover las piernas favorecería el desarrollo de la circulación colateral para garantizar que los músculos sigan recibiendo sangre.

Échese una siesta. Combine el ejercicio con las horas adecuadas de sueño. Dormir menos de seis horas o más de ocho horas por noche aumenta el riesgo de desarrollar síndrome metabólico. La cantidad ideal de sueño para un adulto es de entre siete y ocho horas. Diversos estudios han relacionado la falta de sueño con el aumento de peso corporal, la inflamación y la diabetes. La falta de sueño provoca inflamación en el cuerpo, lo que a su vez puede dañar los tejidos sanos y aumentar el riesgo de enfermedad cardíaca.

Ríase del estrés. Las tensiones en el trabajo, los embotellamientos de tránsito y los problemas económicos son malos para el corazón. El riesgo de sufrir una enfermedad cardíaca o un ataque al corazón aumenta cuando se reacciona negativamente a estas situaciones estresantes.

Por otra parte, los investigadores descubrieron que ver todos los días al menos media hora de videos o programas de televisión divertidos contrarrestaría los efectos del estrés, especialmente en las personas con diabetes tipo 2. Estas sesiones de humor lograron aumentar los niveles de colesterol HDL y disminuir los niveles en la sangre de ciertos compuestos químicos que estimulan la inflamación. Así que dele a su corazón algo de qué reírse.

Cuide su corazón con un filtro HEPA

Invierta en un filtro de aire y su corazón dará un suspiro de alivio. La exposición a los contaminantes del aire aumenta el riesgo de sufrir una enfermedad del corazón, un accidente cerebrovascular o una trombosis venosa profunda. Sin embargo, se ha comprobado que las personas mayores que en casa utilizan un purificador de aire con un filtro de aire de partículas de alta eficiencia o HEPA (siglas en inglés de "high efficiency particle air") tienen una mejor función cardíaca.

Un estudio evaluó la función microvascular en personas de edad avanzada. Una función microvascular deficiente es un marcador de enfermedad cardíaca. El uso de los filtros HEPA durante tan sólo dos días eliminó el 60 por ciento de las partículas del aire interior y contribuyó a una mejora del 8 por ciento en la función microvascular.

Medidas para reducir la contaminación del aire en su hogar:

- Limpie a menudo, utilizando una aspiradora que tenga un filtro HEPA.

- Cambie los filtros del aire acondicionado y opte por los filtros MERV 8 (siglas en inglés de "Minimum Efficiency Reporting Value" o valor mínimo de eficiencia).

- Tenga un purificador de aire con un filtro HEPA en el dormitorio.

- Cambie las alfombras por pisos de madera o baldosas.

Alternativas médicas

Cinco maneras de defenderse de un derrame cerebral

Estas medidas le ayudarán a prevenir las enfermedades, evitar un accidente cerebrovascular y mantener la agudeza mental.

Controle sus números. La presión arterial alta, o hipertensión, es el principal factor de riesgo para el accidente cerebrovascular. Es la llamada "enfermedad silenciosa", ya que suele no presentar síntomas al principio. Eso hace que sea necesario medirse la presión para saber si se está en riesgo. Si es superior a 140/90 mmHg durante al menos dos visitas al médico, es posible que tenga la presión arterial alta.

La presión arterial se vuelve demasiado alta cuando la sangre ejerce una presión excesiva sobre las paredes de las arterias. La presión arterial alta puede conducir, con el tiempo, a enfermedades cardíacas, enfermedades renales, pérdida de la visión y demencia.

El colesterol alto es otro importante factor de riesgo de accidente cerebrovascular, debido a que la acumulación de colesterol en las arterias puede bloquear el flujo de sangre al cerebro y causar un accidente cerebrovascular.

Preste atención al calendario. El riesgo de accidente cerebrovascular (ACV) aumenta considerablemente en las mujeres cuando llegan a la menopausia. La caída en sus niveles de estrógeno significa que ya no están protegidas contra el colesterol alto y otras afecciones relacionadas con el corazón. Tanto los hombres como las mujeres que llegan a los 55 años duplican su riesgo de sufrir un ACV con cada década que pasa. Cuando usted cumpla los 55, preste mucha atención a sus otros factores de riesgo.

Escuche bien. La pérdida repentina de la audición podría ser un primer signo de accidente cerebrovascular (ACV) inminente. Los estudios muestran que un ACV es más probable entre las personas que han tenido pérdida repentina de la audición en los últimos dos años que entre las personas sin este tipo de pérdida auditiva. La pérdida gradual de la audición a medida que envejece es algo distinto.

Atienda la alerta de las migrañas. Si usted es una de esas personas desafortunadas que sufren de migrañas, también corre un alto riesgo de desarrollar coágulos de sangre en las venas, una afección que se conoce como trombosis venosa. Aunque los investigadores no están seguros de cómo se establece el vínculo entre las migrañas y la trombosis venosa, creen que la clave está en los cambios que ocurren en los vasos sanguíneos y en el flujo de la sangre en el cerebro. Se ha determinado que para las mujeres que padecen migrañas con aura o alteraciones visuales, las probabilidades de sufrir un accidente cerebrovascular es 10 veces mayor que para las demás mujeres.

Lleve un estilo de vida saludable. Fumar, beber alcohol, no hacer ejercicio, no comer suficientes frutas y verduras y, en general, llevar una vida poco saludable son factores que duplican el riesgo de tener un accidente cerebrovascular. Por otra parte, son factores de riesgo que usted puede controlar.

Relaje el puño en las pruebas de sangre

Hasta hace no mucho, los enfermeros pedían a los pacientes que cerraran el puño antes de una extracción de sangre. De ese modo, las venas se hacían más visibles. Pero los expertos en salud dicen que ésta no es la mejor manera de obtener resultados precisos.

Los estudios muestran que apretar los músculos puede provocar un aumento en los niveles de potasio en la sangre, el que se verá reflejado en los resultados de los análisis de sangre. Al ver los resultados, un médico podría solicitar más pruebas para descartar una enfermedad renal o problemas cardíacos. También podría posponer una cirugía o indicarle que deje de tomar un medicamento que pueda aumentar los niveles de potasio en la sangre como efecto secundario.

Señales poco conocidas de un ataque cardíaco

Los ataques al corazón no siempre son tan dramáticos como se ven en la televisión. De hecho, sólo la mitad de las personas que tienen un ataque al corazón sienten el clásico dolor agudo en el pecho. Reconozca los síntomas:

- Dolor y malestar en el centro del pecho, que puede ser en un brazo o en ambos, en la espalda, el cuello o la mandíbula. El malestar puede sentirse como una opresión en el pecho o una sensación de hormigueo o entumecimiento en el brazo.

- Dificultad para respirar.

- Náuseas y sudor frío repentino.

- Acidez estomacal. Si se trata de un dolor opresivo que dura más de 5 o 10 minutos, lo más probable es que sea un ataque al corazón.

Las mujeres pueden tener náuseas, dificultad para respirar y dolor en la espalda o la mandíbula, en lugar de los signos característicos de un ataque cardíaco.

Si usted cree que está teniendo un ataque al corazón, vaya a lo seguro. Mastique una tableta de aspirina de 325 miligramos y llame al 991.

Lo que usted necesita saber sobre los ataques cerebrales

No ignore las señales de peligro de un ataque cerebral. Una reacción rápida puede evitar daños a largo plazo e incluso salvar una vida. Los ataques cerebrales son la principal causa de discapacidad y la tercera causa principal de muerte en Estados Unidos.

Los ataques cerebrales (o accidentes cerebrovasculares) son de dos tipos: sisquémico, que ocurre cuando un coágulo de sangre bloquea el suministro de sangre al cerebro; y hemorrágico, que ocurre cuando se rompe una arteria y se produce un derrame cerebral. En ambos casos, las células cerebrales no obtienen el oxígeno que necesitan y empiezan gradualmente a morirse. Esto conduce a un daño cerebral. Es posible que usted haya oído hablar de los accidentes isquémicos transitorios (AIT), que ocurren cuando un coágulo de sangre bloquea temporalmente el flujo de sangre al cerebro. El AIT no causa daños en el largo plazo, pero puede ser una señal de advertencia de un ataque cerebral futuro.

Conozca las ocho señales de alerta de un ataque cerebral o un AIT:

- Debilidad o entumecimiento repentino en un lado de la cara, un brazo o una pierna.

- Visión borrosa, disminución o pérdida de la visión.

- Pérdida de la memoria o confusión mental.

- Pérdida repentina del conocimiento.

- Dificultad o incapacidad para hablar, o dificultad para entender a los demás.

- Dolor de cabeza grave y repentino sin causa conocida.

- Mareos, somnolencia, falta de coordinación o caídas.

- Náuseas y vómitos, especialmente si van acompañados por otros síntomas.

Si usted o un ser querido presenta estos síntomas, tome una acción rápida. A continuación, conozca lo que se debe hacer inmediatamente después de un ataque cerebral.

Actúe rápido. Llame al 911. Haga que la persona se sienta cómoda mientras esperan la ambulancia. No deje que coma o beba. Si la ambulancia no puede llegar rápidamente, llévela usted mismo al hospital.

La velocidad del tratamiento es fundamental para que el fármaco trombolítico t-PA (activador tisular del plasminógeno) pueda ser efectivo. Este fármaco puede disminuir el daño del accidente cerebrovascular isquémico, más no del hemorrágico, si se administra dentro de las tres horas siguientes al ataque cerebral. Una exploración por tomografía computarizada (*CT scan*) dentro de los primeros 45 minutos después de llegar a la sala de urgencias, es la mejor manera de determinar si el fármaco t-PA puede ser de ayuda. Se está investigando si el medicamento para el cáncer *Bryostatin* podría prevenir las lesiones cerebrales si es administrado dentro de las primeras 24 horas después de un ataque cerebral.

Notifique al médico del paciente. Esto es importante para que el equipo en la sala de urgencias conozca su historial médico. Al llegar al hospital, brinde información sobre otras afecciones del paciente, por ejemplo, si tiene diabetes o sufre de presión arterial alta, y sobre los medicamentos que toma.

La descarga salvavidas

La mayoría de las víctimas de paro cardíaco mueren antes de que llegue la ambulancia. En un paro cardíaco, el corazón deja de latir debido a fallas en su sistema eléctrico. El paro cardíaco a menudo acompaña un ataque al corazón, pero a veces personas jóvenes y aparentemente sanas experimentan esta emergencia que pone en peligro su vida.

Un desfibrilador externo automático (DEA) puede hacer que el corazón vuelva a latir. Es posible que haya visto las cajas con un DEA en las paredes de aeropuertos, centros comerciales y otros lugares públicos. También están disponibles para el hogar. Si pertenece a uno de los grupos de alto riesgo, pregunte a su médico si ésta es una buena opción para usted.

El DEA es fácil de usar. Las instrucciones están en la caja. El DEA detecta si la persona necesita una descarga eléctrica para recuperar el ritmo cardíaco normal. Aprenda a usarlos para estar preparado en una emergencia.

Asombroso nexo entre envases plásticos y males cardíacos

Las investigaciones sugieren que el bisfenol A (BPA, en inglés) puede migrar a los alimentos y podría estar asociado al desarrollo de cáncer. El BPA es un compuesto químico del plástico duro que se utiliza en la fabricación de algunas botellas de agua y biberones, entre otros productos. Pero ahora los científicos también están encontrando vínculos entre el BPA y las enfermedades del corazón.

Una investigación publicada en la revista *Journal of the American Medical Association* reveló que las personas con la mayor exposición a esta sustancia química presentaban un mayor riesgo de enfermedad cardíaca y diabetes. La exposición se midió por el nivel de BPA en la orina. Si este vínculo resulta ser cierto, podría deberse a que el BPA altera el sistema hormonal que protege contra los ataques cardíacos y la diabetes.

La asociación del BPA con el cáncer de mama, el cáncer de próstata y la diabetes puede deberse a que tiene un efecto similar al estrógeno. Lo mismo ocurre con el corazón. Un estudio reciente encontró que el BPA en combinación con el estrógeno provocó arritmia cardíaca (latidos irregulares del corazón) en ratones hembras. Es por eso que los expertos están preocupados por los efectos del BPA en los bebés y las autoridades de Canadá están considerando prohibir la venta de biberones que contengan BPA.

La Administración de Alimentos y Medicamentos (FDA) de EE.UU. está analizando los peligros que presenta el BPA, pero aún no ha prohibido su uso con fines alimentarios. Mientras tanto, tome estas medidas para reducir su exposición:

- No utilice envases de plástico para calentar comida en el microondas, ni siquiera los que dicen ser aptos para microondas. Algunos de sus productos químicos pueden filtrarse a la comida.

- Use envases de vidrio, porcelana o acero inoxidable para almacenar los alimentos. Evite los plásticos duros.

- No lave los envases de plástico en el lavavajillas, donde los detergentes pueden descomponer el plástico y liberar el BPA.

- Opte por verduras frescas o congeladas para evitar el BPA que puede ocultarse en el revestimiento de las latas.

- Busque que diga "Libre de BPA" (*BPA free*) en las etiquetas de las botellas de agua y los biberones. O en la base de las botellas de plástico verifique que aparezca el número "1" dentro de un triángulo. Evite los productos que lleven el número "7".

Una aspirina al día mantiene alejado al médico

A veces la manera más sencilla y económica es también la mejor. La aspirina, por ejemplo, es un fármaco económico y seguro que ofrece muchos beneficios para el corazón. Sin embargo, la aspirina no es buena para todos.

Los beneficios. La terapia de aspirina diaria de dosis baja consiste en tomar entre 75 y 100 miligramos (mg) de aspirina una vez al día. Entre sus beneficios están la prevención de enfermedades del corazón y ataques cerebrales. De hecho, muchos expertos en salud cardíaca recomiendan que las personas con un alto riesgo de sufrir estas enfermedades tomen diariamente una aspirina de dosis baja, a menos que tengan problemas de salud que hagan que su uso sea inseguro.

La aspirina puede reducir la presión arterial en las personas con prehipertensión, es decir, cuando sus valores de presión arterial están justo por debajo de 140/90, que es el límite de corte para la presión arterial alta. Es más, para conseguir este efecto reductor de la presión arterial, la aspirina de dosis baja debe tomarse por la noche, no por la mañana, según los estudios.

Si usted cree estar sufriendo un ataque al corazón, tome una aspirina de 325 mg y llame al 911. La aspirina masticable puede que sea su mejor opción, ya que se absorbe más fácilmente. La aspirina es el mejor tratamiento inmediato para el síndrome coronario agudo, que se produce cuando el corazón no recibe suficiente sangre.

Los riesgos. El efecto antiplaquetario de la aspirina previene la formación de coágulos de sangre, pero puede provocar sangrado en el tracto digestivo. Muchos profesionales de la salud dicen que las personas sanas no deberían tomar una aspirina diaria sino hasta que los beneficios superen los riesgos. Para los hombres, eso es por lo general después de los 40 años. Para las mujeres, a partir de los 65. Según una nueva investigación, únicamente las personas con enfermedad cardíaca deben tomar una aspirina al día. Asegúrese de hablar con su médico antes de iniciar una terapia de aspirina diaria.

No combine la aspirina con otros analgésicos, como el ibuprofeno (*Advil* o *Motrin*), ya que pueden inhibir la acción de la aspirina. Algunos expertos dicen que para evitar esta interacción se debe tomar primero la aspirina y luego esperar por lo menos cuatro horas antes de tomar otro analgésico.

Fabulosos fármacos para frenar el colesterol

Las estatinas funcionan. Pueden reducir los niveles de colesterol y disminuir el riesgo de sufrir daños cardíacos adicionales tras un ataque al corazón. Pero no son una píldora mágica para todos.

Cómo ayudan. Usted probablemente ha oído hablar de *Zocor*, *Crestor* y *Lipitor*. Estos medicamentos pueden bajar el colesterol "malo" LDL y así reducir el riesgo de sufrir un ataque al corazón o un accidente cerebrovascular. Tomar una estatina después de sufrir un ataque al corazón, reduce las probabilidades de morir entre un 25 y un 30 por ciento.

Las estatinas son inhibidores de la enzima hepática llamada reductasa HMG-CoA, una enzima que el organismo necesita para producir colesterol. Las estatinas, además, bajan los niveles de triglicéridos y elevan los niveles de colesterol "bueno" HDL. También se cree que las estatinas podrían proteger el corazón de las personas con diabetes. Además de eso, las estatinas podrían prevenir el cáncer de hígado y reducir la necesidad de extirpar la vesícula biliar.

En un estudio reciente llamado JUPITER, se sugiere que las estatinas también ofrecen beneficios para la salud de las personas que no tienen el colesterol alto. Los científicos midieron los niveles de proteína C reactiva (PCR) en un grupo de personas sanas con niveles normales de colesterol, que tenían entre 50 y 70 años de edad. Valores altos de PCR son un indicador de un mayor riesgo de ataque al corazón. De las personas con niveles altos de PCR, la mitad empezó a tomar estatinas y la otra mitad recibió un placebo o píldora de azúcar. Las personas que tomaron las estatinas disminuyeron su riesgo de ataque al corazón en un 54 por ciento, de accidente cerebrovascular en un 48 por ciento y de necesitar una cirugía de baipás o angioplastia en un 46 por ciento.

Tenga en cuenta los efectos secundarios. Muchos expertos advierten que estos resultados no significan que las estatinas deban ser recetadas para todas las personas. En primer lugar, son caras. Un medicamento de marca como la rosuvastatina (*Crestor*) puede llegar a costar más de $1200 al año.

Más importante aún, las estatinas pueden tener efectos secundarios graves, especialmente las de mayor potencia. El riesgo más peligroso es la rabdomiolisis o descomposición del tejido muscular, que libera una proteína dañina para el riñón llamada mioglobina. Pero existen otros posibles efectos secundarios:

■ Problemas con la memoria y la capacidad para pensar. El cerebro necesita colesterol para producir los neurotransmisores que permiten a las células cerebrales comunicarse entre sí. Sin suficiente colesterol, la función cerebral puede verse afectada.

■ La neuropatía periférica, o dolor y entumecimiento en los dedos de las manos y los pies.

■ Niveles más altos de azúcar en la sangre y problemas con los tendones.

Los científicos creen que la causa de estos efectos secundarios son los cambios en las mitocondrias que producen la energía de las células. Estos cambios parecen conducir a un incremento de los dañinos radicales libres. Estos efectos secundarios pueden aparecer repentinamente, aun en las personas que han estado tomando estatinas sin problemas durante años. Los riesgos aumentan con la edad.

Muchos expertos recomiendan adoptar un estilo de vida de comidas sanas y ejercicio regular, para reducir el riesgo cardíaco y bajar el colesterol. No se apresure a tomar estatinas si no está en riesgo.

Cuidado con las peligrosas combinaciones

No tome Prilosec (omeprazol) o la mayoría de los otros inhibidores de la bomba de protones para tratar la acidez estomacal, si usted ya está tomando Plavix (clopidogrel) para prevenir un segundo ataque al corazón. Una nueva investigación muestra que esta combinación aumenta el riesgo de sufrir otro ataque al corazón.

La mayoría de los inhibidores de la bomba de protones reducen la capacidad del hígado para transformar Plavix a su forma activa, lo cual es esencial para prevenir la formación de coágulos de sangre. Estos dos medicamentos están entre los más recetados del mundo, por lo que es bastante alta la probabilidad de que a una persona le receten ambos.

Si usted está tomando Plavix y tiene problemas de acidez estomacal, consulte a su médico sobre la posibilidad de tomar otros medicamentos, como Zantac (ranitidina) o Protonix (pantoprazol), que no aumentan el riesgo de sufrir un ataque al corazón.

Cuando menos es más

Angioplastia o cirugía de derivación coronaria, ¿cuál es la mejor opción para usted? Un procedimiento menos invasivo cuesta menos y podría significar una recuperación más rápida. Ésas son dos buenas razones para preguntar a su médico acerca de la angioplastia, cuando le sugieran una cirugía de derivación coronaria o cirugía de baipás coronario. Si la angioplastia es la mejor opción para usted, menores serán el trauma, el dolor, el gasto y la estadía en el hospital.

La angioplastia, también llamada intervención coronaria percutánea, es un procedimiento para abrir las arterias obstruidas que suministran sangre al corazón. Estas arterias pueden obstruirse debido a la acumulación de depósitos de grasa y tejido fibroso que se conoce como placa. Con la angioplastia, un cirujano utiliza un catéter para inflar un globo dentro de la arteria obstruida, colocando algunas veces un *stent* (endoprótesis o tubo expansible) para mantener la arteria abierta. A diferencia de la cirugía de baipás, con la angioplastia no se tiene que abrir el pecho ni el corazón.

Cuando se realiza una angioplastia para despejar las arterias bloqueadas poco después de un ataque al corazón, el procedimiento puede salvar una vida. La angioplastia, sin embargo, no es tan útil como medida preventiva. Algunos expertos dicen que eso se debe, en parte, a que la placa se acumula en más de un lugar. Eso significa que la acumulación de placa necesita ser atacada a la vez en todas las zonas afectadas, y eso puede lograrse con medidas más suaves, como una dieta saludable, ejercicio regular y medicamentos.

De hecho, para las personas con angina estable, los medicamentos por sí solos pueden funcionar tan bien como la angioplastia o los *stents*, aunque pueden tardar más en abrir las arterias obstruidas. Un estudio encontró que realizar una angioplastia en pacientes que ya recibían una terapia farmacológica no disminuyó el riesgo de sufrir un ataque al corazón ni aumentó la esperanza de vida en estas personas. En otras palabras, con cualquiera de los dos tratamientos se obtuvieron buenos resultados. La terapia farmacológica utilizada en el estudio consistió en aspirina, estatinas, bloqueadores beta, dilatadores de los vasos sanguíneos y diversos anticoagulantes.

Sin embargo, a veces la cirugía de derivación coronaria es el camino a seguir. Un estudio encontró que las personas con enfermedad cardíaca grave, que tenían al menos tres arterias coronarias obstruidas o una única obstrucción en la arteria principal izquierda, tuvieron mejores resultados con la cirugía de derivación que con los *stents*. Es decir, tenían menos probabilidades de desarrollar una nueva obstrucción arterial y menos riesgo de sufrir otro ataque al corazón, un accidente cerebrovascular o de necesitar repetir el procedimiento.

Reconsidere la cirugía para evitar las superbacterias

Otra razón para replantearse la necesidad de una cirugía es que un procedimiento invasivo y una estadía hospitalaria más larga aumentan el riesgo de contraer una infección mortal por una superbacteria.

Las bacterias están en todas partes, pero ciertas superbacterias o cepas resistentes a los fármacos, como el *Clostridium difficile (C. difficile)* y el *Staphylococcus aureus* resistente a la meticilina (SARM), son más comunes en un entorno hospitalario. Según los Centros para el Control de Enfermedades de Estados Unidos (CDC, en inglés), hasta 1.7 millones de personas contraen una infección hospitalaria cada año.

Un peligro común son las infecciones sanguíneas asociadas a la línea central, que son causadas por bacterias que invaden el catéter o tubo que suministra los medicamentos directamente a la vena. Afortunadamente, estas infecciones se pueden prevenir. Para ello, todas las personas que trabajan en un hospital deben observar las guías de higiene hospitalaria, como lavarse las manos, usar materiales estériles y limpiar cuidadosamente la piel del paciente con una solución de clorhexidina antes de insertar el catéter.

Desafortunadamente, la limpieza de rutina no elimina todas las superbacterias. Un estudio encontró que el 78 por ciento de las superficies de los hospitales seguían contaminadas después de la limpieza de rutina. El uso de una lista de control puede ayudar a reducir las infecciones al mínimo, pero en muchos hospitales no siempre se siguen las prácticas más seguras de higiene.

Tome estas medidas para protegerse en un hospital:

- Elija con cuidado. De ser posible elija el hospital con la menor prevalencia de infecciones. Obtenga información sobre los hospitales de su ciudad en *www.SafePatientProject.org* (en inglés). En 25 estados, los hospitales están obligados a publicar sus tasas de infección hospitalaria.

- Antes de que una enfermera o médico le toque, insista en que se laven las manos minuciosamente con agua y jabón. También deben limpiar sus estetoscopios entre cada paciente.

- Lávese las manos antes de comer. No se toque la boca ni los ojos.

- Pídales a sus familiares que le traigan al hospital toallitas desinfectantes para limpiar las superficies de su habitación y los objetos alrededor de su cama.

- Tenga cuidado con ciertos medicamentos, incluidos los antibióticos y los medicamentos contra la acidez. Los antibióticos pueden destruir las bacterias beneficiosas, lo que aumenta las posibilidades de colonización por *C. difficile*. Y los antiácidos neutralizan el jugo gástrico que ayuda a mantener las bacterias bajo control, lo que también incrementa el riesgo de infección.

- Cuando vuelva a casa, asuma que todo lo que trajo consigo del hospital está contaminado. Lave la ropa que trajo del hospital por separado con cloro o lejía.

La vacuna contra la neumonía protege contra los ataques cardíacos

Siga el consejo de su médico si le sugiere que se ponga una vacuna para prevenir la neumonía. Usted podría estar protegiéndose además de un ataque al corazón.

En un estudio realizado recientemente se demostró que las personas que habían recibido una vacuna contra la neumonía en los últimos dos años tenían un riesgo 50 por ciento menor de sufrir un ataque al corazón. Los expertos no están seguros de por qué el riesgo es menor, pero creen que se debe a que el efecto que tiene la vacuna en el sistema inmunitario, también inhibe la inflamación de las arterias coronarias que suministran sangre al corazón. Menos inflamación significa un riesgo menor de sufrir un ataque al corazón.

La mejor protección para los huesos y las articulaciones

3

Una nueva manera de entender la pérdida ósea

¿Recuerda cuando mezclaba vinagre y bicarbonato de sodio en un vaso cuando era niño? En el momento en que el ácido del vinagre tocaba los compuestos alcalinos del bicarbonato de sodio se producía una maravillosa y burbujeante efervescencia. La reacción química entre los compuestos ácidos y alcalinos también ocurre en nuestro cuerpo y puede afectar los huesos.

Cómo funciona. El cuerpo convierte la comida en compuestos que puede utilizar como combustible. Consumir mucha carne y granos de cereales produce ácidos en el cuerpo. Esto sucede porque algunos minerales, como el azufre que se esconde en las proteínas de la carne, se descomponen en ácidos cuando se digieren. Lo mismo ocurre con el fósforo oculto en los granos de los cereales.

Conforme se envejece, al cuerpo le cuesta más trabajo deshacerse de todos esos ácidos, por lo que éstos se acumulan. Los ácidos amordazan a las células que generan tejido óseo y, al mismo tiempo, estimulan a las células que lo eliminan. Para neutralizar esos ácidos, el cuerpo puede "robar" calcio, fosfatos y compuestos alcalinos de los huesos, haciéndolos más débiles. Comer más frutas y verduras le permite al cuerpo contar con compuestos más alcalinos, de modo que el esqueleto pueda conservar su calcio.

Examinemos las pruebas. En un estudio reciente realizado por la Universidad de Tufts, los adultos mayores que tomaron un suplemento alcalino perdieron menos calcio que las personas que no tomaron el suplemento. Para asegurarse de que los resultados fueran precisos, los investigadores también analizaron un compuesto llamado NTX. Cuanto más NTX produce el cuerpo, es probable que más hueso pierda. Los investigadores descubrieron que las personas que tomaron suplementos alcalinos tenían niveles más bajos de NTX que las personas que no los tomaron.

Si usted desea obtener resultados como éstos, procure consumir abundantes porciones de frutas y verduras todos los días. Según los investigadores, comer muchas frutas y verduras puede dar los mismos resultados que tomar un suplemento alcalino.

Cinco poderosos ingredientes para proteger los huesos

La mejor defensa contra la osteoporosis es una buena ofensiva. No se limite a agregar más frutas y verduras a su dieta. Elija las que además cuentan con compuestos que protegen el esqueleto y que pueden ayudarle a mantener sus huesos fuertes durante más tiempo. Éstas son cinco maneras deliciosas de darle un toque de sabor a sus ensaladas y, a la vez, fortalecer los huesos.

Incluya verduras de hoja verde, como la espinaca. Además de ser la comida favorita de Popeye, la espinaca es una gran fuente de vitamina K. Algunos estudios sugieren que el riesgo de sufrir una fractura puede aumentar si no se consumen cantidades suficientes de esta vitamina con frecuencia olvidada. Para añadir más vitamina K a su dieta, incluya en sus comidas verduras de hoja verde como la col rizada, la berza y las hojas de nabo. Una palabra de precaución: si usted toma un medicamento anticoagulante, como la warfarina, hable con su médico antes de añadir más vitamina K a su dieta. La vitamina K puede interferir con este tipo de medicamentos.

Pruebe el tomate secado al sol. Esta versión moderna del humilde tomate tiene un alto contenido de licopeno. En un interesante estudio realizado recientemente se encontró que las mujeres que consumieron más licopeno tuvieron menos pérdida ósea en la columna vertebral que las mujeres que no lo hicieron. El licopeno parece interferir con la aparición de las células que descomponen el hueso. Si usted desea incluir más licopeno en su dieta, disfrute de las salsas de tomate para las pastas, así como de las sopas y de todos las comidas que contengan tomate cocido, puré de tomate o pasta de tomate.

Añada pimientos rojos. Los pimientos dulces o morrones aportan una variedad de carotenoides, entre ellos el licopeno, la luteína y la zeaxantina. Las investigaciones sugieren que los hombres que comen más carotenoides pueden estar mejor protegidos contra la pérdida ósea en las caderas. Sírvase más pimientos rojos, pero no se detenga allí. También disfrute de la espinaca, la col rizada, las hojas de nabo, los chícharos, las calabazas de invierno, el maíz y la berza, todas excelentes fuentes de luteína y zeaxantina.

Redescubra la ciruela pasa. Añada a sus recetas un toque de dulzura inesperada con trozos de ciruela pasa. También se les conoce como ciruelas deshidratadas, ciruelas secas o guindones (*dried plums* o *prunes*, en inglés). Estudios anteriores sugieren que los potentes polifenoles presentes en estas frutas pueden ayudar a combatir la osteoporosis. Un reciente estudio de laboratorio señala que los polifenoles de la ciruela pasa pueden promover la producción de agentes formadores de hueso y ayudar a las células formadoras de hueso a realizar su tarea.

Remate con aceite de oliva. Haga que una deliciosa ensalada sepa aún mejor con un aliño de aceite y vinagre. Sólo asegúrese de que el aceite sea de oliva. Un estudio que se llevó a cabo con hombres y mujeres que vivían en Grecia concluyó que las grasas monoinsaturadas, como el aceite de oliva, pueden ayudar a que los huesos se mantengan fuertes. Es más, un estudio realizado con animales encontró que el tirosol y otros compuestos del aceite de oliva podrían proteger contra la pérdida ósea. Sólo se necesita un poco de aceite para asegurar que el cuerpo pueda absorber los carotenoides, así que siempre prepare sus aliños para ensalada con el aceite de oliva saludable para los huesos.

Infusión vigorizante previene los huesos frágiles

La leche no es la única bebida que fortalece los huesos. El té también puede ayudar a combatir la osteoporosis y evitar las fracturas.

El té tiene propiedades para prevenir el envejecimiento que actúan directamente sobre los huesos. En los jóvenes, el organismo genera hueso nuevo más rápidamente de lo que puede deshacerse del hueso viejo y desgastado. Conforme pasan los años, el organismo comienza a perder masa ósea más rápidamente de lo que puede regenerarla. Los huesos se vuelven como una pared de ladrillos unidos por una argamasa que empieza a desmoronarse. Así como la falta de argamasa hace que la pared se vuelva más débil, la falta de tejido óseo hace que el esqueleto se vuelva más frágil. Puede que su médico se refiera a esta pérdida de masa ósea como baja densidad mineral ósea (DMO). Los huesos debilitados pueden causar fracturas óseas incapacitantes. Afortunadamente, los estudios muestran que el té puede ayudar a prevenir este proceso.

Un estudio realizado en Australia con mujeres mayores de 70 años encontró que las bebedoras de té perdieron menos masa ósea durante un período de cuatro años que las que no tomaron té. Los científicos creen que los flavonoides del té pueden "animar" a las células que fabrican hueso, de modo que usted forma hueso más rápido de lo que lo pierde. Beba cuatro tazas o más de té negro todos los días y, según sugieren los estudios, usted aumentará su DMO. Si usted prefiere disfrutar ocasionalmente del té verde, aliste su tetera. El té verde también ha sido asociado a una mayor DMO y puede, incluso, ayudar a prevenir las fracturas de cadera.

Descubra la verdad sobre el calcio

Evite estos dos errores comunes que podrían impedir que el calcio le proteja contra las fracturas.

Consumir demasiado. Los expertos suelen decir que cuando se ha obtenido la cantidad suficiente de calcio, consumir calcio extra puede que no aporte un beneficio adicional. Varios estudios han sugerido incluso que las personas que toman suplementos de calcio no están más protegidas contra una fractura de cadera que las personas que no toman estos suplementos. Pero algunos expertos creen que dichos estudios pueden estar equivocados. En un estudio se dividió a los participantes en dos grupos: uno de "bajo calcio" y otro de "alto calcio". Muchos de los participantes ya estaban recibiendo aproximadamente 1000 miligramos (mg) de calcio al día, cerca de la cantidad recomendada. A eso puede deberse que el calcio adicional tomado por el grupo de "alto calcio" no redujera significativamente el riesgo de sufrir una fractura.

Muchos expertos también advierten que tomar demasiado calcio podría provocar una escasez del fósforo que se necesita para la formación de hueso. Profesionales de la salud aconsejan tomar al menos 1200 mg al día si es mayor de 50 años, y 1500 mg si tiene osteoporosis, pero en ningún caso más de 2000 mg al día. Afortunadamente, es muy difícil obtener demasiado calcio de los alimentos. Una taza de *Total Raisin Bran,* por ejemplo, puede proporcionarle 1000 mg de calcio si la consume sin leche, o hasta 1290 mg con una taza de leche baja en grasa. Si disfruta de una taza de 8 onzas de yogur obtendrá 452 mg. Entre otras buenas fuentes de calcio están el queso *ricotta*, las sardinas y la leche con chocolate.

Ignorar la sal que se consume. Si comete este error, incluso los alimentos y suplementos ricos en calcio pueden dejarle con una deficiencia de calcio. Un estudio británico encontró que las mujeres cuya dieta diaria incluía dos o más cucharaditas de sal perdían más calcio que los 1280 mg diarios que ingerían. Como era de esperar, las mujeres que consumieron menos sal no desarrollaron este problema. Procure reducir su consumo de sal en un tercio y, en su lugar, utilice especias para añadir sabor. Para obtener resultados aún mejores, también consuma más potasio.

Un estudio en California encontró que las mujeres con una dieta alta en sal que obtuvieron más potasio perdieron mucho menos calcio que las mujeres que obtuvieron menos potasio. Las mujeres en el grupo de alto potasio también mostraban signos de menor pérdida ósea. Según los científicos de la Universidad de California se puede obtener tanto potasio como las mujeres del estudio comiendo entre siete y ocho porciones de frutas y verduras ricas en potasio todos los días. Éstas son algunas fuentes ricas en potasio: los frijoles blancos, las hojas de betarraga, los dátiles, las pasas, las habas blancas, las espinacas, la papaya y la salsa de tomate.

Fortalezca los huesos con agua mineral

La leche puede no ser siempre su mejor fuente de calcio. Puede que la etiqueta diga 300 miligramos (mg) de calcio por porción, pero la cantidad que usted obtiene finalmente depende de algo llamado biodisponibilidad, que mide la facilidad con la que el cuerpo puede absorber y utilizar cierto tipo de calcio de una bebida en particular.

Las investigaciones muestran que el cuerpo puede utilizar más calcio de unas bebidas que de otras. En otras palabras, si dos bebidas prometen 300 mg de calcio por porción, usted obtendrá más calcio de la bebida con más alta biodisponibilidad.

Biodisponibilidad	Bebida
Baja	Jugo de naranja Leche de arroz Leche de soya
Media	Leche
Alta	Agua mineral con alto contenido de calcio

Combata las fracturas con un plato de chili

Un sustancioso plato de *chili* puede ser perfecto después de deambular bajo la lluvia o caminar por la nieve en invierno. No sólo ahuyenta ese frío que penetra hasta los huesos, también podría ayudarle a mantener los huesos fuertes, siempre que utilice los ingredientes adecuados. La receta para preparar un delicioso *chili* picante de frijoles negros para fortalecer los huesos está en la página siguiente. Éstos son los principales ingredientes.

Frijoles negros. Este tipo de frijoles es rico en magnesio, un mineral que el cuerpo necesita para absorber el calcio. De hecho, si tiene suficiente magnesio, usted podrá absorber más calcio de los alimentos que come, incluso si no incluye más calcio en su dieta. Mejor aún, los estudios parecen indicar que las personas que consumen más magnesio tienden a tener huesos más fuertes.

Lamentablemente, muchas personas mayores no obtienen suficiente magnesio. Puede que usted sea una de ellas, especialmente si tiene un latido cardíaco irregular o calambres musculares. Si ése es su caso, usted debería considerar la posibilidad de incluir alimentos ricos en magnesio en su menú diario.

Buenas opciones son el hipogloso (*halibut*, en inglés), el coquito del Brasil (castaña de Pará o *Brazil nut*, en inglés), el frijol pinto, el frijol blanco, la ocra, el arroz integral y las espinacas. Pero tenga cuidado. Si usted toma regularmente grandes cantidades de laxantes, antiácidos o analgésicos sin receta médica, hable con su médico antes de añadir más magnesio a su dieta. Puede que ya esté obteniendo cantidades suficientes de este mineral a partir de estos medicamentos.

Carne molida magra. Un *chili* con mucha carne puede proporcionar una cantidad extra de vitamina B12, una vitamina que para las personas mayores suele ser difícil de obtener en cantidades suficientes. Las investigaciones muestran que las personas con bajos niveles de B12 tienen una masa ósea de menor densidad, lo que equivale a huesos más débiles.

Obtener suficiente B12 ayuda a las células formadoras de hueso a hacer mejor su trabajo. También ayuda a prevenir que un aminoácido llamado homocisteína interfiera con el colágeno que fortalece los huesos. Si no le gusta la carne molida, puede obtener más B12 de los cereales fortificados para desayuno y de los mariscos, las sardinas, el salmón y otros pescados.

Chili *picante de frijoles negros*

3 libras (1.3 kilos) de carne de res molida magra (sin grasa)

4 dientes de ajo, finamente picados

1 lata (de 15 onzas) de salsa de tomate

2 cucharaditas de chile rojo en polvo

1 cucharadita de semillas de comino molidas

1 cucharadita de semillas de cilantro molidas
   (*coriander seeds*, en inglés)

4 chiles picantes de Anaheim o de otro tipo picados en trocitos

1 lata (de 15 onzas) de frijoles negros

3 tazas de agua

1 lata pequeña de pasta de
   tomate (opcional)

1. Combine la carne de res molida y el ajo. Cocine la carne a fuego lento hasta que se dore. Elimine el exceso de grasa.

2. Añada la salsa de tomate y el chile rojo en polvo.

3. Añada el comino molido, el cilantro molido, los chiles de Anaheim u otros chiles, los frijoles negros y el agua.

4. Para un *chili* más espeso, agregue una lata pequeña de pasta de tomate o añada menos agua. Para un *chili* menos picante, utilice menos chiles.

5. Deje que rompa a hervir y baje a fuego lento. Deje que hierva suavemente sin tapar, revolviendo con frecuencia, durante unos 30 minutos.

Para 6 o más personas.

Retroceda el reloj del envejecimiento de los huesos

Un ingrediente secreto en los cacahuates y las uvas rojas podría ser la clave para rejuvenecer y fortalecer los huesos. La piel de las uvas, las uvas mismas, los cacahuates y el vino tinto contienen resveratrol, un fitonutriente ya famoso por su capacidad para proteger el corazón. Cuando los investigadores dieron enormes raciones de resveratrol a ratones de mediana edad, descubrieron que el resveratrol también ayudó a prevenir la pérdida ósea. Afortunadamente, el resveratrol no funciona sólo en ratones.

Conozca los hechos. Un estudio reciente sugiere que para las personas que beben entre media y una copa de vino tinto al día, el riesgo de sufrir una fractura es un 20 por ciento menor que para las que no beben en absoluto.

Es más, en investigaciones realizadas en la Universidad de Tufts se encontró que las mujeres mayores que bebían vino todos los días tenían huesos más fuertes en las caderas y en la columna que las que no lo hacían. Los investigadores sospechan que la clave puede estar en las propiedades rejuvenecedoras del resveratrol del vino.

Antes de la menopausia, las mujeres tienen suficiente estrógeno en el organismo para generar más hueso del que pierden. Pero después de la menopausia, los niveles de estrógeno decaen. Esta caída en los niveles de estrógeno es la causa de que las células que fabrican tejido óseo lo hagan más lentamente que las células que eliminan el hueso viejo, de modo que se pierde más hueso del que se produce. Incluso si sus niveles de estrógeno decaen, el resveratrol puede ayudar porque tiene propiedades similares al estrógeno. Los estudios sugieren que estas propiedades similares al estrógeno pueden ayudar a prevenir la pérdida ósea en las mujeres después de la menopausia, lo que casi equivaldría a un tratamiento rejuvenecedor para el esqueleto.

Preste atención a las advertencias. Lo anterior no significa que usted deba empezar a beber o deba beber más al día. Después de todo, el consumo de alcohol incrementa automáticamente el riesgo de sufrir fracturas por caídas, cáncer de mama y cirrosis del hígado. Entonces, ¿qué hacer? Si no bebe, no comience. En su lugar, agregue más uvas y jugo de uva a su dieta, ya que son buenas fuentes de resveratrol. Otras buenas fuentes son los cacahuates y la crema de cacahuate.

Si bien las personas con alto riesgo cardíaco pueden beneficiarse del vino tinto, es preferible que aquéllas con antecedentes familiares de cáncer de mama u otro problema de salud no beban bebidas alcohólicas. Antes de servirse una copa de vino, evalúe los riesgos para su salud y hable con su médico, especialmente si está tomando un medicamento bajo receta.

Alerta para los amantes del chocolate

Es cierto que el chocolate va directamente a las caderas, pero no de la manera en la que la mayoría de las personas cree. Investigadores en Australia descubrieron que las mujeres que comían chocolate todos los días tenían huesos más débiles en las caderas, espinillas (tibias) y talones. También tenían una menor densidad ósea general. Los científicos sospechan que el azúcar y un compuesto llamado oxalato pueden ser los culpables.

El oxalato impide que el cuerpo absorba el calcio necesario para tener huesos fuertes, mientras que el azúcar estimula al cuerpo a eliminar más calcio de lo normal. Es necesario realizar más investigaciones sobre este tema, pero si a usted le preocupa la osteoporosis, limite su consumo de chocolate a una vez a la semana.

Información privilegiada sobre la soya y los huesos

Las noticias proclamaron recientemente que la soya previene la pérdida ósea en las mujeres mayores, pero hoy las noticias son otras. Es como ver un péndulo oscilar hacia adelante y hacia atrás. A continuación le daremos sentido a toda esta confusión.

Descubra el secreto detrás de las isoflavonas. Las isoflanovas de la soya, como la genisteína y la daidzeína, son verdaderos salvavidas de los huesos. Los estudios sugieren que estos compuestos estimulan a las células formadoras de hueso, al mismo tiempo que obstaculizan a las células destructoras de hueso viejo. Cuando se produce más hueso del que se destruye, se conserva más masa ósea. Por otra parte, muchos otros estudios parecen indicar que la soya no tiene efecto alguno en la pérdida de hueso.

Entienda el rol que cumple el ecuol. Algunos expertos creen que la clave está en el ecuol, un compuesto que el cuerpo puede producir a partir de la daidzeína. Un estudio preliminar de laboratorio sugiere que el ecuol podría limitar el número de células destructoras de hueso que el cuerpo puede producir, y eso ayudaría a que se pueda conservar más tejido óseo durante más tiempo. Tenga en cuenta que sólo entre el 30 y el 50 por ciento de las personas pueden producir ecuol después de consumir soya, y averiguar si usted es una de ellas es bastante difícil. Sin embargo, un estudio indica que las mujeres que consumen más fibra, carbohidratos y proteínas de origen vegetal serían más propensas a producir ecuol.

Los estudios sugieren que las personas que pueden producir ecuol parecen beneficiarse más de la soya que las personas que no pueden hacerlo. Si estos estudios resultan correctos, hasta el 50 por ciento de las personas podrían reducir la pérdida de hueso consumiendo productos de soya que contengan daidzeína, como el *tempeh*, la leche de soya y los frijoles de soya asados o hervidos. Por supuesto, eso sólo representa los efectos de la daidzeína. No olvidemos que la genisteína también puede contribuir a conservar los huesos. Sin embargo, no importa qué tipo de isoflavona es la responsable. Lo más importante es recordar lo siguiente: muchos ensayos controlados aleatorios, el tipo de estudio más fiable, parecen indicar que los compuestos de la soya hacen más lenta la pérdida ósea. Puede que la soya haga que sus huesos se comporten como si fueran más jóvenes de lo que son.

Tome en cuenta los efectos secundarios. Antes de probar la soya, hable con su médico porque algunos productos de soya pueden elevar el riesgo de desarrollar demencia. Para obtener información detallada sobre cómo la soya afecta el cerebro, vaya a la página 15. Si usted decide probar la soya, recuerde también consumir mucho calcio y vitamina D, y hacer de los ejercicios con pesas parte de su rutina.

Un extraordinario formador de huesos

El silicio, un mineral que se encuentra en la cerveza, podría estar asociado a una mayor masa ósea en hombres y mujeres. El silicio puede estimular al cuerpo a producir más colágeno, que es una sustancia clave que ayuda a que los huesos sean más fuertes y flexibles. Puesto que el consumo de alcohol puede ser peligroso para la salud, considere la posibilidad de obtener el silicio de otras fuentes, como los granos integrales sin refinar, los cereales para desayuno y los tubérculos.

Guía de supervivencia para los bebedores de café

Lo bueno. Los hombres que toman café pueden disminuir el riesgo de desarrollar gota hasta en un 60 por ciento, sugiere un estudio reciente. Otro estudio, con resultados similares, concluyó que beber al menos cuatro tazas de café al día podría disminuir significativamente el riesgo de gota. Los investigadores creen que los niveles de ácido úrico se reducen debido a la acción de un antioxidante, el ácido clorogénico, junto con otros compuestos del café. Menos ácido úrico puede significar un riesgo menor de desarrollar gota. Esto no significa que usted deba comenzar a beber café si nunca antes lo ha hecho. Pero si usted es un amante del café y tiene gota o un alto riesgo de padecerla, continúe disfrutando de su cafecito diario.

Lo malo. Algunos expertos creen que consumir mucha cafeína, especialmente si proviene del café, puede hacer que el cuerpo pierda más calcio necesario para los huesos. Si tienen razón, demasiado café podría aumentar el riesgo de pérdida ósea y de sufrir fracturas. Si bien algunos estudios hacen alusión a que sólo las mujeres mayores y delgadas están verdaderamente en riesgo, es necesario realizar más investigaciones sobre este tema. Mientras tanto, vaya a lo seguro y pregunte a su médico cuánta cafeína puede tomar de manera segura.

Lo feo. Las personas que toman un fármaco formador de hueso como alendronato (*Fosamax*) porque sufren de osteoporosis, no deben tomarlo con café. El café puede dañar la capacidad del cuerpo para absorber este medicamento, por lo que obtendrán menos medicina que la que creen tener, e incrementarán su riesgo de sufrir pérdida ósea y fracturas. Para evitar esto, no se debe tomar café hasta pasadas dos horas después de haber tomado alendronato.

Tres excelentes razones para consumir más vitamina C

Evite los huesos frágiles y las articulaciones adoloridas añadiendo alimentos ricos en vitamina C a su plan diario de alimentación. Este potente antioxidante puede ayudar a los huesos y las articulaciones de tres maneras.

Repele la artritis. Si una persona presenta signos de degeneración en las rodillas, es probable que esté desarrollando osteoartritis. Sorprendentemente, investigadores en Australia encontraron que las personas que consumían la mayor cantidad de vitamina C de los alimentos eran menos propensas a presentar estos signos. Lo mismo ocurrió con las personas que comían mucha fruta. Buenos ejemplos de frutas ricas en vitamina C son la papaya, la naranja, el kiwi, la piña y las fresas.

Previene el dolor agudo de la gota. Un estudio realizado por la Universidad de Boston encontró que los hombres que tomaban hasta 1500 miligramos (mg) de suplementos de vitamina C tenían un riesgo hasta 45 por ciento menor de desarrollar gota en comparación con los hombres que no tomaban suplementos. Los investigadores creen que la vitamina C combate la inflamación y los niveles altos de ácido úrico que contribuyen a la gota.

Fortalece los huesos. Puede que usted piense que la vitamina D y el calcio son los únicos nutrientes que protegen los huesos. Sin embargo, las investigaciones muestran que las personas que no reciben suficiente vitamina C pierden hueso más rápidamente. La vitamina C protege los huesos de dos maneras: ayuda a producir colágeno, un compuesto que forma parte del tejido óseo haciéndolo más fuerte, y además combate la inflamación. Ésta es una buena noticia porque la inflamación puede provocar la eliminación de hueso viejo y así acelerar la pérdida ósea.

Según algunos expertos se puede obtener suficiente vitamina C con sólo comer cinco porciones de frutas y verduras cada día. Sin embargo, un estudio reciente encontró que las personas que toman suplementos de vitamina C reducen a la mitad su riesgo de sufrir fracturas de cadera en comparación con las que no lo hacen. El estudio también descubrió que las personas que consumen la mayor cantidad de vitamina C, tanto de los alimentos como de los suplementos, tienen la mitad de probabilidades de sufrir una fractura de cadera en comparación con las que consumen la menor cantidad. Los participantes del estudio que más vitamina C consumieron, tomaron 305 mg, de los cuales 260 mg provinieron de suplementos.

Obtenga tanta vitamina C de los alimentos como pueda para proteger sus huesos y prevenir la gota. Luego hable con su médico para determinar si debe tomar suplementos.

Dulce alivio para el dolor de artritis

El dolor de la artritis es insoportable, ¿por qué no aliviarlo con un tazón de cerezas? Algunos expertos creen que pueden ser tan buenas como la aspirina. Los estudios parecen indicar que la cereza tiene propiedades antiinflamatorias, al igual que la aspirina. Los científicos lo saben porque cuando la inflamación ataca el cuerpo, los niveles de ciertos compuestos en la sangre se elevan, entre ellos la proteína C reactiva (PCR), el óxido nítrico y un compuesto conocido como RANTES. Los niveles más altos de óxido nítrico, en particular, están asociados a los daños en el tejido que ocurren con la osteoartritis (OA) y la artritis reumatoide, mientras que los niveles más altos de RANTES están asociados a la OA solamente.

Pero algo curioso sucedió cuando en un estudio se les pidió a 20 personas que comieran 45 cerezas al día durante un mes. Sus niveles de PCR se desplomaron un 25 por ciento, sus niveles de óxido nítrico cedieron un 18 por ciento y los niveles de RANTES cayeron un 21 por ciento. Se cree que esto significa que la cereza tiene poderosos compuestos que combaten la inflamación de la artritis. Estos compuestos son conocidos como polifenoles y, entre ellos, las antocianinas son las encargadas de darles su color a las cerezas.

Además de tener propiedades antiinflamatorias, las antocianinas son particularmente efectivas suprimiendo el óxido nítrico. Incluso inhiben a la COX-1 y la COX-2, compuestos que promueven la inflamación. De hecho, algunos estudios sugieren que pueden ser tan efectivas como los analgésicos de venta libre (como el ibuprofeno, el naproxeno y la aspirina) para suprimir estos compuestos inflamatorios.

Pero las cerezas no sólo combaten la artritis, también ayudan a aliviar la gota, un tipo de artritis. Los médicos dicen que la gota es causada por un exceso de ácido úrico en el torrente sanguíneo. El ácido úrico forma cristales aciculares que se cuelan en las articulaciones causando inflamación y dolor. En un estudio realizado por la Universidad de California-Davis, las mujeres experimentaron una caída en sus niveles de ácido úrico después de comer cerezas. También se redujeron sus niveles de PCR y de óxido nítrico. Niveles más bajos de estos compuestos pueden significar menos dolor en el futuro.

Tanto las cerezas dulces como las agrias son buenas, pero las agrias contienen más antocianinas. Pruebe las cerezas secas o el concentrado de jugo de cereza si necesita cerezas en una forma más concentrada y que esté disponible todo el año.

Combata la artritis reumatoide con menos analgésicos

La artritis puede hacerlo sentir tan tieso como el hombre de hojalata oxidado de *El Mago de Oz*. Pero, ¿por qué ir a buscar una lata de aceite cuando se pueden "aflojar" las articulaciones con otro tipo de aceite, el que se encuentra en el pescado? Estudios demuestran que los ácidos grasos omega-3 del aceite de pescado son poderosos agentes rejuvenecedores que pueden mejorar la movilidad de las articulaciones, al mismo tiempo que protegen contra la artritis.

Las bondades del aceite de pescado. Investigadores británicos pidieron a 97 personas con artritis reumatoide (AR) que tomaran cápsulas con una combinación de aceite de hígado de bacalao y aceite de pescado todos los días durante nueve meses. Las cápsulas contenían algo más de 2 gramos de ácidos grasos omega-3. A las 12 semanas, pidieron a los participantes del estudio que disminuyeran gradualmente su uso de medicamentos antiinflamatorios no esteroideos (AINE). Sorprendentemente, casi el 40 por ciento fueron capaces de reducir sus dosis de AINE en más de un tercio sin que empeorara la artritis. Los investigadores concluyeron que los ácidos grasos omega-3 pueden combatir la inflamación que provoca los síntomas de la AR.

Ahora las malas noticias. Los omega-3 tienen un gemelo malvado: los ácidos grasos omega-6 presentes en el aceite vegetal, las carnes rojas y los alimentos que contienen grasas trans, como los alimentos fritos, la margarina y la manteca. Desafortunadamente, la mayoría de las personas consumen muchos más ácidos grasos omega-6 que ácidos grasos omega-3. Los omega-6 promueven la inflamación, por lo que se necesita aun más omega-3 para contrarrestarlos.

De hecho, los estudios han comprobado que se puede suprimir la inflamación de la AR consumiendo dos veces más omega-3 que omega-6. Al menos 13 estudios han demostrado que los suplementos de omega-3 pueden reducir el dolor y la rigidez, así como el número de articulaciones adoloridas asociadas a la AR. Es más, un beneficio adicional del aceite de pescado es que mejora la función cerebral.

Manera segura de comer más pescado. Muchos expertos en salud recomiendan comer al menos dos porciones de pescado a la semana, pero no se exceda. Comer más porciones semanales podría exponerle a cantidades poco seguras de mercurio, pesticidas y otras toxinas. El pez espada, el tiburón, el blanquillo (*tilefish*, en inglés) y la caballa real (*king mackerel*) son particularmente peligrosos y es preferible evitarlos. Elija las opciones más saludables, como el salmón, los camarones, el arenque y el atún claro enlatado. Muchos expertos sugieren, además, reducir o evitar los alimentos que contienen ácidos grasos omega-6. Si consumir más alimentos con omega-3 y menos alimentos con omega-6 no le ayuda, trate de eliminar el tomate, la berenjena, el pimiento y la papa blanca de su dieta, y vea si sus síntomas mejoran. Estos alimentos agravan la inflamación en algunas personas.

Los suplementos al rescate. No se puede obtener todo el aceite de pescado que se necesita para combatir la AR sólo comiendo pescado. Los estudios sugieren que se necesitan cerca de 2 gramos de aceite de pescado para obtener alivio de la AR, pero una porción de pescado no aporta tanto. Afortunadamente, pruebas independientes muestran que las cápsulas de aceite de pescado no tienen mercurio, pesticidas y otras toxinas presentes en el pescado. Además, es posible que usted obtenga más omega-3 de las cápsulas que del pescado. Para obtener el mayor beneficio, recuerde estos consejos:

- Empiece con dosis pequeñas y tome los suplementos con las comidas para evitar efectos secundarios desagradables, como gases, eructos y un regusto a pescado.

- Verifique la dosis por cápsula para asegurarse de recibir la cantidad adecuada de aceite de pescado al día.

- Antes de probar estos suplementos, hable con su médico. Los suplementos de aceite de pescado pueden diluir la sangre, por lo que no se deben tomar cuando se está tomando un anticoagulante, como la warfarina.

Gánele la guerra a la AR con una vitamina

Con suficiente vitamina D se podría evitar la AR o artritis reumatoide. Un estudio realizado con casi 30 000 mujeres sugiere que las mujeres que obtienen más de la "vitamina del sol" son menos propensas a desarrollar AR. La vitamina D ayudaría a proteger el organismo contra la AR al combatir la inflamación y regular el sistema inmunitario.

Cuatro sabrosas maneras de controlar la inflamación

Un consejo del oso Smokey podría aliviar los síntomas de la artritis. El oso Smokey suele decir que basta una chispa para provocar un incendio forestal. De la misma forma, las chispas de inflamación en las articulaciones pueden desencadenar los síntomas de la artritis reumatoide (AR). Las investigaciones sugieren que es posible "apagar" estos síntomas si se consumen antiinflamatorios como éstos:

- Frutas y verduras. Los estudios muestran que los antioxidantes combaten la inflamación. Buenas opciones son la manzana, las bayas, el brócoli, las espinacas, los repollitos de Bruselas y la col rizada (*kale*, en inglés).

- Aceite de oliva. Este tipo de aceite contiene ácidos grasos omega-3 y oleocantal, dos compuestos con propiedades antiinflamatorias demostradas.

- Té verde. Estudios realizados por la Universidad de Michigan sugieren que un poderoso compuesto del té verde, llamado EGCG, combate la inflamación de la AR.

- Chocolate oscuro. Coma pequeñas cantidades de chocolate en lugar de comida chatarra. La comida chatarra puede causar inflamación, pero los antioxidantes del chocolate oscuro luchan para detenerla.

Causa poco conocida de las articulaciones adoloridas

La artritis reumatoide (AR) puede no ser la causa de sus problemas si el dolor en sus articulaciones viene acompañado de síntomas como distensión abdominal, diarrea, gases, dolor estomacal, pérdida de peso y fatiga. La causa de sus malestares podría ser la enfermedad celíaca. Las personas con enfermedad celíaca tienen una alergia a un ingrediente común en los alimentos: el gluten. Entre los alimentos que contienen gluten están los granos (como el trigo, el centeno y la cebada), las carnes procesadas y las pastas. Su médico puede hacerle una prueba para determinar si usted tiene la enfermedad celíaca.

Por extraño que parezca, una dieta sin gluten también puede ayudar si tiene AR. Eliminar el gluten y volverse vegetariano puede reducir drásticamente el riesgo de sufrir un ataque cardíaco o un accidente cerebrovascular. Es una buena noticia para las personas con AR que son más propensas a sufrir estas enfermedades potencialmente mortales.

En un estudio realizado en Suecia, los participantes con AR siguieron ya sea una dieta convencional y equilibrada o una dieta vegetariana y sin gluten compuesta de frutas, frutos secos, semillas de girasol, trigo sarraceno, maíz, arroz, leche de sésamo, mijo y verduras, incluidos los tubérculos. Al cabo de un año, los que siguieron la dieta vegetariana libre de gluten no sólo bajaron su colesterol y su IMC (índice de masa corporal), sino que también elevaron sus niveles de un anticuerpo ligado a una mejor salud del corazón y de los vasos sanguíneos.

Si desea seguir una dieta sin gluten o una dieta vegetariana sin gluten, pídale consejo a su médico y pregúntele si necesitará suplementos de vitaminas y minerales para obtener toda la nutrición que necesita.

Un jugo que alivia la AR

Combata la inflamación y estará combatiendo al mismo tiempo la artritis reumatoide (AR). Beber tan sólo 6 onzas de jugo de granada puede ser suficiente para gozar de sus efectos antiinflamatorios, afirman los investigadores de la Universidad Case Western Reserve, en Ohio. Estudios realizados con animales sugieren que el jugo de granada puede reducir la gravedad de la AR.

De hecho, un estudio encontró que los animales a los que se les dio jugo de granada tardaron significativamente más tiempo en contraer AR que los animales que no bebieron el jugo. Aunque se necesitan más estudios, por qué no beber jugo de granada en vez de otra bebida dulce. No le hará daño y podría ser beneficioso.

Edulcorante popular aumenta el riesgo de gota

Cuando usted bebe un refresco cargado de azúcar le está diciendo a su cuerpo que empiece a producir ácido úrico. El exceso de ácido úrico abre el camino a un doloroso ataque de gota. Investigadores canadienses descubrieron que beber dos gaseosas al día aumenta el riesgo de desarrollar gota en un 85 por ciento, sobre todo para los hombres. Es más, los hombres que beben apenas cinco gaseosas a la semana siguen teniendo un riesgo 29 por ciento más alto que los hombres que no consumen gaseosas.

Como es de esperar, las gaseosas de dieta no aumentan el riesgo. La razón de esta diferencia puede ser el principal edulcorante utilizado para endulzar las gaseosas. El azúcar que típicamente se encuentra en los refrescos, el jarabe de maíz con alto contenido de fructosa, añade demasiada fructosa al cuerpo haciendo que produzca más ácido úrico, que es un conocido desencadenante de la gota.

Los gaseosas no son la única amenaza para la salud. Ese mismo estudio encontró que los jugos de fruta ricos en fructosa, como el de naranja y el de manzana, también elevan el riesgo de desarrollar gota. Eso no significa que usted no deba volver a comer una naranja o una manzana. Pero cuanto menor sea su consumo de bebidas cargadas de fructosa, menor será su riesgo de desarrollar gota.

Otros remedios naturales

Glucosamina y condroitina: lo que los titulares callan

Puede que los periódicos proclamen que la glucosamina y la condroitina no funcionan, pero examinemos más detenidamente esas declaraciones. Según investigaciones recientes, algunos suplementos de glucosamina funcionan mucho mejor que otros y los de condroitina siguen siendo sorprendentemente prometedores.

Glucosamina. La glucosamina viene en dos versiones, y vale la pena comprobar cuál se está tomando. Cuando los científicos de la Universidad de Creighton, en Nebraska, revisaron los estudios que se han hecho sobre la glucosamina descubrieron que el sulfato de glucosamina puede ayudar a reducir el dolor de rodilla y retardar la progresión de la osteoartritis (OA) de rodilla. Los resultados de los estudios mostraban que, en cambio, el clorhidrato de glucosamina no ofrecía más beneficio que un placebo.

Los expertos dicen que la razón por la cual el sulfato de glucosamina puede ayudar con la artritis de rodilla es porque puede restablecer el cartílago dañado, algo que ningún otro medicamento puede hacer. De hecho, la glucosamina se encuentra naturalmente en el cartílago de las articulaciones ayudando a lubricarlas y estimulando a las células a reconstruir el cartílago. Investigaciones en animales sugieren que los suplementos de glucosamina pueden ser efectivos al agregar glucosamina adicional a las articulaciones.

Aunque el sulfato de glucosamina puede funcionar para el dolor de rodilla, puede que no lo haga tan bien en las caderas artríticas. Cuando fue administrado diariamente durante dos años no logró aliviar el dolor y la rigidez en personas con artritis de cadera en fase temprana, según un estudio holandés. Dos expertos afirman que ciertos detalles en los resultados de dicho estudio sugieren que la glucosamina puede tener más potencial de ayuda para las personas con artritis de cadera tardía que para las personas con artritis de cadera temprana.

Condroitina. Una revisión reciente de estudios encontró que añadir condroitina a un suplemento de glucosamina no hace que el suplemento sea más eficaz. Sin embargo, en Europa un suplemento de condroitina ha sido aprobado como medicamento de venta con receta médica para los síntomas de la artritis. Incluso, un nuevo estudio de este producto encontró recientemente que tomar condroitina todos los días, durante dos años, no sólo redujo la pérdida de cartílago, sino que también alivió el dolor más rápidamente que un placebo. Con resultados tan contradictorios entre estudios, puede que aún se necesiten más investigaciones para determinar si la condroitina realmente ayuda a las personas con artritis.

Cómo mejor aprovechar mejor este dúo dinámico. Si desea probar la glucosamina o la condroitina, tenga en cuenta lo siguiente:

- Los expertos recomiendan tomar diariamente 1500 miligramos (mg) de glucosamina y 1200 mg de condroitina.

- Para obtener mejores resultados, elija las pastillas con la dosis más pequeña, 500 mg glucosamina y 400 mg de condroitina, y tómelas a lo largo del día. Los resultados pueden tardar desde unas semanas hasta varios meses en notarse.

- Estos suplementos pueden no ser útiles para las personas con una osteoartritis (OA) muy grave.

- Hable con su médico o un farmacéutico antes de probar estos suplementos, especialmente si está tomando otros medicamentos o si tiene otros problemas de salud además de la OA.

Una medida sencilla que previene la discapacidad

El riesgo de sufrir una fractura puede reducirse drásticamente haciendo algo sencillo: consumiendo más vitamina D. Se la conoce como la "vitamina del sol" porque la piel puede producirla con sólo un poco de luz solar. También se puede obtener vitamina D de los alimentos, como la leche fortificada, los huevos y las sardinas, o de los suplementos. A pesar de eso, hasta el 90 por ciento de los adultos mayores no obtiene suficiente vitamina D. Peor aún, un estudio ha concluido que niveles bajos de vitamina D pueden aumentar el riesgo de sufrir fracturas en más del 70 por ciento.

La falta de vitamina D debilita la capacidad del organismo para absorber el calcio y disminuye la cantidad de calcio que circula en el cuerpo. Esto eleva los niveles de la hormona paratiroidea, lo que rápidamente provoca una mayor pérdida de hueso. Como resultado, el riesgo de sufrir osteoporosis y fracturas de cadera se dispara. La buena noticia es que obtener suficiente vitamina D ha sido asociado a un menor riesgo de sufrir fracturas en las personas mayores.

Averigüe si usted está recibiendo suficiente vitamina D y obtenga más si lo necesita. Para empezar, pregunte a su médico si necesita hacerse la prueba de "25-hidroxi D", para determinar si usted tiene una deficiencia de vitamina D. Las personas mayores son las que más se benefician con esta prueba, porque la capacidad de su piel para producir vitamina D es menor que cuando eran más jóvenes. También pueden beneficiarse de esta prueba las personas con osteoporosis o las que presentan un alto riesgo de desarrollar osteoporosis. Su médico puede ayudarle a decidir si esta prueba vale la pena para usted.

La cantidad de vitamina D que una persona necesita aumenta con la edad. La Fundación Nacional de Osteoporosis sugiere entre 400 y 800 unidades internacionales (UI) de vitamina D para las personas de 50 años y menores, y entre 800 y 1000 UI a partir de los 51 años. Otros expertos recomiendan 1000 UI al día para prevenir las fracturas de cadera. Pregúntele a su médico cuánta vitamina D debe tomar. Para obtener más información sobre este tema, vaya a la página 82.

Lo que se sabe sobre los suplementos formadores de hueso

Obtenga más beneficios de los suplementos siguiendo estos consejos profesionales de los expertos.

Elija el calcio adecuado. El popular antiácido *Tums* es una buena fuente de calcio porque está hecho de carbonato de calcio. Pero tenga en cuenta que cuando los niveles de ácido gástrico están demasiado bajos, el cuerpo no puede absorber el carbonato de calcio muy bien. Es por esa razón que *Tums*, así como cualquier otro suplemento de carbonato de calcio, se debe tomar con las comidas. Los alimentos aumentan los niveles de ácido gástrico. Las personas que con regularidad toman bloqueadores de ácido como *Zantac* o *Prilosec* para la acidez estomacal, o que prefieren tomar sus suplementos entre comidas, deben elegir suplementos de citrato de calcio. Cuando los niveles de ácido gástrico son bajos, se puede absorber más calcio de los suplementos de citrato de calcio que de los suplementos de carbonato de calcio.

Tómelo en dosis más pequeñas. El cuerpo absorbe más calcio cuando las dosis son de 500 miligramos (mg) o menos. Es más, algunos expertos dicen que tomar varias dosis de calcio de 200 mg o menos a lo largo del día puede ayudar a conservar los huesos.

Tenga cuidado con las interacciones entre medicamentos. Hable con su médico o farmacéutico acerca de cómo los suplementos de calcio interactúan con los medicamentos que usted toma. Estos suplementos pueden interferir con algunos antibióticos, así como con fármacos como la levotiroxina o los bifosfonatos. Como si eso no fuera suficiente, otros medicamentos, como los esteroides, interfieren con el calcio. Su médico o farmacéutico puede decirle cómo lidiar con estos problemas.

Lea las etiquetas de los alimentos. Calcule cuánto calcio obtiene cada día de los alimentos. Reste esa cifra de 1200 mg o de la cantidad recomendada por su médico, para así obtener la cantidad que usted necesita de los suplementos. Si ya consume muchos productos lácteos u otros alimentos ricos en calcio, usted necesitará menos calcio en forma de pastillas.

Obtenga suficiente vitamina D. En los peores casos de deficiencia de vitamina D, el cuerpo sólo puede absorber el 15 por ciento del calcio que ingiere. Esto es importante porque el cuerpo pierde la capacidad de absorber calcio a medida que envejece. A la edad de 65 años, una mujer puede absorber solamente la mitad del calcio que absorbía durante sus años adolescentes. Eso hace que la vitamina D sea incluso más esencial a medida que envejecemos. Verifique si la vitamina D de su suplemento es el ergocalciferol (vitamina D2) o colecalciferol (vitamina D3). La vitamina D3 puede ser más efectiva en elevar los niveles de vitamina D.

Sea un consumidor inteligente. Pruebas independientes realizadas por Consumer Lab (CL) indican que la mayoría de los suplementos de calcio y vitamina D contienen tanto calcio y vitamina D como prometen sus etiquetas. Asegúrese de que sea un buen suplemento y busque en la etiqueta el sello de CL o el símbolo de verificación de la USP (siglas en inglés de la Farmacopea de Estados Unidos).

Respuesta fácil al dolor de espalda

El dolor constante en la parte baja de la espalda puede ser más fácil de corregir de lo que se cree. Aunque es verdad que el dolor de espalda es un síntoma de osteoporosis, a veces el dolor es causado por un problema diferente: la osteomalacia o enfermedad del "hueso blando". Cuando se tiene osteomalacia, los huesos no se forman adecuadamente y se vuelven blandos. Esta afección es menos común que la osteoporosis y se puede curar.

La única manera de saber si usted padece de osteomalacia es viendo a su médico. Dependiendo de lo que encuentre durante el examen, su médico podrá solicitar un análisis de sangre para comprobar sus niveles de vitamina D, una prueba de escáner de densidad ósea o rayos X.

Ciertos medicamentos y dolencias, como la enfermedad renal, pueden causar osteomalacia, pero una de las principales causas es la deficiencia de vitamina D. Más importante aún, si usted desarrolla osteomalacia por falta de vitamina D, un suplemento con una combinación de vitamina D, calcio y fósforo puede ser todo lo que necesita para recuperarse en seis meses.

Alivio natural para el dolor de la artritis

Imagínese un remedio natural para el dolor de la artritis que sea tan efectivo como la aspirina, el ibuprofeno o el celecoxib (*Celebrex*). Varios estudios sugieren que los suplementos de SAMe son precisamente ese remedio. La S-adenosilmetionina (SAMe) es un compuesto que el cuerpo produce y utiliza en muchos procesos químicos vitales. Si ha estado buscando alivio para los síntomas de la artritis, éstas son las razones por las cuales usted debería probar los suplementos de SAMe.

Alivia la inflamación. La SAMe tiene propiedades antiinflamatorias para combatir la artritis.

Repara el cartílago. El adelgazamiento y el daño del cartílago articular es la causa de los síntomas de la osteoartritis (OA). Le alegrará saber que los estudios sugieren que la SAMe puede aumentar el grosor del cartílago articular, aumentar la cantidad de células del cartílago y prevenir el daño a las células del cartílago que puede desencadenar los síntomas de la OA.

Ataca el dolor. En estudios científicos, la SAMe ha demostrado repetidamente ser más efectiva contra el dolor de la artritis que el placebo. Los investigadores descubrieron que es un analgésico tan efectivo como los AINE (antiinflamatorios no esteroideos, tales como la aspirina, el ibuprofeno y el celecoxib), después de un mes o dos de uso. Mejor aún, algunos de esos estudios sugieren que para los usuarios de SAMe el riesgo de sufrir desagradables efectos secundarios digestivos puede ser menor que para las personas que usan analgésicos AINE.

Si usted desea probar los suplementos de SAMe para el dolor de la OA, tenga en cuenta lo siguiente:

- Si usted tiene diabetes, obtenga el permiso de su médico antes de tomar SAMe porque puede reducir el azúcar en la sangre. Si su médico lo aprueba, vigile atentamente sus niveles de azúcar en la sangre. Su médico podría tener que ajustar la dosis de sus medicamentos para evitar que sus niveles de azúcar en la sangre desciendan demasiado.

- No tome más de 200 miligramos (mg) el primer día y luego incremente poco a poco la dosis hasta alcanzar los 800 mg diarios. Asegúrese de distribuir las dosis a lo largo del día y de no tomar más de 200 mg cada vez.

- Tenga cuidado con las interacciones entre medicamentos. Puede que no sea seguro tomar SAMe con algunos medicamentos, como el tramadol (*Ultram*), la meperidina (*Demerol*) o los antidepresivos. También puede que no sea seguro para las personas con trastorno bipolar. Consulte con su médico o farmacéutico antes de usarla.

■ Compre inteligentemente. La SAMe no se mantiene bien. En algunos casos, puede descomponerse tan rápidamente que usted obtiene menos cantidad del ingrediente activo que la indicada en la etiqueta. Para evitar esto, compre la SAMe que viene en "envases blíster", que son láminas selladas con cavidades individuales para cada dosis, y busque la versión menos perecedera de SAMe llamada butanedisulfonato.

■ Elija comprimidos con cubierta entérica y tómelos con las comidas. En algunas personas, la SAMe puede provocar efectos secundarios desagradables, como náuseas y malestar estomacal.

■ Compare precios. La SAMe puede ser cara y el seguro no la cubre. Búsquela en tiendas como la de la cadena GNC o en línea en *www.vitacost.com* (800-793-2601), *www.swansonvitamins.com* (800-824-4491) y *www.vitaminshoppe.com* (800-223-1216). Si encuentra un buen precio en línea, no olvide incluir los gastos de envío y posibles impuestos en su cálculo.

■ Tenga paciencia. La SAMe puede tardar hasta ocho semanas en aliviar el dolor, la inflamación y la rigidez de las articulaciones. Tome esto en consideración.

Nueva forma de combatir la pérdida ósea

La L-carnitina, un aminoácido que se produce naturalmente, puede combatir la pérdida ósea, según un estudio preliminar realizado en animales. Aunque no hay una dosis recomendada para el uso de la L-carnitina, el Instituto Linus Pauling informa que la dosis para este suplemento oscila generalmente entre 500 y 2000 mg. Hable con su médico para conocer más sobre este prometedor aminoácido.

¿Por qué necesita más vitamina K?

Los expertos estaban equivocados. Una buena densidad mineral ósea por sí sola no es suficiente para protegerle de una fractura de cadera. Afortunadamente, la vitamina K puede ofrecer protección adicional de diferentes maneras:

■ Estimula al cuerpo a producir más colágeno. Este colágeno extra hace que los huesos se vuelvan más flexibles, de modo que puedan doblarse ligeramente en vez de quebrarse, como los árboles que se mecen con el viento.

■ Promueve la producción de una proteína llamada osteocalcina. A medida que se forma hueso nuevo, la osteocalcina actúa como un gerente de control de calidad y se asegura de que el hueso nuevo sea tejido en un patrón que ayude a resistir las fracturas.

■ Engrosa el hueso. Un estudio incluso sugiere que el tipo adecuado de vitamina K puede engrosar el cuello del fémur, que es el hueso que se extiende desde la cadera hasta la rodilla. Huesos más gruesos pueden tener más probabilidades de evitar una fractura.

Ésas son tres maneras en las que la vitamina K puede reducir el riesgo de sufrir fracturas sin mejorar su densidad mineral ósea (DMO). Pero la vitamina K que usted conoce puede no ser todo lo que necesita para el resultado que busca alcanzar.

Conozca a la nueva chica del barrio. Es probable que usted ya esté familiarizado con la vitamina K común, el tipo de vitamina que se obtiene de las verduras de hoja verde oscuro, como la espinaca, la col rizada, la lechuga y el brócoli. Los científicos la llaman vitamina K1 o filoquinona. La vitamina K1 tiene, además, una socia silenciosa llamada vitamina K2 o menaquinona. Algunas formas de esta vitamina se encuentran en la carne, el queso, la yema de huevo y un producto de soya fermentada llamado *natto*. Aquí es donde las cosas se ponen interesantes. El cuerpo utiliza la vitamina K1 para producir una forma particular de vitamina K2, llamada menaquinona-4 o MK-4. Las investigaciones sugieren que la MK-4 puede penetrar en los huesos mucho mejor que la vitamina K1.

Infórmese sobre la MK-4. Científicos holandeses analizaron la MK-4. En un estudio con 325 mujeres que no tenían osteoporosis, la mitad tomó suplementos de 45 miligramos (mg) de MK-4 todos los días, mientras que la otra mitad recibió un placebo. Después de tres años, las mujeres del grupo de placebo habían perdido claramente fortaleza ósea en las caderas, pero las del grupo de MK-4 no habían perdido casi nada, a pesar de que todas las participantes tenían similares puntuaciones de densidad mineral ósea (DMO). Además, el grupo de MK-4 obtuvo mejores resultados en las mediciones de la fortaleza del hueso de la cadera, incluidas la resistencia al impacto y la fuerza de flexión, cualidades que hacen más difícil la fractura de cadera.

Mejore sus probabilidades. Las investigaciones muestran que las personas que tienen niveles bajos de vitamina K1 son más propensas a tener una DMO baja y a sufrir fracturas. Antes de tomar suplementos, asegúrese de comer muchas verduras de hoja verde oscuro, así como otros alimentos ricos en vitamina K1. También consuma abundante calcio y vitamina D, y haga ejercicio para reforzar su DMO.

Para una protección máxima, hable con su médico sobre el riesgo de desarrollar osteoporosis y sufrir fracturas, y pídale consejo sobre los suplementos de vitamina K2. Estos suplementos no son seguros para todos. Las personas que toman medicamentos anticoagulantes, como la warfarina, pueden llegar a sufrir efectos secundarios graves cuando toman suplementos de vitamina K. Si su médico lo aprueba, tome los suplementos de MK-4 en dosis divididas (por ejemplo, 15 mg tres veces al día). Esto ayuda a mantener constantes los niveles de vitamina K para que los huesos obtengan una protección ininterrumpida contra las fracturas incapacitantes de cadera.

Controle el dolor de artritis con hierbas

Hierbas como la corteza de sauce ayudaban a combatir la agonía de la artritis mucho antes que apareciera la aspirina. Aun cuando los remedios herbarios pueden no ser efectivos para todos, los estudios sugieren que pueden aliviar significativamente el dolor en algunas personas y usted podría ser una de ellas.

Corteza de sauce blanco. Los estudios demuestran que la corteza de sauce (*white willow bark*, en inglés) es la versión natural de la aspirina y puede ayudar a combatir el dolor crónico de la osteoartritis (OA). Los expertos recomiendan comprar un extracto de corteza de sauce que contenga una dosis diaria de 240 miligramos (mg) de salicina, un compuesto que actúa como la aspirina en el cuerpo. Tenga en cuenta que la corteza de sauce puede causar malestar estomacal, úlceras y sangrado en el tracto digestivo, al igual que la aspirina.

Escaramujo. Cinco miligramos de polvo de escaramujo (*rose hips*, en inglés) todos los días pueden ayudar a disminuir el dolor de la OA y reducir la necesidad de analgésicos, sugieren varios estudios. Un estudio encontró incluso que el polvo de escaramujo disminuye la proteína C reactiva, un signo de inflamación en el cuerpo.

Pycnogenol. Un extracto de la corteza del pino marítimo francés, el *pycnogenol* es otra arma prometedora contra la artritis. Un estudio de pacientes con artritis comparó a los pacientes que tomaron 100 mg de *pycnogenol* diarios con los que tomaron un placebo. Después de tres meses, los del grupo de *pycnogenol* dijeron sentir menos dolor y rigidez que los del grupo de placebo. También pudieron disminuir sus analgésicos y caminar distancias más largas sin dolor.

Los investigadores creen que las propiedades antiinflamatorias del *pycnogenol* pueden ayudar a atenuar los síntomas de la artritis. El *pycnogenol* también puede reducir los niveles de azúcar en la sangre y aumentar el riesgo de sangrado, así que consulte con su médico antes de adquirirlo. Para evitar posibles efectos secundarios, tome *pycnogenol* con las comidas.

Boswelia. La *Boswellia serrata*, conocida también como el "incienso hindú", puede combatir dos enzimas que causan los síntomas de la artritis. Las personas con osteoartritis que tomaron 100 mg o 250 mg al día de un extracto enriquecido de boswelia no sólo redujeron su dolor de artritis, también disminuyeron sus niveles de una enzima que causa la destrucción del cartílago.

El extracto fue enriquecido con ácido 3-O-acetil-11-keto-beta boswélico, el compuesto más activo de la boswelia. Este compuesto puede ayudar a silenciar a una segunda enzima que promueve la inflamación, principal causa de los síntomas. Una palabra de precaución: la boswelia puede agravar la gastritis y la enfermedad por reflujo gastroesofágico (ERGE).

Antes de probar cualquier producto herbario, consulte con su médico. Algunos de estos productos, especialmente el escaramujo, la corteza de sauce y la boswelia, podrían interactuar con medicamentos que usted ya esté tomando.

Ponga a la artritis reumatoide de rodillas

La artritis reumatoide (AR) puede ser dura de sufrir, pero la borraja puede ser más dura aún con la AR. Esta planta crece en el Mediterráneo y en Oriente Medio. Sus semillas contienen un ácido graso llamado ácido gama linolénico (AGL) que combate la inflamación.

Un estudio encontró que las personas que tomaron 1.4 gramos al día de AGL proveniente del aceite de semilla de borraja redujeron la cantidad y la severidad de las articulaciones sensibles e hinchadas en sólo seis meses. Si desea probar el aceite de borraja, consulte con su médico. Si le da la luz verde, lea cuidadosamente las etiquetas de los frascos para averiguar la cantidad de AGL que contienen las diferentes marcas. Las cantidades recomendadas para la AR oscilan entre los 360 miligramos y los 3 gramos.

Vida saludable

Diez secretos para que la vida con artritis sea más fácil

La artritis puede hacer más difíciles las tareas cotidianas, pero estos consejos le harán la vida más llevadera:

- Deje de pelearse con la tapa de la mayonesa. En su lugar, compre una botella de plástico exprimible. También hay botellas exprimibles de mermelada, mostaza y otros condimentos.

- Para un mejor agarre del volante de su auto consígase un par de guantes para levantar pesas.

- Solucione el problema del bolso. Si el dolor en los dedos o el hombro hace que le sea difícil llevar una cartera, cómprese una mochila pequeña. Meta el bolso dentro de la mochila o use la mochila como su nuevo bolso.

- Haga la cama más fácilmente. Cambie el cubrecama por un edredón ligero. Luego, en vez de tirar y ajustar las sábanas y el cubrecama para alisar las arrugas, sólo cubra las sábanas con el edredón y su cama estará hecha.

- No se exceda con el dedo índice. Si le duele el dedo al apretar el gatillo de un desodorante en aerosol, cámbiese a un desodorante en barra o de bola.

- Realice las tareas difíciles con menos frecuencia, preferentemente en los días en que se siente mejor. Por ejemplo, no cocine sólo una cena por la noche. Cocine lo suficiente para varias noches y congele los alimentos que no va a comer. Si un contenedor es difícil de abrir, compre el tamaño económico. Ábralo sólo una vez y vacíe su contenido en envases más fáciles de abrir.

- Ponga fin a la pesadilla del tapón del tanque de gasolina. Utilice un abrefrascos de goma redondo o un par de guantes de goma para abrir el tapón de la gasolina más fácilmente.

- Aligere. Si los vasos de vidrio son demasiado pesados para usted, utilice vasos de plástico duro, como los que usan los niños.

- Busque ayuda para las tapas difíciles. Los envases con tapas que se deben tirar o desprender se pueden abrir con la ayuda de un cuchillo de mantequilla, un abrecartas o una lima de uñas metálica.

- Tire la toalla para secar platos. Si le duelen las manos cuando usa una toalla de cocina, deje secar los platos sobre una rejilla.

Movimientos de sanación para las personas con artritis

Alivie el dolor de la artritis con actividades ligeras como caminar, hacer ejercicios en el agua y hacer *tai chi*. Estas "terapias en movimiento" podrían incluso ayudarle a evitar una cirugía de reemplazo de cadera o de rodilla.

Conozca los resultados. El Programa de Ejercicios de la Fundación de Artritis es una rutina de ejercicios suaves y de bajo impacto que usted puede realizar mientras está sentado o de pie. Según un estudio reciente, después de tan sólo ocho semanas de seguir este programa, un grupo de personas con osteoartritis dijeron sentir menos dolor y fatiga, tener más fuerza y poder realizar las tareas cotidianas con mayor facilidad. Las personas que continuaron con el programa pasadas las ocho semanas, también experimentaron menos rigidez.

Si usted prefiere algo más sencillo, puede salir a caminar. Las personas que caminan al menos 30 minutos, cinco o más días a la semana, podrían disminuir sus niveles de proteína C reactiva y de otros compuestos relacionados con la inflamación que desencadenan los síntomas de la artritis.

Compruebe las recompensas. Dependiendo del tipo de ejercicio que se hace y de cuántas veces se hace, se puede también bajar de peso. Y adelgazar puede ayudar a las personas con sobrepeso a reducir el riesgo de un reemplazo de cadera o de rodilla más adelante.

Un estudio con casi 40 000 australianos encontró que las personas que pesaban más o que tenían el mayor índice de masa corporal (IMC), presentaban por lo menos tres veces más probabilidades de tener un reemplazo de cadera o de rodilla que las que pesaban menos o tenían un IMC más bajo. Esto podría deberse a dos razones:

■ El exceso de peso significa una carga adicional para las articulaciones, lo que empeora la artritis y destruye el cartílago a una velocidad mayor que lo normal. Cuanto más rápidamente la artritis destruye el cartílago, más probable es que sea necesaria una cirugía de reemplazo articular.

■ Algunas células adiposas no se quedan quietas y llegan a segregar compuestos inflamatorios. Algunos de estos compuestos destruyen el cartílago de las articulaciones.

Combine la actividad física con una dieta sensata y baja en calorías para bajar de peso, aliviar la carga sobre las articulaciones y evitar la propagación de compuestos inflamatorios de las células adiposas. Eso podría ser suficiente para evitar la cirugía de reemplazo articular más adelante.

Dé el siguiente paso. Si usted está listo para descubrir lo que una vida más activa podría ofrecerle, primero obtenga el permiso de su médico. Si le dice que sí, pídale consejo acerca del tipo de actividades que pueden ser seguras y efectivas para usted. Puede ser algo tan sencillo como una caminata de 10 minutos tres veces al día, o tal vez pueda tomar clases de *tai chi* o de ejercicios acuáticos.

Descubra el alivio del dolor sin sudor

Puede que usted piense que los movimientos lentos y suaves del *tai chi* son demasiado fáciles para ser de beneficio. Pero esta antigua forma de ejercicio se ha utilizado durante siglos para mantener la juventud y la felicidad en la vejez, y ahora está disponible para las personas mayores en todo el mundo.

Los beneficios. El *tai chi* puede mejorar la movilidad, el control de la respiración y la relajación, incluso si usted tiene artritis. De hecho, el *tai chi* puede ser especialmente beneficioso para las personas con artritis, dicen los investigadores de la Universidad Tech de Texas. Se les pidió a un grupo de personas mayores con artritis de rodilla que probaran seis semanas de clases de *tai chi*, seguidas de seis semanas de sesiones de *tai chi* en casa. Al final de las sesiones, los participantes reportaron tener dolor de rodilla con menos frecuencia e intensidad. El *tai chi* también mejoró su capacidad para realizar tareas cotidianas. Pero estos beneficios desaparecieron después de seis semanas sin hacer *tai chi*. Si prueba esta técnica milenaria, continúe haciéndola de forma regular.

Quién puede hacer *tai chi*. No tiene que gozar de buena salud ni encontrarse en buen estado físico para hacer *tai chi*. Usted simplemente debe seguir un patrón de movimientos que fluyen a través de varias poses y formas. Los movimientos son lentos y suaves, por lo que no necesita tener músculos fuertes o flexibilidad. Usted nunca tendrá que estirar o doblar completamente sus articulaciones adoloridas. A pesar de eso, los estudios indican que el *tai chi* puede fortalecer los músculos. También puede mejorar la flexibilidad y el equilibrio, reducir el estrés y disminuir el riesgo de sufrir caídas. Y si le preocupa la osteoporosis, le alegrará saber que el *tai chi* puede ayudar a prevenir la pérdida ósea en las mujeres después de la menopausia. No sólo eso, las técnicas de respiración que a menudo se incluyen en el *tai chi* pueden promover el control de la energía vital y la relajación.

Antes de comenzar. La mayoría de la personas pueden hacer *tai chi* sin peligro, pero vaya a lo seguro y consulte con su médico primero. Pregúntele además si puede recomendarle clases de *tai chi* concebidas especialmente para personas con artritis. Usted también puede probar estas otras opciones.

- Pregunte en un centro para el adulto mayor o en la YMCA.

- Llame al 844-571-HELP (con menú en español) o visite *espanol.arthritis.org* para averiguar si hay un Programa de Ejercicios de la Fundación de Artritis disponible cerca de usted.

- Visite *www.taichinetwork.org* (en inglés) para encontrar escuelas y profesores en su área.

- Pregunte a amigos y familiares si le pueden recomendar una clase o un instructor.

Cuando encuentre una clase, pregúntele al instructor si puede observar una sesión antes de matricularse. Algunos tipos de *tai chi* son más arduos y complicados que otros, así que observe primero para ver si la clase ofrece lo que usted necesita. No olvide que las personas del estudio practicaron *tai chi* durante 12 semanas para aliviar la artritis. Para mejores resultados, comprométase a por lo menos 12 semanas de clases.

Alivie las articulaciones adoloridas con agua

Si usted sufre de artritis, un baño tibio y relajante puede calmar el dolor. La flotabilidad natural del agua alivia entre un 50 y 90 por ciento la tensión del peso y otras consecuencias de actividades como caminar. Es por ello que es más fácil moverse en el agua.

El ejercicio acuático puede incluso aportar más beneficios que el ejercicio regular. Un estudio de la Universidad Federal de Brasil descubrió que las personas con artritis que realizaban ejercicios en agua durante varios meses experimentaban una mayor disminución del dolor que las personas que hacían ejercicios similares en tierra.

Calme el dolor con ejercicio. Su médico o fisioterapeuta puede recomendarle ejercicios específicos para hacer por su cuenta. Usted también tiene estas interesantes opciones:

■ Pruebe el programa acuático de la Fundación para la Artritis. Llame al 844-571-HELP (con menú en español) o visite *espanol.arthritis.org* para encontrar una clase cerca de usted. Puede que le cobren una pequeña cuota por cada clase, así que pregunte acerca del costo antes de matricularse. Debido a que el objetivo de este programa es mejorar el rango de movimiento de manera segura y sin causar daño, los ejercicios son en su mayoría estiramientos y flexiones suaves.

■ Para un entrenamiento más intenso, puede tomar clases de ejercicios aeróbicos acuáticos en su gimnasio o YMCA locales.

Diluya el malestar en agua. Si no le funcionan las clases, pruebe sumergirse en un buen baño. Un estudio realizado en Turquía encontró que las personas que tomaron baños de 20 minutos con el agua a 98 grados Fahrenheit (36.6 °C) dos veces al día durante diez días, redujeron su dolor más que las personas que sólo tomaron analgésicos. Pero para proteger su corazón, algunos expertos recomiendan que el agua sólo esté entre 92 y 96 °F (o entre 33.3 y 35.5 °C).

Encuentre alivio en manantiales de aguas minerales. Si alguna vez se encuentra en un balneario termal como Hot Springs, en Arkansas, o en un centro vacacional que ofrece baños minerales, pruébelos. Investigadores en Hungría encontraron que los pacientes con osteoartritis que tomaban todos los días un baño de inmersión durante 30 minutos en aguas minerales tibias que contenían flúor, bicarbonato de sodio y ácido metabórico necesitaban menos analgésicos al cabo de sólo tres semanas.

Un sucio secretito que alivia el dolor

El barro caliente podría aliviar el dolor de la artritis, igual que el agua caliente. En Turquía, un grupo de científicos solicitaron a personas con osteoartritis de rodilla que se aplicaran unas mascarillas de barro sobre las rodillas durante 30 minutos. La mitad del grupo utilizó mascarillas de barro amortiguadas por un protector de nylon, mientras que la otra mitad colocó las mascarillas de barro caliente directamente sobre sus rodillas. Los participantes de ambos grupos tuvieron menos dolor después de las mascarillas de barro, pero el grupo que se aplicó las mascarillas directamente sobre las rodillas obtuvo un mayor alivio. Los científicos creen que los compuestos en el barro pueden ofrecer protección adicional contra el dolor.

Muchos centros de spa ofrecen baños de barro con una combinación especial de turba y arcilla enriquecida con minerales. Si tiene la oportunidad de hacerlo, pruebe un baño o tratamiento de barro y tal vez descubra una nueva forma de aliviar el dolor.

Detenga el dolor sin fármacos peligrosos

Las personas que se sienten atrapadas entre la espada y la pared, entre ya sea tomar pastillas AINE y soportar los desagradables efectos secundarios, o bien vivir padeciendo dolores, tienen ahora una tercera opción: las cremas de uso tópico. Vea los ingredientes para aliviar el dolor en algunas cremas tópicas de venta sin receta:

AINE. Las cremas tópicas de AINE (siglas de antiinflamatorios no esteroideos o NSAID, en inglés) son tan efectivas como las pastillas AINE, según la Agencia para la Investigación y la Calidad de la Atención de Salud. A diferencia de los AINE que se toman por vía oral, estas cremas son menos propensas a causar efectos secundarios como indigestión, presión arterial más alta y crisis de asma.

Salicilato. Las cremas que contienen este compuesto analgésico se encuentran con facilidad. *Aspercreme* y *Myoflex* son sólo dos de las muchas opciones. El salicilato es un "primo" de la aspirina.

Capsaicina. Usted puede decirle adiós al dolor gracias a las cremas que contienen capsaicina, un ingrediente derivado de los chiles picantes. Estas cremas pueden aliviar los dolores articulares sin efectos secundarios graves. La capsaicina actúa agotando la sustancia P, que es un compuesto similar a una proteína que transmite los impulsos de dolor al cerebro. La capsaicina puede causar una sensación de calor, picazón o ardor, pero su uso regular hará que la sensación desaparezca en pocos días.

Mentol. También puede probar un producto que contenga mentol, un compuesto de la menta con propiedades analgésicas.

Si las cremas de venta sin receta no le son suficientes, pregúntele a su médico sobre productos más fuertes con receta, como el gel de *Voltaren* o el parche *Flector*. Las cremas no siempre serán su mejor opción contra el dolor, ya que pueden causar efectos secundarios como sarpullidos en la piel. Además, son más efectivas cuando el dolor afecta sólo una zona pequeña. Cuando el dolor está generalizado, las pastillas analgésicas siguen siendo su mejor aliado.

Un freno para la artritis

Utilizar un bastón puede ayudar a prevenir que la artritis de rodilla empeore. Un estudio hecho en Australia encontró que las personas que utilizaban un bastón redujeron la tensión en una de sus rodillas. Pero para sacar provecho de este estudio, usted debe seleccionar el bastón apropiado y utilizarlo correctamente.

Cuando compre un bastón, pídale al vendedor uno con mango en T que proporciona mayor estabilidad y que es popular entre las personas con artritis, o un bastón de cuatro puntas, una buena opción para las personas que necesitan el máximo soporte del peso corporal. El bastón de longitud adecuada es el que llega a la muñeca cuando se dobla el brazo lo suficiente para apoyar la mano a la altura de la cadera.

Para utilizar el bastón correctamente —por ejemplo, para proteger la rodilla derecha— sostenga el bastón con la mano izquierda. Luego sin alejar el brazo del cuerpo, use la muñeca para mover la punta inferior del bastón hacia adelante y simultáneamente mueva el pie derecho hacia adelante. Al mismo tiempo que se apoya sobre el pie derecho, utilice el bastón para ayudarse a soportar su peso. Asegúrese de que su pie derecho nunca soporte su peso sin la ayuda del bastón. Investigadores en Australia encontraron que esto reduce la tensión sobre la rodilla derecha. Para proteger la rodilla izquierda, sostenga el bastón en la mano derecha y utilícelo para ayudar a compensar la carga que recibe el pie izquierdo.

Protección económica para rodillas y caderas

Caminar descalzo puede ser mejor para las rodillas y las caderas que usar un calzado caro diseñado para mayor comodidad y soporte. Un análisis computarizado de 75 personas encontró que caminar descalzo pone menos tensión en las rodillas y las caderas que caminar con zapatos.

Sin embargo, esas chancletas lindas y divertidas que todo el mundo tiene no están del todo mal. Si bien el uso a largo plazo puede causar problemas en los pies en algunas personas, las llamadas sandalias hawaianas o *flip flops* de hecho pueden ser mejores para las rodillas que un par de zapatos caros. Sólo asegúrese de que las chancletas tengan el sello de aceptación de la Asociación Médica de Podiatría de Estados Unidos.

Seis pasos sencillos para acabar con el dolor de pie

Usted no tiene que vivir con los pies adoloridos. La solución puede ser tan sencilla como cambiar de zapatos o conseguir la plantilla adecuada. Alivie las plantas de los pies, calme el dolor en los dedos del pie y cuide sus talones con los siguientes consejos:

■ Elija zapatos que no aprieten el pie. Para evitar los callos y callosidades y no empeorar los dedos en martillo y los juanetes, elija zapatos con espacio suficiente para mover los dedos.

■ Que le midan los pies. Si no le han medido los pies en años, hágalo ahora. Los pies se alargan y aplanan con los años. Sus zapatos actuales tal vez deban ser hasta dos tallas más grandes.

■ Elimine los tacones. Los tacones pueden ser la causa de los dedos en martillo, los juanetes, el dolor en el talón, los callos, las callosidades, los calambres en los dedos del pie y más. Si necesita usar tacones, limítese a los de 2 pulgadas o menos.

■ Rote los zapatos. Los calambres en los dedos del pie ocurren porque los zapatos ponen de forma repetida demasiada presión en la misma parte del pie. Alivie la presión rotando entre zapatos planos y de tacones de diferentes alturas.

■ Busque apoyo. Si tiene pies planos, sus pies pueden inclinarse hacia adentro mientras camina. Elija zapatos que apoyen el arco y el talón o busque plantillas que brinden apoyo a los pies o que impidan que los pies se doblen excesivamente hacia adentro.

■ Proporcione alivio para sus arcos. Seleccione zapatos que dejen mucho espacio para sus pies si tiene arcos muy elevados. También, busque plantillas de gel o suelas con una almohadilla suave.

Las plantillas y los rellenos son de dos tipos: los de venta libre y los ortopédicos o hechos a la medida por un médico. Una revisión de estudios encontró que las plantillas ortopédicas personalizadas pueden, en cuestión de meses, ayudar a aliviar el dolor en personas con artritis reumatoide, con pies muy arqueados o con articulaciones excepcionalmente prominentes del dedo gordo del pie. Si usted usa una plantilla que no es la adecuada para su problema particular, su dolencia podría empeorar.

Según la Academia Estadounidense de Cirujanos Ortopédicos, éstos son los tipos de plantillas y rellenos recomendados habitualmente para los problemas comunes del pie.

Problema del pie	Producto recomendado
Juanetes	Almohadillas protectoras para juanetes
Dolor de pie plano	Plantilla ortopédica semirrígida, plantilla acolchada larga para el arco, cuña de base interna de talón o talonera larga
Dedo en martillo	Almohadillas para dedos en martillo
Fascitis plantar	Talonera prefabricada

Alternativas médicas

Asistencia para el dolor de rodilla

Obtenga alivio del dolor de artritis con un nuevo y sorprendente tratamiento que logra restaurar un compuesto que las articulaciones de la rodilla necesitan desesperadamente. Lo mejor de todo es que el dolor de rodilla podría desaparecer durante meses.

Descubra lo que falta. El ácido hialurónico (AH) se produce de manera natural en el cartílago de las articulaciones de la rodilla. El AH actúa como lubricante y amortiguador, de modo que protege los extremos del fémur y del peroné cerca de la articulación de la rodilla. Esto les ayuda a moverse fácilmente sin golpearse entre sí. El AH también puede combatir la artritis más directamente al reducir el dolor y la inflamación.

Los estudios sugieren que algunas personas con osteoartritis tienen niveles por debajo de lo normal de ácido hialurónico (AH) en las rodillas. Imagínese cómo funcionaría un auto con muy poco aceite lubricante y con amortiguadores desgastados y se podrá hacer una idea de lo mala que es la falta de AH para las rodillas. De hecho, una carencia de apenas media cucharadita de AH puede dejarle literalmente hundido hasta las rodillas en el dolor.

Afortunadamente, entre tres y cinco inyecciones semanales de AH en el consultorio de su médico pueden marcar una gran diferencia. Según los investigadores, estas inyecciones pueden ofrecer seis meses de alivio del dolor a por lo menos el 90 por ciento de las personas con artritis de rodilla leve o moderada. Algunas personas han obtenido hasta 18 meses de alivio.

Lo que puede esperar. Si le interesa probar las inyecciones de AH, tenga en cuenta lo siguiente cuando hable con su médico.

- Eficacia. Estas inyecciones son casi tan eficaces como un AINE (antiinflamatorios no esteroideos, como la aspirina o el ibuprofeno) o como las inyecciones de corticosteroides cuando las reciben los hombres, pero pueden ofrecer menos alivio a las mujeres.

- Efectos secundarios. Las inyecciones tienen pocos efectos secundarios graves, pero algunas personas pueden experimentar efectos más leves, como hinchazón temporal, picazón o dolor cerca del sitio de la inyección.

- Costo. Son caras, así que asegúrese de que su seguro médico o su plan de Medicare cubra estas inyecciones.

Alivio duradero para el dolor de la AR en el horizonte

Los investigadores están trabajando en dos inyecciones que podrían poner fin al dolor de la artritis reumatoide (AR).

La vacuna. El sistema inmunitario protege el cuerpo combatiendo las infecciones. Pero cuando se tiene una enfermedad autoinmune como la artritis reumatoide, el sistema inmunitario se descontrola y empieza a atacar el tejido de las articulaciones. Según las investigaciones preliminares, los científicos pueden utilizar una muestra de los glóbulos blancos de la sangre para crear células especiales "dendríticas tolerogénicas". Estas células le dan la orden al sistema inmunitario para que deje de atacar a los tejidos. Una vacuna de estas células inyectada en las articulaciones podría aplastar los síntomas de la AR. Los científicos están probando esta vacuna en seres humanos por primera vez, así que estén atentos.

Terapia génica. Tan sólo cuatro semanas después del tratamiento, dos mujeres con AR avanzada reportaron menos dolor e inflamación en las articulaciones a las que se inyectó un gen que inhibe la proteína llamada interleucina-1, una de las principales villanas detrás de la desintegración del cartílago en la AR. Es más, para una de las pacientes el dolor en la articulación tratada desapareció por completo. Son necesarias más pruebas, aunque varios ensayos clínicos de terapia génica están en marcha hoy en día.

Lo que usted debe saber antes de la cirugía para la artritis

Infórmese bien antes de someterse a una cirugía de cadera o de rodilla para la artritis. Prepare además una lista de preguntas para su médico mientras estudia sus opciones.

Un dato sorprendente sobre la artroscopia de rodilla. Durante la cirugía artroscópica el médico limpia los fragmentos de cartílago y hueso que pueden causar dolor. Sin embargo, un estudio de personas con osteoartritis en la rodilla de moderada a severa encontró que las personas que tuvieron cirugía artroscópica de la rodilla no mostraron una mejora en cuanto al dolor, la rigidez o la calidad de vida en comparación con las que recibieron tratamientos no quirúrgicos.

Si desea evitar la cirugía, inicie un tratamiento no quirúrgico similar al utilizado en el estudio. Este plan incluía terapia física, ejercicios, analgésicos y antiinflamatorios, inyecciones de ácido hialurónico, suplementos de glucosamina y lecciones sobre el manejo de la artritis.

Pero la cirugía no siempre es una mala opción. Según la revista *Journal of Family Practice*, las personas que tienen un gran desgarro de meniscos podrían beneficiarse de la cirugía artroscópica.

Lo más reciente sobre la cirugía de reemplazo articular. Si bien en términos generales la cirugía debiera ser el último recurso, eso no siempre es cierto cuando se trata de la cirugía para reemplazar una articulación, como la de reemplazo de rodilla o de cadera. Algunos expertos dicen que las personas que retrasan la cirugía hasta el punto en que la artritis las incapacita seriamente, no llegan a recuperarse de manera tan efectiva como las que optan por la cirugía antes.

Además, la cirugía de reemplazo articular tiene un alto índice de éxito a largo plazo. También ayuda a aliviar el dolor y mejorar la calidad de vida, especialmente para las personas mayores que no han conseguido alivio mediante otros tratamientos para la artritis.

Conozca sus opciones. Éstas son algunas otras opciones comunes de cirugía para personas con artritis:

Osteotomía de la rodilla	▪ Se extrae el tejido dañado y se remodela el hueso deformado por dicho tejido ▪ Se realiza sólo si parte de la rodilla está dañada ▪ Alivia los síntomas de artritis ▪ Se recomienda para adultos menores de 60 años y con peso superior a la media
Artroplastia unicompartimental de rodilla	▪ Para el daño articular limitado a un lado de la rodilla ▪ Se utilizan implantes pequeños, de modo que se conservan más ligamentos de la rodilla y una mayor libertad de movimiento ▪ Se recomienda para adultos mayores de 60 años que llevan una vida sedentaria, pero que no son obesos

Implante de cartílago autólogo	• Se reemplaza el cartílago dañado con cartílago sano de otra parte de la rodilla • Se recomienda para personas menores de 40 años
Prótesis de superficie de la cadera	• Alternativa a la cirugía de reemplazo de cadera que permite conservar más hueso • Complicaciones graves después de la cirugía, como fracturas por debajo del cuello del fémur o el hueso del muslo, son más probables en personas mayores de 55 años y en mujeres de todas las edades

Dígales adiós a los medicamentos para la osteopenia

Muchas mujeres diagnosticadas con osteopenia, considerada el primer paso hacia la osteoporosis, intentan protegerse tomando medicamentos para la osteoporosis. Las nuevas directrices de la Fundación Nacional de Osteoporosis (NOF, en inglés), sin embargo, sugieren que algunas de ellas pueden no necesitar estos medicamentos.

El propósito de los medicamentos para la osteoporosis es prevenir las fracturas. Sin embargo, la osteopenia por sí misma no significa un mayor riesgo de sufrir una fractura. De hecho, las últimas directrices de la NOF dicen que un médico no debe recetar medicamentos formulados para la osteoporosis para tratar la osteopenia a menos que se cumplan dos requisitos:

■ El diagnóstico de osteopenia se basa en una gammagrafía ósea.

■ El paciente presenta un riesgo de al menos 3 por ciento de sufrir una fractura de cadera o del 20 por ciento de sufrir una fractura importante asociada a la osteoporosis en los próximos 10 años.

Los médicos pueden estimar el riesgo de estas fracturas utilizando una nueva herramienta en línea de la Organización Mundial de la Salud llamada FRAX. Combinada con las nuevas directrices de la

NOF, los resultados del FRAX pueden evitar que las personas tomen medicamentos para los huesos que no necesitan. Hay buenas razones para evitar que las personas tomen innecesariamente medicamentos para los huesos. Estudios recientes han descubierto que tienen tres efectos secundarios raros, pero peligrosos, que usted debería conocer.

Dolor severo. Llame a su médico si siente dolores severos en las articulaciones, músculos o huesos después de iniciar un tratamiento con alendronato (*Fosamax*), risedronato (*Actonel*), pamidronato (*Aredia*), ibandronato (*Boniva*), etidronato (*Didronel*), tiludronato (*Skelid*) o ácido zoledrónico (*Reclast* o *Zometa*). El dolor puede ser transitorio o puede significar que debe cambiar de medicamento.

Fractura de fémur. Un tipo de fractura del fémur generalmente asociado a accidentes de tráfico ha comenzado a presentarse en personas que toman medicamentos con bifosfonato, como *Fosamax*, *Actonel* o *Boniva*. Peor aún, estas fracturas se produjeron mientras las personas estaban de pie, paseando o realizando otras actividades que no causan ningún trauma de mayor impacto al hueso del muslo. Los investigadores están intentando determinar si los medicamentos para la osteoporosis pueden ser los responsables de este poco frecuente, pero alarmante, efecto secundario.

Deterioro de la mandíbula. Un nuevo estudio sugiere que la osteonecrosis de la mandíbula, un trastorno poco común que causa la destrucción de la mandíbula, puede ocurrir después de trabajos dentales hasta en un 4 por ciento de las personas que toman *Fosamax*.

Usted puede ayudar a que sus huesos se mantengan fuertes haciendo unas cuantas cosas simples. Obtenga suficiente calcio y vitamina D todos los días, limite su consumo de alcohol y no fume, tenga o no tenga osteopenia. Además, póngase como meta dosis regulares de actividades que requieran soportar peso, como caminar, así como otros ejercicios que fortalezcan los músculos.

Si usted está tomando un medicamento para la osteopenia, hable con su médico acerca de las nuevas directrices de la Fundación Nacional de Osteoporosis (NOF) y pregúntele si sería seguro para usted dejar de tomar el medicamento. Su médico también puede darle más información sobre los posibles efectos secundarios de su medicamento y lo que usted puede hacer al respecto.

Cura poco conocida para un trastorno común

El tratamiento temprano de un trastorno genético común podría agregar años a su vida. De lo contrario, esta dolencia puede causar artritis, enfermedades cardíacas, impotencia, depresión y daños en el páncreas que pueden conducir a la diabetes.

El trastorno se denomina hemocromatosis y cinco de cada 1000 personas blancas están en riesgo de desarrollarlo. A menudo como resultado de genes defectuosos, la hemocromatosis hace que el cuerpo absorba demasiado hierro. El hierro extra puede acumularse en el corazón, el hígado y el páncreas y provocar un mal funcionamiento. Afortunadamente, existe un tratamiento fácil y barato que puede reducir los niveles de hierro. Se llama flebotomía y es parecido a donar sangre.

La prueba de hemocromatosis no es necesaria para todos. Los Institutos Nacionales de la Salud sugieren que los médicos examinen a cualquiera que tenga una o más de las siguientes condiciones: enfermedad cardíaca, diabetes, impotencia, enzimas elevadas del hígado, fatiga severa y duradera, artritis o un pariente con hemocromatosis.

Una aspirina al día protege contra la osteoporosis

La aspirina para bebé que muchas personas toman todos los días puede ser buena no sólo para su corazón. También puede ayudar a mantener los huesos fuertes. Después de tomar aspirina en dosis bajas todos los días durante tres meses, los ratones propensos a la osteoporosis mejoraron su densidad ósea. Algunos estudios sugieren que la aspirina funcionaría de igual manera en los seres humanos.

Si eso es cierto, la aspirina puede evitar que el sistema inmunitario ataque accidentalmente a las células madre que más tarde se convertirán en células formadoras de hueso. Si sobreviven más células madre, se acaba teniendo más células formadoras de hueso y una mejor densidad ósea. Pero se necesitan más estudios.

Si usted ya está tomando aspirina para el corazón, los huesos podrían cosechar los beneficios. Sin embargo, si usted no toma aspirina todos los días (un mínimo de 75 a 100 miligramos al día), consulte con su médico antes de empezar a tomarla. La aspirina puede causar sangrado estomacal y puede ser peligrosa cuando se toma junto con ciertos medicamentos de venta con receta médica.

Cuando la gammagrafía ósea no basta

Según un estudio, cerca del 50 por ciento de las mujeres que tuvieron una fractura después de los 50 años no tenían osteoporosis, tal como es definida por las directrices actuales de la prueba de densidad mineral ósea (DMO). Sus huesos eran sencillamente demasiado fuertes. Es por ello que los expertos ahora sospechan que las pruebas de DMO sólo proporcionan parte de la información necesaria para predecir el riesgo de fractura.

Las pruebas de DMO sólo miden cuánto hueso tiene una persona, pero sus rasgos físicos, los medicamentos que está tomando, sus antecedentes familiares, su estado de salud y sus hábitos personales, como beber alcohol y fumar, también son factores que determinan la resistencia de los huesos.

Cuidado con el peligro oculto de fractura

Dos grupos de personas —los hombres y las personas con insuficiencia cardíaca congestiva— corren un riesgo mayor de fractura de cadera. Esto es lo que usted necesita saber para tomar medidas de protección:

Sólo el 12 por ciento de los hombres mayores de 50 años tienen osteoporosis en este momento, pero el Colegio Médico de Estados Unidos (ACP, en inglés) espera que ese número aumente al 50 por ciento para el 2024. Peor aún, es probable que la incidencia de fracturas se duplique para el 2040. Para prevenir esto, la ACP ha emitido nuevas directrices de pruebas de detección para ayudar a los hombres a evitar tanto la osteoporosis como las fracturas.

Estas directrices recomiendan que su médico evalúe cuál es su riesgo de fractura cuando usted cumpla los 65 años. Ejemplos de factores que aumentan el riesgo de fractura incluyen el bajo peso corporal, fumar, no obtener suficiente calcio, la falta de actividad física y fracturas previas debido a debilidad ósea. Si el médico cree que usted tiene un riesgo elevado de fractura, la ACP recomienda una gammagrafía ósea para detectar la osteoporosis.

Aunque los expertos en salud no están seguros del por qué, las personas con insuficiencia cardíaca congestiva tienen un riesgo por lo menos seis veces mayor de sufrir una fractura de cadera y cuatro veces mayor de sufrir cualquier tipo de fractura en comparación con las personas que han tenido un ataque cardíaco u otras dolencias del corazón.

Si usted es un hombre de más de 50 años o si alguna vez ha tenido insuficiencia cardíaca congestiva, pregúntele a su médico sobre su riesgo de fractura y sobre cómo protegerse. Su médico evaluará sus probabilidades y recomendará nutrientes, cambios de estilo de vida y posiblemente medicamentos para disminuir el riesgo de fractura.

Nueva esperanza para el persistente dolor de talón

Si el dolor de la fascitis plantar no mejora a pesar de haber hecho estiramientos durante un año, haber usado soportes para el arco y haber seguido las instrucciones de un médico, es hora de estudiar nuevas opciones como las que siguen:

Procedimiento percutáneo guiado por ultrasonido. Si los otros tratamientos fallan, su médico puede sugerir una opción llamada terapia de ondas de choque (*shockwave therapy*, en inglés). Es muy dolorosa, lamentablemente. Es por ello que en Italia, un grupo de científicos probaron otro tratamiento que llamaron "procedimiento percutáneo guiado por ultrasonido" (PUGA, por sus siglas en inglés). Los científicos aplicaron este procedimiento a 44 personas que habían intentado un tratamiento médico común para la fascitis plantar sin obtener alivio alguno. Tres semanas más tarde, el dolor y los síntomas habían desaparecido en un 95 por ciento de los participantes del estudio. Mejor aún, este tratamiento es más rápido, más barato y menos doloroso que el tratamiento de ondas de choque.

El "procedimiento percutáneo guiado por ultrasonido" funciona de la siguiente manera: un radiólogo inyecta anestesia local justo donde duele. El paciente necesita estar adormecido porque los pinchazos de aguja son cruciales para este tratamiento. Según los científicos italianos, los pinchazos de aguja en los lugares precisos producen un sangrado que ayuda a curar la fascitis plantar. El radiólogo utiliza equipos de ultrasonido para localizar exactamente el lugar en el que los pinchazos de la aguja producirán el mayor beneficio. Las punciones se hacen con una aguja vacía y luego se inyecta la zona con un esteroide para combatir la inflamación y el dolor. Eso es todo.

Bótox. Estudios pequeños sugieren que las inyecciones de bótox (toxina botulínica) en los pies, pueden aliviar el dolor y mejorar la capacidad para caminar. Pero es necesario continuar con las investigaciones para comprobar la eficacia y la seguridad de este tratamiento. Hable con su médico para conocer las últimas noticias al respecto.

Secretos para facilitar la digestión y acelerar el metabolismo 4

Comience su día con un desayuno para afinar la cintura

Hoy en día, son cada vez menos las personas que toman desayuno, pero si usted quiere perder peso, tiene que nadar contra la corriente. Muchos estudios vinculan la obesidad con el no tomar desayuno. Las calorías cuentan, pero no desayunar para poder consumir más calorías a otras horas del día puede resultar contraproducente.

■ En un estudio se observó que las personas que desayunaban regularmente consumían más calorías diarias, pero subían menos de peso con la edad que las que se saltaban el desayuno. Es más, tomar desayuno durante seis semanas ayudó a los participantes de otro estudio a perder más peso que sentarse a comer una gran cena todos los días.

■ Las personas que toman desayuno suelen no recuperar el peso perdido con tanta facilidad.

■ Las personas que consumen más calorías por la noche, con el tiempo experimentan un incremento mayor en su índice de masa corporal, que es una medida de obesidad. Por otro lado, las mujeres obesas tienden a comer menos calorías por la mañana que las mujeres delgadas.

Los expertos saben que tomar desayuno ayuda a mantener un peso saludable y que algunos alimentos son mejores que otros. Y no nos referimos a la toronja y el apio. Alimentos tales como la avena, los huevos, los cereales para desayuno ricos en fibra, la leche y el tocino canadiense prácticamente obligan al cuerpo a bajar de peso.

Ayuda natural para bajar de peso

La deficiencia de calcio puede conducir a comer en exceso. Los investigadores creen que el cerebro se percata cuando este mineral vital se está agotando e intenta compensar esta deficiencia obligándole a consumir más alimentos, un fenómeno llamado "apetito de calcio".

Lamentablemente, es fácil que se produzca una deficiencia de calcio cuando uno comienza a reducir calorías y el "apetito de calcio" puede sabotear sus esfuerzos por bajar de peso. Consumir más productos lácteos puede ayudar a calmar el hambre. Los estudios sugieren que el calcio de los lácteos podría controlar el peso mejor que los suplementos.

Comida de 50 céntimos para adelgazar y bajar el colesterol

Comenzar el día con un buen desayuno puede ayudarle a bajar de peso, pero si incluye un tazón de avena reducirá además su colesterol. Esto simplemente demuestra que algunos de los alimentos más saludables son también los más baratos.

La avena, al igual que otros cereales para desayuno fríos, tiene un alto contenido de fibra insoluble que puede potenciar una dieta. Las personas que comieron el cereal *Fiber One* en el desayuno se sintieron más satisfechas y consumieron menos calorías el resto del día en comparación con las personas que comieron un cereal bajo en fibra, como las hojuelas de maíz *Corn Flakes*, de Kellogg's. Eso es significativo, porque *Fiber One* tiene, además, menos calorías.

Un estudio más amplio obtuvo resultados similares. De casi 18 000 hombres, los que comían cualquier tipo de cereal para desayuno pesaban menos de forma sistemática, y los que comían por lo menos una porción de cereal al día mostraban ser menos propensos a tener sobrepeso con la edad. La avena sería una de las mejores opciones, ya que en estudio tras estudio se ha comprobado que el salvado de avena puede reducir tanto el colesterol total como el colesterol "malo" LDL. Agréguele canela o acompáñela con trozos de fruta de temporada.

Pierda la panza, no los huesos

Aumentar el consumo diario de lácteos protege los huesos cuando se está a dieta y puede incluso ayudar a bajar de peso.

Proteja sus huesos. Bajar de peso puede ayudar a aliviar muchísimos problemas de salud, pero también tiende a causar pérdida de masa ósea y a aumentar el riesgo de fractura. Las dietas altas en proteínas pueden ser especialmente dañinas, ya que cuanto mayor es el consumo de proteínas, mayor será la pérdida de calcio a través de la orina, calcio que podría provenir de los huesos.

Nuevos estudios demuestran que las dietas altas en proteínas no tienen por qué debilitar los huesos, si además se consumen suficientes productos lácteos. En un estudio de un año de duración, un grupo de personas siguieron una dieta alta en carbohidratos con dos porciones diarias de productos lácteos y otro grupo una dieta alta en proteínas con tres porciones diarias de lácteos. La dieta con las tres porciones de lácteos aumentó la ingesta de calcio e impidió que las personas de ese grupo perdieran masa ósea mientras bajaban de peso.

Adelgace y no vuelva a engordar. No volver a subir de peso es casi tan difícil como bajar. No se preocupe, los lácteos no sabotearán su nueva figura esbelta. Aunque los productos lácteos pueden agregar calorías a la dieta, también disminuyen la sensación de hambre. Puede que las personas que recibieron las tres porciones diarias de lácteos hayan consumido más calorías que las que sólo comieron una porción al día, pero no subieron de peso.

La caseína, una proteína presente en los lácteos, retrasa el vaciado del estómago, por lo que uno se siente lleno por más tiempo. Entre dos dietas, una con alto contenido de caseína y otra con bajo contenido, la dieta alta en caseína suprimió el hambre un 41 por ciento más, aumentó la sensación de saciedad en un tercio, evitó los picos en los niveles de insulina y azúcar en la sangre después de las comidas e hizo que las personas quemasen más calorías. En el largo plazo, es posible incluso que la caseína reduzca la grasa.

Concéntrese en el bajo contenido de grasa. El truco está en consumir más lácteos sin agregar grasas saturadas, lo que se puede lograr consumiendo quesos, yogur y leche bajos en grasa. Comience su día con un tazón de cereales ricos en fibra y leche descremada o baja en grasa, o disfrute de una taza de yogur bajo en grasa con avena.

Para adelgazar hay que romper huevos

Cumplir con una dieta es difícil, pero elegir huevos en lugar de *bagels* para el desayuno puede hacer que sea mucho más fácil. En un estudio, los hombres que comieron huevo para el desayuno consumieron menos calorías el resto del día, tuvieron niveles de azúcar en la sangre más estables y dijeron estar más satisfechos y menos hambrientos al cabo de tres horas que los hombres que comieron un *bagel*.

Lo sorprendente es que las dos comidas contienen el mismo número de calorías. La diferencia está en que los *bagels* son roscas de pan con alto contenido de carbohidratos, pero bajas en proteínas y grasas. Los huevos son todo lo contrario, y podrían ayudar a controlar el peso a las personas que están a dieta.

Comer dos huevos en el desayuno cinco días a la semana durante ocho semanas y, al mismo tiempo, reducir el consumo diario de calorías, ayudó a personas con sobrepeso que estaban a dieta a bajar un 65 por ciento más de peso, a reducir la cintura un tercio más, a eliminar un 16 por ciento más de grasa corporal y a sentirse con más energía que las personas a dieta que desayunaron un *bagel*, aunque los dos grupos consumieron la misma cantidad de calorías al día. Sin embargo, reducir el consumo de calorías seguía siendo importante. Las personas que comieron huevos sin reducir calorías no bajaron de peso.

El huevo tampoco pareció aumentar los niveles de colesterol o de triglicéridos en las personas que participaron en este estudio. De hecho, los expertos creen que es posible que el colesterol natural del huevo incremente los niveles de colesterol "bueno" HDL. El huevo también es una fuente rica de un antioxidante llamado luteína, que ayuda a frenar la inflamación. La inflamación crónica contribuye al endurecimiento de las arterias y a la resistencia a la insulina, lo que puede tanto provocar el síndrome metabólico como fomentar el desarrollo de enfermedades cardíacas.

Si los estudios corroboran estos beneficios, el huevo podría ayudar a evitar estas dolencias y a mantener un peso saludable. Consulte a su médico antes de comer huevo todas las mañanas, especialmente si usted está tratando de disminuir su ingesta de colesterol.

Huevos y diabetes: combinación peligrosa

Usted puede comer un huevo al día sin aumentar su riesgo de sufrir un accidente cerebrovascular o un ataque al corazón, a menos que tenga diabetes. En el famoso estudio de salud de los médicos llamado "Physician's Health Study", las personas con diabetes vieron cómo su riesgo de muerte aumentaba con sólo comer un huevo a la semana. Comer siete o más huevos a la semana duplicó su tasa de mortalidad. Además, el huevo parecía aumentar su riesgo de ataque cardíaco y accidente cerebrovascular.

Pero esto no era válido para las personas sin diabetes. Ellas tuvieron que comer por lo menos siete huevos a la semana antes de que aumentara su riesgo de mortalidad, y aun así dicho riesgo sólo llegó a elevarse en un 22 por ciento.

Los expertos aún no saben a qué se debe esta diferencia. Mientras tanto, coma huevos con moderación si usted sufre de diabetes.

Derrita la grasa con proteínas magras

Una rebanada de tocino canadiense junto con esos huevos matutinos puede ayudarle a sentirse lleno por más tiempo, lo que a su vez podría ayudarle a comer menos durante el resto del día. Las proteínas hacen que uno se sienta más satisfecho después de las comidas que los carbohidratos o las grasas, por lo que es más fácil resistir la tentación de merendar o de comer en exceso más tarde. Aumentar modestamente el consumo de proteínas y al mismo tiempo reducir el consumo de calorías puede ayudar a eliminar grasa, a desarrollar más músculo magro y a mantener el peso después de concluir una dieta.

De hecho, las dietas altas en proteínas pueden ser mejores para bajar de peso y no volver a recuperarlo que las dietas enfocadas en los carbohidratos o en las grasas. En un nuevo estudio, dos grupos de personas obesas perdieron peso y procuraron no recuperarlo. Las que siguieron una dieta baja en grasas y alta en proteínas tuvieron más éxito en evitar recuperar el peso en el transcurso de los tres meses posteriores, que las que siguieron una dieta baja en grasas y alta en carbohidratos. Los consumidores de proteínas incluso continuaron adelgazando, a pesar de comer tanto como les provocaba.

Las proteínas obligan al cuerpo a quemar más calorías que otros nutrientes de dos maneras:

■ El cuerpo quema entre el 65 y el 75 por ciento de su energía calórica mientras está en reposo. Cuanto más músculo tenga una persona, más energía quema. Las proteínas aumentan la masa muscular magra, ayudando a quemar más calorías, incluso durante el descanso.

■ El cuerpo no puede almacenar proteínas adicionales como lo hace con las grasas. El cuerpo tiene que lidiar con las proteínas en el momento y esto hace que queme más calorías de lo normal.

El desayuno es de lejos el mejor momento para obtener proteínas. Consumirlas en el desayuno es más satisfactorio que consumir proteínas durante el día, en el almuerzo o la cena.

Sin embargo, no tiene por qué ir a los extremos. Cantidades moderadas pueden ser suficientes. A algunos expertos les preocupa la seguridad y los efectos sobre la salud a largo plazo de las dietas altas en proteínas. Los beneficios de las dietas altas en proteínas y las moderadas en proteínas son similares en lo que respecta a la sensibilidad a la insulina y la proporción de grasa a músculo.

Procure satisfacer al menos las recomendaciones nutricionales de proteínas. Éstas son de alrededor de 55 gramos (g) para una persona de 150 libras (68 kilos), o de 80 g para una persona de 220 libras (100 kilos). De lo contrario, usted podría no alcanzar la cantidad suficiente para acelerar su pérdida de peso. Si se cree capaz, procure alcanzar el objetivo moderado de consumir en forma de proteínas una cuarta parte, es decir, 25 por ciento, de sus calorías diarias.

Quítele la grasa a la dieta alta en proteínas

Ciertos alimentos ricos en proteínas pueden contribuir a la resistencia a la insulina, un precursor de la diabetes. Las proteínas se componen de aminoácidos, y hasta una cuarta parte de ellos son aminoácidos de cadena ramificada (BCAA, en inglés). Las proteínas de la carne, en particular, están repletas de BCAA y eso puede ser un problema.

Los BCAA por sí mismos no parecen causar problemas. Pero cuando se comen junto con mucha grasa, estos compuestos pueden contribuir a la resistencia a la insulina. Si usted está en una dieta alta en proteínas, asegúrese de elegir proteínas magras y de reducir su consumo de alimentos grasos en general.

Las calorías son la clave para una figura esbelta

Disminuir el consumo de calorías es fundamental para eliminar el sobrepeso rápidamente y no volver a recuperarlo.

Un nuevo estudio muestra que no se trata tanto del tipo de dieta que se sigue, sino de cuántas calorías se ingieren. Los participantes del estudio debían seguir uno de cuatro planes de alimentación y podían recibir asesoramiento para adelgazar. Estas dietas eran ya sea altas o bajas en grasas, moderadas o altas en proteínas, y bajas o altas en carbohidratos, pero tenían una característica en común: la reducción de 750 calorías diarias de la dieta normal de los participantes del estudio.

Sorprendentemente, durante los dos años de duración del estudio todos perdieron aproximadamente la misma cantidad de peso y mejoraron sus niveles de colesterol e insulina. Resulta que lo que consumían no importaba. Lo que importaba era cuántas calorías consumían. También influyó el apoyo que recibieron a través de las sesiones de asesoramiento para adelgazar. Las personas que asistieron a las sesiones eran más propensas a bajar de peso, llegando a perder alrededor de media libra de una sesión a otra.

Los expertos creen que cualquier dieta de reducción de calorías puede ser exitosa si las personas que la siguen no se alejan demasiado de sus gustos y preferencias: a una persona que adora los carbohidratos le será difícil cumplir con una dieta baja en carbohidratos.

Cinco secretos increíbles para adelgazar

Bajar de peso tiene que ver tanto con lo que se come como con lo que se deja de comer.

Sorba un poco de té verde. Si funciona para los ratones, puede que funcione para los humanos. Los ratones con un gen de la grasa que bebieron el equivalente humano a siete tazas de té verde al día, engordaron un 25 por ciento menos, fueron menos propensos a sufrir de hígado graso y disfrutaron de niveles más bajos de colesterol y triglicéridos que los ratones que no bebieron el té verde.

Disfrute del chocolate oscuro. Un estudio realizado en Dinamarca encontró que el chocolate oscuro hace que uno se sienta más satisfecho que el chocolate con leche. Los jóvenes que comieron chocolate oscuro consumieron 15 por ciento menos calorías en un *buffet* de pizzas al que fueron dos horas y media más tarde, en comparación con aquéllos que comieron chocolate con leche. Así que cuando sienta antojos de dulces, opte por lo oscuro.

Apunte a consumir más arginina. El cuerpo utiliza la arginina para producir óxido nítrico, y ambos ayudan a quemar grasa y evitar que ésta se almacene. Las ratas que recibieron arginina como parte de su dieta acumularon menos grasa, particularmente grasa abdominal, que las ratas que siguieron una dieta normal. La arginina contribuyó además a la formación de músculo. Los expertos creen que este compuesto natural afecta la forma en la que el cuerpo utiliza la energía para desarrollar músculo evitando que la almacene como grasa. El cuerpo produce este aminoácido de forma natural, pero usted también puede obtenerlo de los alimentos. El atún claro enlatado, la tilapia, las espinacas, las semillas de calabaza tostadas, las nueces, las pasas y la pechuga de pollo son todas buenas fuentes de arginina.

Pruebe los pimientos picantes. La capsaicina, el compuesto picante de los chiles, frena el crecimiento de las células adiposas e incluso las mata. Las ratas alimentadas con una dieta alta en grasas que incluía capsaicina no aumentaron de peso, a diferencia de las ratas que no consumieron capsaicina, que sí engordaron. También puede proteger contra la inflamación y las complicaciones asociadas a la obesidad, tales como el endurecimiento de las arterias y la diabetes.

Absténgase del GMS. Un estudio realizado en China encontró que cuanto mayor es el consumo de GMS (glutamato monosódico), mayor es la probabilidad de sufrir de sobrepeso. De hecho, las personas con el mayor consumo de GMS eran casi tres veces más propensas a tener sobrepeso que las que menos lo consumían. Los expertos dicen que este saborizante puede dañar la parte del cerebro que controla el apetito y afectar las hormonas contribuyendo a la obesidad.

Sorprendente fuente de aumento de peso

Los refrescos o gaseosas de dieta pueden sabotear su plan para bajar de peso. Los expertos creen que en la infancia, el cuerpo aprende que los alimentos de sabor dulce contienen más calorías. Para evitar comer en exceso, comience a utilizar el dulzor de los alimentos para calcular cuántas calorías ha ingerido.

Los edulcorantes artificiales, como el aspartamo, la sacarina, la sucralosa y el acesulfamo K pueden confundir al cuerpo, ya que los alimentos que los contienen saben dulce pero tienen menos calorías. Según esta teoría, el cuerpo aprende que no puede confiar en el dulzor para juzgar el contenido de calorías. Como resultado, comienza a pensar que todos los alimentos dulces, incluso aquéllos endulzados con azúcar, contienen pocas caloríasy que puede comer tanto como quiera.

Éste ha sido el caso en estudios con animales. En comparación con las ratas alimentadas con alimentos endulzados con azúcar, las que recibieron alimentos endulzados con sacarina comieron más calorías, engordaron más, almacenaron más grasa corporal y no compensaron el exceso de dulce reduciendo su consumo de calorías en general, tal como harían normalmente. No todos los expertos están de acuerdo, pero coinciden en que contar calorías de manera consciente, y además hacer ejercicio, es una manera probada de controlar el peso.

Adelgace cinco libras sin esfuerzo

Un estudio encontró que beber agua antes de las comidas en vez de otras bebidas ayudó a las mujeres que estaban a dieta a perder cinco libras (2.26 kilos) adicionales al año. También afinaron sus cinturas y eliminaron grasa, y todo ello independientemente del tipo de dieta que seguían.

Secreto para bajar de peso sin hacer dieta

Si beber un vaso de agua antes de la cena no le ayudó a bajar de peso, puede que una sabrosa sopa si lo haga. En un estudio, beber agua acompañando un guiso no produjo la misma sensación de llenura que una sopa con los mismos ingredientes del guiso. Esto se debe a que los líquidos que bebemos no satisfacen el hambre tanto como los líquidos que "comemos". Se trataría de una suerte de truco mental. Para el cerebro las bebidas sirven para satisfacer la sed, no el hambre. Además, los líquidos puros abandonan el estómago más rápidamente que los caldosos, lo que podría explicar por qué un alimento aguado llena más que una bebida.

Un tazón de sopa antes del plato principal puede ayudarle a reducir calorías. En un estudio, las personas que tomaron sopa antes del plato principal comieron menos y consumieron un 20 por ciento menos de calorías en una comida. Investigaciones pasadas muestran que tomar sopa de manera regular durante varios meses reduce las calorías, deja a las personas más satisfechas y les ayuda a adelgazar.

Aun si detesta la sopa, todavía hay esperanza. El secreto está en la densidad energética, es decir, en cuántas calorías tiene un alimento por onza (o porción). Los alimentos que ocupan mucho espacio en el plato pero que tienen pocas calorías, como las sopas a base de caldo, tienen baja densidad energética. Las que están llenas a rebosar de calorías en una porción pequeña, como la tarta de queso, tienen alta densidad energética. Llenar el plato con alimentos de baja densidad energética ayuda a sentirse lleno con menos calorías.

¿Qué hace que un alimento tenga una menor densidad energética? En general, tener mucha agua o fibra. Ambas añaden volumen y peso, pero pocas calorías o ninguna. Las frutas, las verduras, la leche baja en grasa, los granos cocidos, el pescado y las aves de corral generalmente tienen un alto contenido de agua. Lo mismo ocurre con las sopas, los guisos y los postres a base de frutas. Muchos de estos alimentos también son altos en fibra; una dieta doblemente efectiva. Al optar por los alimentos de baja densidad energética, usted consumirá más comida, pero menos calorías y grasas, además de obtener más vitaminas y minerales para combatir enfermedades.

Siga el ejemplo. Las personas que siguen una dieta de baja densidad energética tienden a comer más frutas y verduras, favorecen los lácteos bajos en grasas y evitan las dietas excluyentes, como la Atkins. Estas personas también limitan su consumo de carnes rojas, cereales para desayuno con alto contenido de azúcar y refrescos.

Coma más, no menos. Con sólo añadir verduras ricas en agua y fibra a un guiso regular, se puede reducir su densidad energética sin necesidad de una receta especial. Si usted agrega brócoli, apio o zanahorias a una comida, podrá servirse la misma cantidad pero con menos calorías, o podrá comer más con la misma cantidad de calorías. También puede sustituir la pasta en ciertas recetas por verduras y reducirá las calorías en un 30 por ciento.

Sustituya inteligentemente. Enriquezca los guisos con hongos en lugar de carne. Las personas que comieron una receta preparada con carne de res un día y champiñones al día siguiente, consumieron la misma cantidad de comida, pero con 420 calorías más en la receta con carne de res. La sustitución de la carne por champiñones no afectó el sabor de la comida o la sensación de saciedad.

Ojo con los ingredientes. La grasa aumenta la densidad energética de los alimentos. Contiene más del doble de calorías por onza que los carbohidratos o las proteínas. Al evaluar una nueva receta, revise las cantidades de ingredientes grasos que requiere, como el aceite o la mantequilla, para darse una idea de qué tan densa será.

Llénese con menos calorías

Tenga en cuenta que no todas las frutas tienen una baja densidad energética. Al igual que otras frutas secas, las pasas contienen poca agua. Mientras que el equivalente de 100 calorías de uvas llenan casi dos tazas, 100 calorías de pasas llenan apenas un cuarto de taza. Eso significa que las uvas le llenarán más con menos calorías.

El edulcorante puede sabotear la pérdida de peso

El jarabe de maíz con alto contenido de fructosa (*high-fructose corn syrup* o HFCS, en inglés) aparece muy a menudo en las etiquetas de las bebidas y los alimentos envasados. Según noticias recientes, el jarabe de maíz con alto contenido de fructosa (JMAF) es seguro. Pero no se confíe. La mayoría de estas noticias han sido difundidas por la Asociación de Refinadores de Maíz, la industria que produce este edulcorante.

Las últimas investigaciones muestran que aún existen motivos de preocupación ya que sugieren que el JMAF conlleva al aumento de peso y de grasa abdominal, y puede elevar el riesgo de enfermedad cardíaca y de diabetes. Éstos son algunos de sus posibles peligros:

Aumenta el apetito. La fructosa y la glucosa, dos tipos de azúcar, afectan el cerebro y el apetito de manera diferente.

- La fructosa puede abrir el apetito, aumentando la posibilidad de volverse obeso.

- La glucosa hace que uno se sienta lleno y coma menos.

Esto plantea un problema, ya que un mayor número de fabricantes han optado por endulzar sus alimentos y bebidas con el jarabe de maíz a base de fructosa.

Engorda. El cuerpo convierte de forma natural el azúcar en grasa. En las personas que bebieron una bebida que contenía fructosa o glucosa, el cuerpo convirtió más azúcar en grasa y lo hizo más rápidamente cuando ese azúcar era fructosa y no glucosa. "Nuestro estudio muestra por primera vez la sorprendente velocidad con la que los seres humanos convierten la fructosa en grasa corporal", dijo la investigadora principal del estudio, la Dra. Elizabeth Parks, profesora adjunta de nutrición clínica en el Centro Médico del Sudoeste de la Universidad de Texas.

Es más, según la Dra. Parks después de beber bebidas con fructosa el cuerpo continúa almacenando energía como grasa, lo que demuestra que una vez iniciado el proceso de síntesis de la grasa a partir de la fructosa, es difícil detenerlo. El proceso puede ser aún peor en las personas con sobrepeso porque tienen un metabolismo ineficiente.

Eleva el riesgo cardíaco. En un nuevo y revelador estudio de la Universidad de California-Davis, las personas con sobrepeso que tomaron bebidas endulzadas con fructosa vieron un mayor aumento en sus niveles de triglicéridos y de colesterol "malo" LDL que las personas que tomaron bebidas endulzadas con glucosa. Y aunque ambos grupos subieron la misma cantidad de peso durante el estudio, los bebedores de fructosa acumularon más grasa abdominal. En su conjunto, estos cambios producidos por la fructosa pueden elevar el riesgo de enfermedad cardíaca.

En el fondo, sin embargo, el hecho de que el jarabe de maíz con alto contenido de fructosa (JMAF) tal vez no sea saludable no es el único problema. "Hay muchas personas que quieren satanizar a la fructosa como la causante de la epidemia de obesidad. Creo que puede ser un factor contribuyente, pero no es el único factor", dice la Dra. Parks. "Los estadounidenses están consumiendo demasiadas calorías para el nivel de actividad que tienen. Están comiendo grasas en exceso, proteínas en exceso y todo tipo de azúcares en exceso".

La Dra. Parks recomienda limitar los alimentos que contienen fructosa añadida, como los elaborados con JMAF. Los alimentos que contienen fructosa de forma natural, como las frutas, no representan un peligro. Los expertos dicen que estos alimentos comunes son las mayores fuentes de JMAF para la mayoría de las personas:

- Gaseosas o refrescos endulzados, bebidas de frutas y bebidas para deportistas
- Postres
- Panes, como las roscas o *bagels*, las tortillas, las galletas saladas y los panecillos que se conocen como *muffins*
- Cereales para desayuno listos para comer

Solución sencilla para mantenerse en forma

Consumir más alimentos integrales puede ayudar a mantener una figura esbelta y juvenil. Las pautas dietéticas establecidas por el

Departamento de Agricultura de Estados Unidos (USDA) indican que comer tres o más porciones de granos integrales todos los días puede ayudar a mantener el peso bajo control, y un nuevo estudio encontró que las mujeres que consumen una o más porciones de granos integrales todos los días tienen cinturas más delgadas y son 60 por ciento menos propensas a tener sobrepeso. Las mujeres que consumen granos integrales también obtienen más fibra, vitaminas A, E y B6, así como más calcio, hierro, folato y magnesio. Otros estudios muestran que los granos integrales también pueden evitar la subida de peso con la edad.

Hallazgos como éstos son una buena noticia y no sólo para la vanidad: la medida de la cintura y la proporción entre la cintura y las caderas son factores que ayudan a predecir acertadamente el riesgo de enfermedad en las personas con sobrepeso.

Los granos integrales cumplen una función vital. Son una excelente fuente de fibra, lo que puede hacerle sentirse más lleno y satisfecho. Añadir alimentos ricos en fibra a la dieta, a su vez, puede ayudar a consumir menos calorías y controlar el peso.

Los "alimentos integrales" son aquéllos que han sido elaborados utilizando el grano (semilla) entero. Procesar los granos y convertirlos en alimentos refinados puede eliminar las partes más saludables del grano, como el salvado y el germen. Además de fibra, los granos integrales contienen generalmente mucho más calcio, magnesio y potasio que los granos refinados.

Estos alimentos no son difíciles de encontrar. La avena, el arroz integral y las palomitas de maíz son alimentos integrales naturales. También lo son las mazorcas de maíz, el arroz silvestre, el trigo sarraceno (*buckwheat*, en inglés), el *bulgur* y la quinua, entre otros.

Intente sustituir algunos de los cereales refinados que come, como el arroz blanco, el pan blanco y la pasta común, por sus equivalentes integrales. Póngase como meta que al menos la mitad de los granos que consuma sean integrales. Es una manera rápida y fácil de mantenerse nutricionalmente en forma y físicamente apto conforme avanza en edad.

Descubra a los impostores de granos integrales

Lea las etiquetas. Muchos granos refinados pretenden pasar por integrales, y confundirlos puede descarrilar su dieta.

Compruebe la lista de ingredientes en los alimentos envasados. El primer ingrediente debería decir "integral" o "grano integral". Puede que los términos "harina de trigo" (wheat flour, en inglés), "harina enriquecida" (enriched flour) y "harina de maíz desgerminizada" (degerminated cornmeal) suenen bien, pero no se deje engañar, no se trata de granos integrales.

Las etiquetas pueden ser útiles. Los alimentos que se jactan de proporcionar los beneficios para la salud de los granos integrales deben elaborarse con al menos un 51 por ciento de ingredientes integrales y ser bajos en grasas.

Combata la grasa con frutas de verano

Las coloridas uvas, moras y cerezas son refrigerios naturalmente dulces, bajos en calorías y están repletos de compuestos de origen vegetal que ayudan a derretir la grasa.

Pruebe un tipo diferente de cereza. Parecida a la cereza agria, la cereza cornalina se utiliza tradicionalmente para tratar la diabetes en China. Esta maravilla natural también puede promover la pérdida de peso, bajar el colesterol, mejorar los niveles de insulina y curar el hígado graso, incluso estando bajo una dieta alta en grasas; al menos eso fue lo que sucedió con los ratones en un estudio realizado por la Universidad Estatal de Michigan. La cereza cornalina está llena de antocianinas, que tienen el potencial de prevenir la obesidad y combatir los niveles altos de azúcar en la sangre.

Aproveche los arándanos. Las antocianinas son los compuestos que dan a las plantas y a las frutas su color azul, púrpura y rojo. Las bayas las contienen en abundancia. De hecho, los arándanos azules cuentan con 21 antocianinas diferentes. En un estudio realizado con animales, los arándanos azules impidieron la subida de peso y la acumulación de grasa abdominal, en parte cambiando los genes que afectan la manera en la que el cuerpo procesa las grasas y el azúcar. Los expertos afirman que cambios como éstos podrían mejorar la sensibilidad a la insulina y prevenir el aumento de grasa. También pueden ayudarle a sentirse lleno y a comer menos.

Sin embargo, no todas las investigaciones concuerdan. En un estudio realizado con ratones, por ejemplo, comer arándanos azules junto con una dieta alta en grasas produjo un aumento de peso y de grasa. Pero hay dos maneras certeras de hacer que sean efectivos para usted: cómalos frescos o congelados como merienda en vez de comer papas fritas, o agréguelos a la avena o al cereal para el desayuno en vez de agregar azúcar.

Coma la uva entera. Haga lo que haga, no escupa las semillas de la uva Chardonnay pues están repletas de potentes antioxidantes. Los científicos pusieron dos grupos de hámsteres en una dieta alta en grasas, pero los de un grupo recibieron además extracto de semilla de uva. Los hámsteres que no recibieron el extracto aumentaron su grasa abdominal, desarrollaron resistencia a la insulina e incrementaron sus niveles de azúcar en la sangre y sus triglicéridos.

Los hámsteres que recibieron el extracto de semilla de uva, en cambio, presentaban niveles 45 por ciento más bajos de leptina, la hormona que incrementa el apetito, así como niveles 61 por ciento más altos de adiponectina, la hormona que puede ayudar a reducir la grasa corporal.

Incluso las uvas desecadas son buenas para bajar de peso. En un estudio, tanto comer pasas como caminar redujeron el colesterol "malo" LDL en hombres y mujeres, pero comer pasas tuvo un beneficio añadido, ya que estos diminutos frutos también redujeron el hambre.

La fruta es muy efectiva para adelgazar

El jugo de fruta no tiene los mismos beneficios para la salud que un trozo de fruta cuando se trata de prevenir la diabetes o bajar de peso.

Las mujeres que añadieron tres porciones más de frutas enteras a su dieta diaria normal redujeron su riesgo de desarrollar diabetes tipo 2 en un 18 por ciento. Beber jugo de fruta, sin embargo, canceló esos beneficios. De hecho, beber tan sólo un vaso más de jugo al día elevó su riesgo de desarrollar diabetes tipo 2 en un 18 por ciento, tal vez debido a la cantidad de azúcar presente en muchos jugos.

De modo similar, las personas que comieron una manzana entera antes de una comida consumieron 187 calorías menos que las personas que bebieron jugo de manzana. Tanto la manzana como el jugo tenían las mismas calorías y fibra, por lo que los científicos saben que ésas no eran las causas. En cambio, tienen dos teorías:

■ Las personas se sienten más satisfechas después de comer la fruta ya que esperan que la comida, a diferencia de la bebida, las llene.

■ La manzana entera implica más masticación que sus versiones procesadas, como el jugo o la compota. El acto de masticar puede hacer que uno se sienta más lleno y coma menos.

Así que disfrute de una manzana o una pera antes de su próxima comida y limite la cantidad de jugos de fruta con azúcar que bebe.

Los lácteos bajos en grasa reducen el riesgo de diabetes

La leche realmente le hace bien al cuerpo, especialmente para las personas que tienen un riesgo alto de desarrollar diabetes tipo 2. Su combinación única de magnesio, calcio y vitamina D representa una triple amenaza para esta enfermedad debilitante.

Incluya este mineral en su dieta. Una revisión de siete estudios encontró que las personas con diabetes tienden a tener menos magnesio en la sangre que las personas sanas. Con todo, cada aumento de 100 miligramos (mg) de magnesio redujo el riesgo en un 15 por ciento.

Este mineral probablemente mejora la sensibilidad a la insulina, ya que niveles bajos de magnesio están asociados a la resistencia a la insulina, a la intolerancia a la glucosa y a niveles altos de insulina.

En un estudio, consumir más de este mineral mejoró la sensibilidad a la insulina, aunque el beneficio alcanzó su tope en los 325 mg de magnesio al día. En China, otro estudio encontró que únicamente el magnesio de fuentes animales o lácteas reducía el riesgo de diabetes.

Proteja sus huesos con más vitamina D y calcio. La vitamina D y el calcio pueden contribuir enormemente en la disminución del riesgo de desarrollar diabetes. Ambos nutrientes pueden ayudar a regular la tolerancia a la glucosa, la sensibilidad a la insulina y la inflamación, además de desempeñar un papel importante a la hora de mantener el funcionamiento de las células beta pancreáticas, que son las células que producen la insulina.

Según un estudio, consumir al menos 1200 mg de calcio junto con al menos 800 UI (unidades internacionales) de vitamina D al día, reduce en una tercera parte el riesgo de desarrollar diabetes tipo 2. En ese mismo estudio, las mujeres que consumieron la mayor cantidad de calcio al día redujeron su riesgo en una cuarta parte. Cuando los investigadores analizaron los niveles de vitamina D en 808 personas, aquéllas con las cantidades menores eran mucho más propensas a mostrar signos de resistencia a la insulina.

Para prevenir la diabetes, algunos expertos recomiendan consumir 1200 mg de calcio y 1000 UI de vitamina D al día. Lamentablemente, la mayoría de las personas mayores de 70 años están muy lejos de ese objetivo, con un promedio de tan sólo 500 a 700 mg de calcio al día.

Algunos expertos creen que las deficiencias de calcio y vitamina D son, en parte, responsables de la explosión de diabetes en Estados Unidos. Casi la mitad de los adultos en este país podrían tener una deficiencia de vitamina D. Los mismos grupos que tienden a ser deficientes en D —las personas mayores, las obesas, las sedentarias y las minorías—, también son los más propensos a desarrollar diabetes.

Mientras que la mayoría de los productos lácteos contienen mucho calcio, sólo los alimentos lácteos fortificados como la leche contienen vitamina D. El yogur, el queso y el helado a menudo no la contienen, lo que implica que obtener la cantidad recomendada de vitamina D únicamente de los lácteos puede ser un reto difícil de lograr.

El salmón, el atún y la caballa son otras fuentes excelentes, pero aun así, algunas personas pueden tener dificultad en obtener suficiente vitamina D de los alimentos.

Las personas de edad avanzada en particular, deberían hablar con su médico para decidir si necesitan suplementos de vitamina D e incluso de calcio. En cualquier caso, los Institutos Nacionales de la Salud advierten que no es recomendable consumir más de 2000 UI de vitamina D al día. Cantidades más altas pueden ser tóxicas.

Lácteos	Calcio (mg)	Vitamina D (UI)
Leche descremada, una taza	306	100
Queso mozzarella parcialmente descremado, 1 oz	219	0
Queso suizo, una rebanada	221	12.3
Yogur "Yoplait Original", 6 oz	200	80
Yogur "Dannon Light & Fit", 6 oz	150	80
Yogur "Yoplait Thick and Creamy", 6 oz	300	80
Activia, de Dannon, natural, 8 oz	450	0

Los frutos secos combaten la diabetes

Son los últimos alimentos en la línea de choque en la guerra contra la diabetes. Las nueces, las almendras y los cacahuates son parte de la solución para combatir esta enfermedad. Esto se debe a que están repletos de ácidos grasos poliinsaturados (PUFA, en inglés), que son grasas saludables conocidas por ayudar al corazón, al hígado y, ahora también, por combatir la diabetes.

Protéjase. En el Estudio de Salud de Enfermeras, las mujeres que comieron frutos secos cinco o más veces a la semana disminuyeron su riesgo de desarrollar diabetes en un 27 por ciento. Incluso la crema de cacahuate ofreció protección, reduciendo el riesgo en un 21 por ciento en las mujeres que la comieron más de cinco veces a la semana.

Ponga la insulina bajo control. Las nueces son otra excelente fuente de PUFA. Las personas con diabetes y sobrepeso que comieron aproximadamente una onza diaria durante un año no sólo obtuvieron más PUFA de manera natural que las que no las comieron, sino que también redujeron sus niveles de insulina en ayunas en los tres primeros meses. Acompañar los alimentos llenos de carbohidratos con una pequeña cantidad de frutos secos también puede poner un tope al aumento del azúcar en la sangre después de las comidas en las personas que ya tienen diabetes tipo 2.

Prevenga las complicaciones. Los PUFA pueden ayudar a prevenir el deterioro mental asociado a la edad, particularmente peligroso para las personas con diabetes tipo 2. Los expertos hicieron seguimiento a casi 1500 mujeres mayores de 70 años que tenían diabetes tipo 2. Aquéllas con una historia de alto consumo de grasas trans y grasas saturadas, o de comer muy pocos PUFA, mostraron ser mucho más propensas a sufrir deterioro mental con la edad.

Tal vez más preocupante fue que ciertas pruebas demostraron que el cerebro de las mujeres que habían comido más grasa "mala" parecía siete años mayor que el de las mujeres que habían comido menos grasas trans durante su vida. Disminuir el consumo de grasas trans y grasas saturadas, y aumentar el consumo de grasas poliinsaturadas puede impedir este deterioro. Y eso no es todo.

■ Las nueces también contienen otro potente aliado, ya que son una gran fuente de un PUFA especial llamado omega-3. Este ácido graso acabaría con la inflamación, uno de los principales responsables de las complicaciones causadas por la diabetes.

■ Los frutos secos también ayudan a bloquear las enfermedades cardíacas. Las personas con diabetes enfrentan un riesgo tres a cuatro veces mayor de desarrollar enfermedades del corazón que las personas promedio. Aparte de eso, los frutos secos contienen muy pocos carbohidratos, por lo que son ideales para quienes siguen una dieta baja en carbohidratos.

Tenga presente que no todos los frutos secos son saludables. Algunos, como la almendra, la nuez y la avellana, son ricos en grasas saludables no saturadas. Otros, como la castaña de cajú, la macadamia y el coquito del Brasil, tienen dosis abundantes de grasas saturadas.

Supere los antojos con los MUFA

Una rebanada de aguacate, un chorrito de aceite de oliva o un puñado de frutos secos con su almuerzo podría ayudarle a comer menos el resto del día. Estos alimentos están llenos de grasa monoinsaturada (MUFA, en inglés), y nuevas investigaciones muestran que un tipo particular de MUFA llamado ácido oleico puede ayudar a calmar el hambre.

El ácido oleico hace que el intestino delgado produzca un compuesto que combate el hambre llamado oleoiletanolamida (OEA). El OEA, a su vez, activa el interruptor que hace que el tracto digestivo le diga al cerebro que no tiene hambre. El resultado es que usted se siente lleno durante más tiempo, lo que puede ayudar a detener los antojos entre comidas.

Salga a pescar protección contra enfermedades mortales

Las grasas saludables del pescado proporcionan un golpe doble contra el riesgo de desarrollar diabetes y cáncer de colon.

Reduzca los factores de riesgo de la diabetes. Las culturas que comen mucho pescado, como los esquimales de Alaska, tienen índices históricamente bajos de diabetes. Los esquimales también son los menos propensos a desarrollar intolerancia a la glucosa.

El arma secreta: una grasa poliinsaturada especial llamada omega-3. Disfrutar de alimentos ricos en omega-3 puede ayudar a prevenir y hasta revertir la resistencia a la insulina. Comparadas con personas sanas, las personas con resistencia a la insulina tienen más grasa saturada y menos grasa poliinsaturada en el torrente sanguíneo.

El omega-3 también puede ayudar a evitar las complicaciones de la diabetes. Estas grasas marinas reducen los triglicéridos a la mitad en personas con diabetes y otros estudios sugieren que pueden prevenir la neuropatía, la nefropatía y la retinopatía diabéticas.

Corte el anzuelo al cáncer de colon. En un estudio realizado en Europa del Este, comer una o dos porciones de pescado a la semana redujo el riesgo de cáncer de colon en un 30 por ciento. Servirlo con mayor frecuencia, redujo el riesgo casi a la mitad. Comer carne, por el contrario, aumentó el riesgo de desarrollar cáncer. Un estudio de salud en médicos llamado *"Physician's Health Study"* obtuvo resultados similares. La probabilidad de desarrollar cáncer de colon era un 40 por ciento menor en los hombres que comían más pescado, un poco más de seis porciones por semana.

El pescado es la mayor fuente de omega-3 y estas grasas parecen proteger contra el cáncer de colon, según estudios de laboratorio y en animales. De hecho, los hombres que consumieron más omega-3, sin importar cuánto pescado comieron, continuaban teniendo menos posibilidades de contraer esta enfermedad. Éstas son las razones:

■ Los omega-3 pueden ayudar a acabar con la inflamación que llevaría al cáncer de colon. Además, pueden impedir que las células cancerosas se multipliquen y pueden provocar su muerte.

■ El pescado también está lleno de otros nutrientes que combaten el cáncer, como la vitamina D.

■ Añadir más pescado a la dieta puede hacer que uno coma menos carne, reduciendo aún más el riesgo de cáncer de colon.

Obtenga más omega-3 del pescado magro de carne oscura, como el salmón, el atún claro en lata, el abadejo (*pollock*, en inglés) y el bagre (*catfish*), que tienden a tener niveles bajos de mercurio. La Asociación Estadounidense de Dietética (ADA, en inglés) recomienda comer dos porciones de pescado a la semana.

Reduzca los carbohidratos para derrotar la diabetes

Contar carbohidratos es más fácil que seguir el índice glucémico (IG) y puede ayudar con la diabetes mejor que las inyecciones de insulina.

Los médicos que tratan a personas con diabetes tipo 2 afirman tener bastante éxito con las dietas bajas en carbohidratos. En algunos casos, los pacientes llegan a dejar los medicamentos para la diabetes, ahorrando dinero entre otros beneficios.

Restringir el consumo de carbohidratos parece mejorar el control de azúcar en la sangre y reducir los altibajos en los niveles de insulina. Es tan efectivo como las dietas bajas en grasas para bajar de peso y puede ayudar a prevenir la diabetes en personas con síndrome metabólico.

La Asociación Estadounidense de la Diabetes recomienda contar los carbohidratos como una manera de controlar el azúcar en la sangre. De hecho, la cantidad de carbohidratos presentes en un alimento predice la forma en que afectará el azúcar en la sangre mejor que el índice glucémico (IG). El IG de los alimentos afecta el azúcar en la sangre, pero la ADA sugiere centrarse primero en algún tipo de conteo de carbohidratos. Después, si lo quiere o necesita, puede ajustar su control de azúcar en la sangre utilizando el índice glucémico. Visite el sitio web *www.glycemicindex.com* (en inglés) para una lista con buscador de los IG de los alimentos.

Descubrir el contenido de carbohidratos es sencillo. Lea la etiqueta de los alimentos envasados para averiguar cuántos gramos de carbohidratos totales contiene cada porción. No olvide comprobar el tamaño de la porción y asegúrese de comer esa cantidad. Porciones más grandes contendrán más carbohidratos.

En los alimentos frescos, usted tendrá que calcular cuántos carbohidratos tienen. La ADA dice que cada una estas porciones de alimentos contiene aproximadamente 15 gramos de carbohidratos. Una dieta baja en carbohidratos debería limitar los carbohidratos a 130 gramos o al 26 por ciento de su consumo de calorías diarias.

- Un trozo pequeño de fruta fresca
- Una rebanada de pan o una tortilla de 6 pulgadas
- Media taza de avena
- Un tercio de taza de fideos o de arroz

- Media taza de frijoles o una verdura con almidón

- Un cuarto de una papa grande al horno

- Dos tercios de taza de yogur natural, libre de grasa

- Media taza de guiso

- Una taza de sopa

Las dietas bajas en carbohidratos pueden no ser adecuadas para todos, así que consulte con su médico antes de realizar cambios importantes en lo que come. Aún si decide probarla, haga que su médico vigile de cerca su azúcar en la sangre. Tal vez necesite reducir la dosis de sus medicamentos para la diabetes antes de comenzar la dieta.

Combata el cáncer con alimentos con un IG bajo

Seguir una dieta de IG bajo también puede ayudar a mantener a raya el cáncer de tiroides, el cáncer de colon y el cáncer de endometrio.

El índice glucémico (IG) mide el efecto que un alimento tiene en el azúcar de la sangre. Alimentos con un IG alto elevan el azúcar en la sangre más que los alimentos con un IG medio o bajo. Las personas que comieron sobre todo alimentos de IG alto en un estudio italiano, fueron hasta un 70 por ciento más propensas a desarrollar cáncer de tiroides en comparación con las que seguían una dieta de IG bajo.

La carga glucémica (CG) tuvo un efecto aún más profundo en el cáncer de tiroides. La CG toma en cuenta el contenido de carbohidratos de un alimento menos su fibra y el tamaño de la porción. En ese mismo estudio, las personas con hábitos alimentarios de alto IG fueron dos o tres veces más propensas a desarrollar cáncer de tiroides que aquéllas que comieron sobre todo alimentos de bajo IG. En la misma línea, los investigadores han encontrado un vínculo entre alimentos con un IG alto y una CG alta y el cáncer de colon y de endometrio.

Después de una comida, los carbohidratos se descomponen en azúcares, los cuales son absorbidos en el torrente sanguíneo. A medida que los niveles de azúcar en la sangre van aumentando, el páncreas libera insulina para ayudar a las células a absorber toda esa azúcar. Los alimentos con un IG alto y una CG alta provocan un aumento mayor de los niveles de azúcar en la sangre que los alimentos con un IG bajo y una CG baja. Para lidiar con esos picos, el cuerpo libera más insulina.

Es ahí donde se presenta el riesgo de cáncer. Se ha señalado que los niveles elevados de insulina son un factor de riesgo en varios tipos de cáncer. La insulina funciona como una hormona de crecimiento en las células del colon y de la tiroides. Incrementa la actividad del factor de crecimiento tipo insulina (IGF, en inglés), que hace que las células se multipliquen y evita que mueran. La insulina también puede afectar las hormonas sexuales como el estrógeno, que son un factor determinante en ciertos tipos de cáncer.

Sin embargo, puede que la insulina no sea la única culpable. Una dieta rica en alimentos con alto contenido de fibra puede reducir el riesgo de desarrollar cáncer de colon, y los alimentos con alto contenido de fibra tienden a tener valores más bajos de IG. La sacarosa del azúcar, por el contrario, aumenta el valor de IG de los alimentos y puede elevar el riesgo de cáncer de colon.

Excelente defensa del colon

Las legumbres, las verduras y las frutas frescas enteras están en la primera línea de prevención del cáncer de colon e, incluso, de su tratamiento. Estos alimentos curativos "secretos" son económicos y podrían prevenir aproximadamente un tercio de todos los casos de cáncer. Pero usted probablemente no los verá anunciados como poderosos enemigos del cáncer. Dado que son alimentos integrales, mínimamente procesados y fáciles de cultivar en un jardín casero, los fabricantes sencillamente no pueden ganar mucho dinero con ellos.

Los expertos del Instituto Nacional del Cáncer constataron que comer alimentos ricos en unos antioxidantes naturales llamados flavonoles reduce el riesgo de recurrencia del cáncer de colon hasta en un 90 por ciento.

Las frutas y verduras, como los frijoles, las manzanas, la cebolla amarilla, el brócoli, la col rizada y el poro son fuentes excelentes, pero la dieta occidental promedio no contiene suficientes flavonoles para ofrecer una protección real contra el cáncer de colon. Empiece a llenar su plato con estos defensores de bajo costo y alta calidad.

Las legumbres dejan nocaut al cáncer de colón. En un estudio, los hombres y mujeres afroamericanos que comieron la mayor cantidad de frijoles, lentejas y chícharos partidos secos resultaron ser 80 por ciento menos propensos a desarrollar cáncer de colon. Los frijoles también combaten el cáncer de mama, próstata, pulmón, hígado y ovario. Las legumbres representan una triple amenaza para diferentes tipos de cáncer porque:

■ Están repletas de fibra. La fibra de los frijoles disminuyó el riesgo más que cualquier otro tipo de fibra en un estudio japonés.

■ Están colmadas de sustancias fitoquímicas. Estos compuestos vegetales pueden proteger las células del daño genético y así ayudan a prevenir los cambios cancerígenos.

■ Están llenas de carbohidratos saludables. El cuerpo no puede descomponer los carbohidratos de los frijoles. Éstos se fermentan en el colon, lo que produce compuestos que combaten el cáncer. En varios estudios, los frijoles pinto, rojos y blancos, las habas blancas y los frijoles cocidos redujeron el riesgo de cáncer de colon.

Las crucíferas combaten el cáncer. Las verduras crucíferas también contienen otros compuestos que ayudan a combatir el cáncer, como el sulforafano y el indol-3-carbinol. Estos compuestos ayudan a las células dañadas a morir de modo que no se vuelvan cancerosas.

Las verduras crudas pueden ser otra buena opción. Los hombres de un estudio obtuvieron 30 por ciento más de sulforafano cuando comieron el brócoli crudo en vez de cocido y, además, lo absorbieron más rápidamente. Las crucíferas pueden perder entre un 30 y un 60 por ciento de sus compuestos anticancerígenos durante la cocción. Un estudio sobre la col roja, sin embargo, encontró que cuando se cocina a fuego lento en la estufa o a nivel medio en el microondas de hecho se incrementa su poder para combatir el cáncer.

Las frutas de verano obstaculizan el cáncer. Los extractos de duraznos y de ciruelas podrían ser una manera dulce de inhibir el crecimiento del cáncer de colon. Los polifenoles, potentes antioxidantes presentes en estas dos frutas, parecen obligar a las células cancerosas a madurar hasta el punto en que ya no pueden reproducirse más, una versión de la menopausia en las células cancerosas.

Algunos azúcares son buenos para la diabetes

Los azúcares naturales, como el de dátil y el azúcar moreno oscuro, están llenos de compuestos antioxidantes que pueden ayudar a controlar la diabetes. Cuanto más oscuro, mejor. El azúcar moreno oscuro, por ejemplo, contiene 4000 compuestos antioxidantes más que el azúcar blanco, gramo por gramo.

Eso es importante, porque los niveles altos de azúcar en la sangre producen demasiados radicales libres, compuestos que pueden dañar las células y causar enfermedades. Sin embargo, los antioxidantes presentes en los azúcares oscuros pueden destruir los radicales libres antes de que hagan daño.

El azúcar de dátil, el azúcar moreno oscuro y el jugo evaporado de caña también inhiben una enzima en los intestinos que controla qué cantidad del azúcar de los alimentos ingresa en el torrente sanguíneo. Inhibir esta enzima puede prevenir los peligrosos picos de azúcar en la sangre después de las comidas.

Hornee o endulce sus alimentos con azúcar moreno oscuro en lugar de azúcar blanco siempre que le sea posible, y busque azúcar de dátil y jugo evaporado de caña en la lista de ingredientes de los alimentos empaquetados.

Apague el dolor de estómago con alimentos germinados

El brócoli acaba de volverse más saludable. Los brotes tiernos o germinados pueden proteger contra males digestivos graves, como las úlceras, la gastritis y el cáncer de estómago. La ominosa bacteria *H. pylori* es a menudo la culpable detrás de estos tres problemas, y aproximadamente la mitad de las personas en el mundo están infectadas con ella. Hace poco, investigadores de la Universidad Johns Hopkins parecen haber descubierto una forma natural de neutralizarla y proteger el intestino.

Un grupo de personas infectadas con *H. pylori* recibieron 2.5 onzas (71 gramos) de brotes de brócoli todos los días durante dos meses. Los brotes no desterraron por completo la bacteria, pero redujeron la gravedad de la infección que tenían. Eso es importante, porque los antibióticos no siempre curan una infección de *H. pylori*. Algunas cepas de la bacteria se han vuelto resistentes a los medicamentos. La imposibilidad de eliminarla deja a muchas personas más vulnerables al cáncer de estómago, el segundo tipo más común de cáncer en el mundo y el segundo más mortal. Afortunadamente, los brotes de brócoli pueden ayudar a suprimir esta infección.

El brócoli está repleto de un compuesto llamado sulforafano, que funciona como un antibiótico contra la *H. pylori*. El sulforafano activa las células en el cuerpo, especialmente en el tracto digestivo, para que produzcan enzimas que protegen el ADN de los productos químicos dañinos, la inflamación y la oxidación. "Los brotes de brócoli tienen una concentración mucho más alta de sulforafano que las cabezas maduras de brócoli", explica Jed Fahey, bioquímico nutricional de Hopkins y uno de los investigadores detrás del estudio.

Agente secreto rejuvenecedor que lo cura todo

Un condimento común utilizado por millones de personas tendría increíbles propiedades para combatir el aumento de peso, la diabetes, el alzhéimer, el cáncer, la indigestión y hasta problemas de piel como la psoriasis. Y lo mejor de todo, es probable que lo tenga en su cocina en este instante (y si no es así, debería tenerlo).

La cúrcuma (*turmeric*, en inglés) es el ingrediente amarillo en el curri en polvo, un condimento popular usado en la comida asiática, en la medicina, en los productos de maquillaje y en los tintes por más de dos mil años. Hoy la ciencia moderna parece haber descubierto un nuevo uso para la cúrcuma.

Los macrófagos, células del sistema inmunitario que viven en el tejido adiposo en todo el cuerpo, producen unas moléculas conocidas como citoquinas. Éstas pueden inflamar el corazón y el páncreas, y hacer que la resistencia a la insuina empeore.

La curcumina, un potente compuesto de la cúrcuma, combate la inflamación al reducir el número de macrófagos y frenar su actividad. Como resultado, la curcumina podría ayudar a evitar la diabetes, la obesidad y otras afecciones asociadas a una inflamación desenfrenada. En un estudio de laboratorio, los ratones obesos que la comieron:

- Tuvieron menos predisposición a desarrollar resistencia a la insulina y glucemia alta, incluso cuando comieron mucha grasa.

- Perdieron peso y grasa corporal, a pesar de estar en una dieta alta en calorías.

- Redujeron el nivel de compuestos inflamatorios en el cuerpo.

- Tuvieron niveles más altos de adiponectina, la hormona que mejora la sensibilidad a la insulina y protege contra la inflamación y el endurecimiento de las arterias.

Los ratones diabéticos que comieron cúrcuma tenían niveles más bajos de azúcar en la sangre y de HbA1c (una medida de control de la diabetes), así como menos colesterol y triglicéridos.

Combate el cáncer de colon. En personas a las que se les han extirpado pólipos en el colon, ciertos compuestos en la curcumina pueden evitar que las células precancerosas del colon se multipliquen, incluso pueden desencadenar su muerte. También pueden calmar la inflamación al frenar la producción del agente inflamatorio COX-2. Estudios muestran que limitar la cantidad de COX-2 puede inhibir el crecimiento de tumores y la propagación del cáncer de colon.

Ayuda a evitar la enfermedad de Alzheimer. Gracias a sus propiedades antioxidantes y antiinflamatorias, en estudios de laboratorio la curcumina redujo la acumulación de beta amiloide y placas cerebrales. En añadidura, un estudio en humanos encontró que las personas asiáticas de edad avanzada que comían curri al menos ocasionalmente obtenían mejores resultados en las pruebas de función cerebral que aquéllas que lo consumían rara vez.

Alivia la psoriasis. La curcumina puede ayudar en el tratamiento de enfermedades autoinmunes, como la psoriasis, de dos maneras:

- Por ser un poderoso antioxidante, elimina los radicales libres de la piel, reduce la inflamación y ayuda a que las heridas sanen más rápidamente.

- También puede ayudar a regular el sistema inmunitario, evitando que la inflamación y las reacciones inmunitarias descontroladas ataquen el cuerpo.

Mejora la indigestión. En nueve de cada 10 personas que tomaron suplementos de curcumina durante una semana, los síntomas de indigestión mejoraron al menos parcialmente.

Refresca un estómago que arde. La curcumina puede ayudar a prevenir las úlceras cuando se toma con medicamentos que tienden a causar úlceras intestinales y estomacales. Puede incluso tratar la colitis ulcerosa (CU). La curcumina ayudó a mantener la remisión y prevenir la recaída en pacientes con esta dolencia que tomaron un gramo de cúrcuma dos veces al día junto con su medicina habitual para la CU.

En India, la mayoría de las personas obtienen aproximadamente una cucharadita de cúrcuma diariamente de sus alimentos. Usted puede tomarla como un suplemento estandarizado. Pero los expertos advierten que obtener pequeñas cantidades de curcumina de la comida es mejor, ya que los suplementos pueden irritar el estómago cuando se toman en dosis altas o a largo plazo. La cúrcuma pura que se compra en las tiendas suele contener mucho más curcumina que el condimento de curri en polvo.

Añada una pizca de pimienta negra a las comidas condimentadas con cúrcuma o curri para aumentar el poder curativo de la especia. La piperina, un compuesto natural de la pimienta, aumenta la absorción de la curcumina en un dos mil por ciento.

Sin embargo, tome precauciones con esta especia si tiene cálculos biliares o enfermedad de la vesícula biliar. La cúrcuma podría hacer que la vesícula biliar se contraiga. También considere evitarla si:

- Usted sufre de diabetes o hipoglucemia, o si usted toma medicamentos para ayudar a reducir el azúcar en la sangre.

- Usted toma regularmente anticoagulantes, medicamentos antiplaquetarios, aspirina o antiinflamatorios no esteroideos como el ibuprofeno.

- Usted tiene enfermedad del hígado, ya que la cúrcuma en dosis altas puede causar daño al hígado.

Beba leche para defenderse del cáncer de colon

Los lácteos no son sólo para tener huesos fuertes. Hay cada vez más pruebas que muestran que el calcio, el magnesio y la vitamina D de los productos lácteos como la leche pueden frenar los cambios precancerígenos en el colon.

Ponga su colon a prueba de cáncer. Investigaciones pasadas han demostrado que los lácteos y el calcio reducen el riesgo de cáncer de colon. En un estudio, los hombres y mujeres que consumían las mayores cantidades de calcio o de lácteos todos los días, tenían menos probabilidades de desarrollar cualquier tipo de cáncer en el tubo digestivo, en especial cáncer de colon. Los hombres redujeron su riesgo en un 16 por ciento, las mujeres en un 23 por ciento.

Haga del magnesio una prioridad. Sin embargo, el calcio por si sólo puede no ser suficiente. Un estudio reciente encontró que los suplementos de calcio reducían la recurrencia de pólipos en el colon, pero sólo si las personas obtenían además suficiente magnesio de la dieta. La proporción de calcio a magnesio podría ser la clave. Cuanto más calcio se consume, es posible que se necesite más magnesio para ver una reducción en el riesgo de desarrollar cáncer de colon.

Asegúrese de estar obteniendo cantidades suficientes de ambos en los alimentos que consume. Comience el día con salvado de avena o con un cereal de trigo triturado, termínelo con arroz integral o un plato de espinacas y coma un puñado de almendras o cacahuates durante el día para obtener su dosis diaria de magnesio.

Venza la enfermedad con vitamina D. La luz del sol reduce la incidencia de muchos tipos de cáncer. El ejemplo más claro es el cáncer de colon. Ya en 1941, los estudios habían demostrado que existía un vínculo entre el lugar de residencia y la probabilidad de contraer esta enfermedad. Por ejemplo, el norte, que recibe menos luz solar durante parte del año, tiene un índice más alto de cáncer de colon que el sur, donde la luz solar es abundante durante casi todo el año. Para leer más sobre este tema, vea la página 82.

Los investigadores descubrieron recientemente que las personas con los niveles más altos de vitamina D en la sangre tenían la mitad de probabilidades de desarrollar cáncer de colon que las que tenían los niveles más bajos. Y que por cada dos tazas de leche que bebían, reducían su riesgo en otro 12 por ciento. Comer queso también ayudó. Por cada 8.8 onzas (249 gramos) de queso *ricotta* que comían al día, su riesgo de cáncer de colon disminuía otro 17 por ciento.

Aléjese del café para controlar la diabetes

El café puede ayudar a prevenir la diabetes tipo 2, pero las personas que ya tienen diabetes deberían beber únicamente café descafeinado. En un estudio, las personas con diabetes que tomaron el equivalente de cuatro tazas de café tuvieron niveles más altos de azúcar en la sangre durante el día, cambios más pronunciados en sus niveles de azúcar en la sangre y de insulina después de las comidas, así como episodios nocturnos de hipoglucemia (caída del azúcar en la sangre).

Los expertos creen que la cafeína podría ser la culpable. Opte por el café descafeinado y evite otras fuentes de cafeína, como los refrescos y el té con cafeína.

El café matutino es un héroe de la salud

Esa taza diaria de café hace algo más que despertarle. También puede proteger el estómago y alejar la diabetes.

Despídase de los cálculos biliares. Las mujeres que bebieron entre cuatro y seis tazas de café al día a lo largo de 20 años tenían 25 por ciento menos probabilidades de necesitar una cirugía de la vesícula biliar por cálculos biliares. Eso significa muchas menos cirugías, ya que la cirugía de la vesícula biliar es una de las operaciones más comunes en Estados Unidos.

De hecho, la mayoría de los estudios sobre la relación entre el café y los cálculos biliares muestran un efecto protector. Los compuestos del café estimulan la liberación de la hormona colecistoquinina, que hace que la vesícula biliar se contraiga. También impiden que el colesterol en la bilis se cristalice en piedras. Sin embargo, la cafeína sola no es la cura. Los expertos señalan que el secreto está en la combinación de magnesio, potasio, niacina, antioxidantes y fibra insoluble que tiene el café. Desafortunadamente, el café descafeinado no parece ofrecer la misma protección. El proceso de descafeinado puede que también elimine muchos de estos compuestos útiles.

Sáquele la delantera a la diabetes. Beber café, ya sea normal o descafeinado, puede reducir el riesgo de diabetes tipo 2 al aumentar la sensibilidad a la insulina y mejorar la tolerancia a la glucosa.

Una vez más, la cafeína puede que no sea la responsable. Habría que dar las gracias a otros compuestos del café, incluidos el ácido clorogénico y las quinidas. Cuanto más café se bebe, más disminuye el riesgo. En un estudio, las personas que disfrutaron de cuatro o más tazas de café al día eran mucho menos propensas a desarrollar diabetes.

Protéjase contra el cáncer de hígado. En un estudio con más de 60 000 personas se vio que cuanto más alto era el consumo de café, más bajo era el riesgo de cáncer de hígado: beber entre dos y tres tazas al día redujo el riesgo en un tercio; entre cuatro y cinco tazas, en casi la mitad; y entre seis y siete tazas, en casi dos tercios.

Los investigadores creen que la cafeína, el ácido clorogénico, los antioxidantes del grano del café y los aceites naturales del café pueden ayudar a mantener bajo control el azúcar en la sangre. Esto, a su vez, puede prevenir la diabetes tipo 2, una enfermedad también ligada al cáncer de hígado. Asimismo, disfrutar de una taza de café por las mañanas parece proteger contra la enfermedad hepática crónica y la cirrosis, que también elevan el riesgo de cáncer de hígado.

Otros remedios naturales

Elimine la grasa y desarrolle músculo más rápido

Un suplemento dietético popular tiene efectos antienvejecimiento, entre ellos la reducción de la peligrosa grasa abdominal. Se trata del ácido linoleico conjugado (ALC), un ácido graso poliinsaturado natural que se encuentra en la grasa de la leche y la carne, pero que para adelgazar se puede obtener de los suplementos.

En un estudio, las personas que tomaron ALC durante seis meses redujeron la grasa del abdomen y las piernas, afinaron sus cinturas e incluso desarrollaron músculo. Las mujeres obesas fueron las que más se beneficiaron, sin importar lo que comían o cuanto ejercicio hacían.

Una revisión de todos los estudios realizados sobre la relación entre el ALC y la pérdida de peso encontró resultados similares. En general, el ALC ayudó a las personas a adelgazar 0.8 libras (363 gramos) de grasa adicionales por cada cuatro semanas de consumo. Después de seis meses, sin embargo, su efecto reductor de grasa se estancó.

Ponga especial atención cuando vaya a comprar este suplemento. Viene en diferentes presentaciones, algunas mejores que otras. La más segura y efectiva contiene dos tipos de ALC, los isómeros cis-9, trans-11 y trans-10, cis-12. No todas las marcas especifican qué fórmula utilizan. En todo caso, revise la lista de ingredientes y asegúrese de que contiene al menos un 75 por ciento de ácido linoleico conjugado.

Para reducir la grasa, una dosis de 3 a 4 gramos al día fue efectiva en algunos estudios, aunque los participantes de un estudio de seis meses de duración tomaron 4 gramos, tres veces al día. Puede que sienta náuseas o tenga malestar estomacal o diarrea después de tomarlo. Efectos secundarios como éstos tienden a desaparecer después de un par de semanas de tratamiento. Mientras tanto, trate de tomar el suplemento con leche u otro alimento rico en proteínas.

Llénese de vitalidad

Tenga más vitalidad sin importar su edad recargando sus reservas naturales de L-carnitina. Usted necesita esta molécula para procesar la energía y convertirla en algo que el cuerpo pueda utilizar. Desafortunadamente, los niveles de carnitina empiezan a decaer alrededor de los 70 años. Los suplementos pueden ayudar a llenar este vacío.

En un estudio con un grupo de centenarios de entre 100 y 106 años de edad, los que tomaron dos gramos de L-carnitina al día durante seis meses terminaron con menos grasa corporal total, más músculo, más energía física y mental, puntuaciones más altas en las pruebas de habilidades de pensamiento y la capacidad para caminar más lejos, en comparación con los que recibieron un placebo.

Dos formas fáciles de acelerar el metabolismo

Nuevos estudios muestran que estos dos compuestos pueden ayudar a quemar más grasa y a combatir la inflamación:

Queme grasa más rápido con CoQ10. La coenzima Q10 (CoQ10) es un compuesto que el cuerpo produce para generar energía en las células. Lamentablemente, su producción decrece con la edad, por las afecciones cardíacas o por los medicamentos con estatinas. Pero usted puede incrementar sus niveles de CoQ10 con un suplemento.

En un estudio, los hombres sanos que tomaron 30 miligramos (mg) de CoQ10 después del desayuno quemaron más grasa durante el ejercicio que los que no la tomaron. Lo mejor de todo, no tuvieron que esforzarse demasiado para obtener estos resultados. Simplemente hicieron un entrenamiento de baja intensidad durante 10 minutos en una bicicleta estacionaria.

Es probable que el suplemento haya ayudado a los músculos a utilizar el oxígeno más eficientemente. Si ése es el caso, los expertos sospechan que la CoQ10 podría aumentar la eficiencia no sólo de los músculos en los brazos y las piernas, sino también de los músculos del corazón y de la respiración.

Consulte con su médico antes de probar la CoQ10, especialmente si tiene diabetes o si toma anticoagulantes o medicamentos para la presión arterial. Para aumentar la absorción, compre las cápsulas blandas de gel en vez de las tabletas duras, y tómelas con las comidas.

Trate la obesidad con resveratrol. Este compuesto vegetal que se encuentra en las uvas y el vino tinto podría ayudar a tratar la obesidad. En estudios de laboratorio, el resveratrol impidió que las células adiposas se multiplicaran, evitó que las células adiposas jóvenes maduraran y provocó su muerte.

Al interactuar con las células adiposas, este compuesto puede ayudar a prevenir enfermedades relacionadas con la obesidad, como la diabetes y los problemas cardíacos. Eso se debe a que las células adiposas producen compuestos que causan inflamación crónica, que la ciencia ha vinculado directamente a dichas enfermedades. El resveratrol puede romper el ciclo al impedir que las células adiposas produzcan estos compuestos inflamatorios.

Cuando se utiliza este compuesto natural junto con la quercetina, se refuerza su capacidad para reducir la grasa. Las investigaciones muestran que estos compuestos combaten la obesidad mejor juntos que por separado. Usted puede encontrar un suplemento que combine los dos compuestos. Elaborado principalmente de uvas muscadina, el *Resvinatrol Complete* cuenta con 100 mg de resveratrol por porción, además de quercetina y extractos de vino tinto, granada y frambuesa roja. Obtenga más información sobre este producto en el sitio web *www.resvinatrolcomplete.com* (en inglés).

La diabetes y los problemas cardíacos

Un suplemento rico en antioxidantes elaborado de la corteza de pino puede ayudar a controlar la diabetes y a reducir la presión arterial.

Las personas que sufrían de diabetes tipo 2 y estaban tomando inhibidores de la ECA para la presión arterial alta recibieron ya sea 125 miligramos de *pycnogenol* o un placebo diariamente durante 12 semanas. Casi seis de cada 10 personas que recibían *pycnogenol* pudieron reducir su dosificación del inhibidor de la ACE a la mitad y seguir manteniendo su presión arterial bajo control. También redujeron sus niveles de HbA1c y de azúcar en la sangre en ayunas, y mejoraron sus niveles de colesterol. Pregúntele a su médico si este suplemento es apropiado para usted.

Un "curalotodo" que ayuda con el azúcar en la sangre

La medicina tradicional China ha utilizado el *ginseng* durante más de dos mil años para disminuir el estrés, aliviar la fatiga, mejorar la memoria, aumentar la fuerza, regular el azúcar en la sangre y proteger el corazón y los vasos sanguíneos. Este remedio asiático tremendamente popular por fin se ha dado a conocer en occidente, y los estudios científicos confirman los beneficios de muchos de sus usos milenarios.

Para empezar, tanto estudios en humanos como en animales sugieren que el *ginseng* puede mejorar la diabetes. El *ginseng* americano redujo los niveles de azúcar en la sangre en personas con esta enfermedad y ayudó a estabilizar el azúcar en la sangre después de las comidas. Los científicos lo confirman, el *ginseng*:

- Incrementa la actividad de las células del páncreas productoras de insulina.

- Protege las células del páncreas de una muerte temprana.

- Reduce la resistencia a la insulina en los tejidos muscular y graso.

- Protege contra el estrés oxidativo y la inflamación.

El *ginseng* coreano rojo mejoró el control del azúcar en la sangre y la insulina en personas con diabetes tipo 2 que tomaron dos gramos tres veces al día antes de las comidas, además de su tratamiento normal para la diabetes.

Comprar *ginseng* puede ser un poco confuso. Hay dos tipos principales: el *ginseng* americano (*Panax quinquefolius L.*) y el *ginseng* asiático (*Panax ginseng*). El *ginseng* asiático viene en dos variedades. Al *ginseng* asiático sin procesar se le conoce como "*ginseng* blanco". Y al *ginseng* asiático que ha sido tratado al vapor y luego secado se le llama "*ginseng* rojo".

Las diferencias importan más de lo que uno podría creer, así que revise las etiquetas cuidadosamente. Sólo el *ginseng* americano y el *ginseng* coreano rojo han demostrado disminuir el azúcar en la sangre, y puede que el americano sea un poco más efectivo. El *ginseng* asiático blanco común, por el contrario, puede que incluso aumente los niveles de azúcar en la sangre.

Más allá de eso, usted puede comprar suplementos en forma de raíz en polvo o en extracto. Lea la etiqueta de información del suplemento y asegúrese de que cumpla estos estándares:

- Para el *ginseng* coreano rojo, compre raíz en polvo con al menos un 1.5 por ciento de ginsenósidos totales (15 miligramos por gramo), o un extracto con al menos un 3 por ciento de ginsenósidos totales (30 miligramos por gramo).

- Para el *ginseng* americano, compre la raíz en polvo con al menos un 2% de ginsenósidos totales (20 miligramos por gramo), o un extracto con al menos un 4 por ciento de ginsenósidos totales (40 miligramos por gramo).

Si usted tiene diabetes sólo tome *ginseng* bajo la atenta supervisión de su médico. Es posible que tenga que reducir las dosis de sus otros medicamentos. Evite cualquier tipo de suplemento de *ginseng* si está tomando warfarina (*Coumadin*) o un antidepresivo, ya que pueden interactuar negativamente con el *ginseng*.

La calidad de los suplementos puede variar mucho. Un laboratorio independiente examinó 18 productos de *ginseng* y encontró uno contaminado con plomo y otros tres que no contenían la cantidad de ginsenósidos que decían tener. Para ver qué marcas pasaron el control de calidad, visite el sitio web *www.consumerlab.com*.

Cuidado con los fármacos contra la acidez

Pérdida del equilibrio, debilidad muscular, incontinencia, cambios de humor y demencia, todo causado por una simple deficiencia de vitamina B12 que probablemente pasaría desapercibida en un examen de sangre rutinario.

A medida que envejecemos el cuerpo naturalmente absorbe menos B12, lo que podría terminar provocando una deficiencia más adelante. Por desgracia, tomar medicamentos contra el reflujo ácido puede empeorar esta deficiencia.

Los inhibidores de la bomba de protones (IBP), como Prilosec, Prevacid y Nexium, impiden que el estómago libere cantidades normales de ácido. El ácido gástrico es necesario para extraer la B12 de los alimentos, por lo que el uso de IBP durante más de dos años puede conducir a una deficiencia de vitamina B12.

Por suerte, usted no necesita ácido gástrico para absorber esta vitamina de los suplementos. Algunos expertos recomiendan que los adultos mayores tomen entre 100 y 400 microgramos de B12 en suplementos al día, aun cuando no estén tomando IBP. Pregúntele a su médico si usted podría beneficiarse de los suplementos de B12.

Alivie el dolor debido a daños a los nervios

La neuropatía puede ser la más dolorosa de todas las complicaciones de la diabetes. Los medicamentos utilizados para tratar los nervios dañados no siempre funcionan y pueden tener efectos secundarios graves. Dos nuevos suplementos sencillos ofrecen la esperanza de mejorar los síntomas e incluso revertir algunos daños a los nervios.

Carnitina. La carnitina puede ayudar a tratar la neuropatía periférica diabética (NPD) y revertir parte del daño a los nervios causado por la diabetes. Una de cada 10 personas con diabetes desarrollará a la larga NPD, generalmente en las piernas, que empeorará con el tiempo. Las pruebas demuestran que las personas que sufren de complicaciones de la diabetes como la NPD tienen niveles más bajos de carnitina que las personas con diabetes que no sufren estas complicaciones. Los científicos sospechan que ayuda de dos formas:

- Alivia el dolor al estimular el cerebro a producir más de sus propios analgésicos naturales.

- Proporciona energía adicional a las células nerviosas, lo que les permite repararse.

En personas con NPD, tomar al menos dos gramos (g) de L-carnitina diariamente alivió el dolor. Un estudio incluso encontró que ayudó a los nervios dañados a volver a crecer. Las células necesitan carnitina para generar energía, y las células nerviosas dañadas pueden necesitar más energía de lo habitual cuando se reparan. En ese sentido, la carnitina puede proporcionar el "alimento" que esos nervios necesitan para crecer.

Los expertos dicen que son necesarios al menos dos gramos de L-carnitina al día para aliviar el dolor y ayudar a reparar las células nerviosas. Hable con su médico primero si usted tiene insuficiencia renal, ya que puede que necesite comenzar con una dosis más baja. Los resultados podrían tardar seis meses, pero si es efectiva usted puede seguir tomándola por el tiempo que su médico recomiende.

Hable de los suplementos de carnitina con su médico tan pronto como comience a experimentar síntomas de NPD.

Ácido alfa lipoico (AAL). Ayuda a las células a convertir el azúcar en la sangre en energía. Desde hace décadas, los médicos en Alemania recetan AAL para la neuropatía periférica diabética (NPD).

Si bien el AAL intravenoso es más efectivo para la NPD, los suplementos orales de AAL pueden ayudar a tratar la neuropatía autonómica, que es cuando la diabetes daña los nervios que controlan los órganos internos, incluido el corazón. También puede mejorar el control del azúcar en la sangre, así como otros problemas cardíacos, renales y circulatorios causados por la diabetes.

Consulte a su médico cuánto AAL debe tomar al día para las complicaciones de la diabetes. Los expertos recomiendan entre 100 y 400 mg tres veces al día. Sin embargo, los resultados pueden tardar varias semanas en sentirse. Mientras tanto, monitoree sus niveles de azúcar en la sangre muy de cerca. Su médico puede necesitar reducir sus medicamentos para la diabetes mientras tome AAL.

Suplemento para dormir también alivia la acidez

Una píldora podría aliviar la acidez estomacal y ayudarle a dormir bien por la noche. En varios estudios, las personas que tomaron melatonina antes de irse a la cama obtuvieron el mismo alivio de la acidez producida por la enfermedad por reflujo gastroesofágico (ERGE) que las que tomaron los inhibidores de la bomba de protones, los medicamentos normalmente utilizados para tratar la ERGE. Es más, la melatonina puede ser más segura a largo plazo y con menos efectos secundarios, además de mejorar la calidad del sueño.

En la parte superior del estómago hay una válvula, o esfínter, que se cierra para evitar que los jugos digestivos del estómago fluyan hacia el esófago. En personas con reflujo ácido, este esfínter se relaja cuando no debe, permitiendo que el ácido gástrico ascienda al esófago. Los remedios típicos para la acidez estomacal actúan haciendo que el ácido gástrico se vuelva menos ácido, de modo que los jugos digestivos no quemen. La melatonina, en cambio, funciona de las siguientes maneras:

- Evita que el esfínter se relaje en los momentos equivocados.

- Impide que el estómago secrete el corrosivo jugo digestivo.

- Protege el esófago del daño que puede causar el ácido gástrico.

Tomar 6 miligramos de melatonina a la hora de acostarse alivió la acidez estomacal en los estudios. Aun así, los expertos dicen que se deben seguir tomando los medicamentos normales para la ERGE durante los primeros 40 días del tratamiento con melatonina. Después de eso, mantenga una dosis de su medicamento habitual a mano y tómela si los síntomas reaparecen.

Vida saludable

Derrita la grasa abdominal en tres pasos

¿Sabía usted que la "llanta de repuesto" que muchas personas llevan alrededor de la cintura puede aumentar el riesgo de desarrollar enfermedades cardíacas, presión arterial alta, diabetes tipo 2, problemas pulmonares y cáncer?

Perder el peso que le sobra alrededor de la cintura no sólo reducirá el riesgo de sufrir enfermedades cardíacas y diabetes, sino que también reducirá las probabilidades de necesitar cirugía. Las mujeres con cinturas más anchas son más propensas a necesitar cirugía de la vesícula biliar, una de las cirugías más comunes en Estados Unidos.

Siga estos tres pasos para derretir la grasa abdominal, limpiar las arterias, bajar el azúcar en la sangre y aumentar la energía a niveles que jamás creyó posibles. Son seguros y fáciles de seguir:

Póngase en movimiento. Caminar ayuda a aplanar el vientre sin ejercicios agotadores. En un estudio realizado en Brasil, las personas que caminaron 30 minutos al día, cinco días que a la semana durante cinco meses, afinaron su cintura, disminuyeron su índice de masa corporal (IMC), eliminaron grasa corporal y redujeron sus niveles de azúcar en la sangre en ayunas.

Empiece despacio y póngase objetivos. Aspire a caminar entre 10 y 30 minutos al día, tres días a la semana, y determine su propio ritmo. Una vez que le sea fácil, aumente el ritmo a cinco días a la semana. Cuando lo logre, vaya incrementando la duración de las caminatas, primero a 40 minutos, luego a 50, hasta llegar a una hora. Una vez que lo haya conseguido, incremente el desafío acelerando el ritmo. Al acelerar el ritmo, usted quemará más calorías y perderá más peso en el mismo lapso de tiempo.

La idea es empezar con objetivos realistas y gradualmente ir incrementando su resistencia física. Si se propone objetivos imposibles desde el principio, perderá el interés rápidamente. Invierta en un par de zapatillas para caminar de buena calidad que le brinden apoyo, para proteger sus articulaciones y su espalda, y evitar que las lesiones descarrilen su plan de ponerse en forma.

Cuente los pasos. Investigadores de Stanford encontraron que los usuarios de podómetros registraban aproximadamente 2000 pasos más al día que los caminantes regulares. Otro estudio muestra que las personas que usan podómetros adelgazan unas 5 libras más al año, como promedio. También logran bajar su presión arterial lo suficiente como para reducir su riesgo de muerte por infarto en casi un 20 por ciento y de muerte asociada a un derrame cerebral en casi un 14 por ciento. Todo esto por usar un dispositivo que cuesta apenas $10.

Póngase objetivos para obtener el mayor beneficio. Por ejemplo, colóquese el podómetro en la mañana e intente caminar 10 000 pasos a lo largo del día. En un estudio, tener un objetivo de pasos motivó a las personas a caminar más, incluso cuando lograban alcanzarlo.

Elija los alimentos adecuados. Combine una caminata diaria con una dieta razonable. Usted adelgazará más rápido, lo que elevará su moral y hará que sea más probable cumplir con el programa.

■ Coma comidas más pequeñas, más a menudo. Puede disfrutar de seis comidas pequeñas al día en lugar de dos o tres grandes.

- Intente comer más proteínas magras para acelerar el metabolismo.

- Reduzca las calorías comiendo frutas, verduras y granos integrales en lugar de comida chatarra grasosa.

Ocho alimentos peligrosos para los mayores

Conforme envejecemos, más vulnerables nos hacemos a la intoxicación por alimentos. Los brotes de *Salmonella* y *E. coli* son mucho más peligrosos para las personas mayores que para los jóvenes.

La Administración de Alimentos y Medicamentos (FDA, en inglés) ha identificado estos ocho alimentos como los principales culpables de intoxicaciones potencialmente letales:

- Brotes frescos de soya o de alfalfa
- Mariscos que se sirven crudos (por lo general, las ostras)
- Pescado crudo, como el tartar de atún y el sushi
- Carnes rojas y de ave crudas, como el tartar de ternera
- Leche o quesos crudos o no pasteurizados
- Quesos blandos, como feta, brie y queso azul, servidos a temperatura ambiente
- Huevos ligeramente cocidos, huevos crudos en la masa de pasteles o galletas sin hornear, ponche de huevo casero o mayonesa casera
- Jugos de fruta o de verduras no pasteurizados

Pero recuerde, estos alimentos son excepciones. La mayoría de los alimentos frescos son opciones saludables.

Aligere su carga para vencer la diabetes

Más de la mitad de las personas con un peso corporal "normal" en realidad son obesas porque tienen demasiada grasa, según un estudio sorprendente de la Clínica Mayo. Esto las hace más propensas a desarrollar síndrome metabólico, un factor de riesgo para la enfermedad cardíaca y la diabetes tipo 2. Por suerte, usted puede hacer dos cambios sencillos en su rutina diaria y unirse a las filas de las personas más saludables en Estados Unidos. Durante tres años, personas con alto riesgo de diabetes consumieron menos grasa e hicieron 30 minutos de ejercicio cinco veces a la semana. El peso que perdieron fue suficiente para reducir considerablemente su riesgo de desarrollar diabetes. Las que más adelgazaron redujeron su riesgo en un asombroso 96 por ciento, pero las que apenas bajaron 11 libras igualmente disminuyeron su riesgo a la mitad.

La pérdida de peso fue clave, aunque el ejercicio potenció ese esfuerzo. Incluso las personas que perdieron poco peso o no adelgazaron, se beneficiaron con la actividad física. El ejercicio por sí solo redujo el riesgo de diabetes en un 44 por ciento.

Estos cambios fueron más efectivos en prevenir la diabetes que fármacos como la metformina. Mejor aún, el ejercicio puede ser gratis, además de divertido, y usted no tiene que emplear mucho tiempo haciéndolo, ya que incluso las rutinas cortas de ejercicios pueden ayudar. En un estudio, los hombres que optaron por la bicicleta estacionaria tres veces por semana y pedalearon a toda velocidad durante 30 segundos, entre cuatro y seis veces en el transcurso de 15 minutos, mejoraron significativamente su control del azúcar en la sangre en sólo dos semanas.

Chicle calma los antojos dulces

Las personas que almorzaron y luego masticaron una goma de mascar sin azúcar durante unos minutos cada hora durante las siguientes tres horas:

- Eliminaron 40 calorías del refrigerio entre comidas.
- Por lo general no sintieron tanta hambre ni tuvieron tantos antojos de dulces.
- Tuvieron más energía por la tarde y sintieron menos somnolencia.

Tres buenas razones para salir a pasear

Todos los perros necesitan hacer ejercicio para tener una vida sana y equilibrada, según César Millán, un especialista en comportamiento canino de renombre mundial. Reciba una lección de Fido. Salga a dar un paseo diario para aumentar su energía, controlar sus antojos de alimentos y reducir su riesgo de desarrollar cáncer de colon.

Frene la fatiga. Los ejercicios ligeros como caminar combaten la fatiga mejor que los ejercicios moderados o intensos. A personas que se sentían constantemente cansadas por exceso de trabajo o por no dormir lo suficiente se les dijo que hicieran ejercicio tres veces por semana durante seis semanas: o bien ejercicios ligeros, como dar un paseo tranquilo y relajante, o bien ejercicios moderados, como caminar rápido por una calle con pendientes. Todos sintieron que su energía aumentó en un 20 por ciento, pero los que caminaron sin prisa se sintieron menos cansados.

Alivie los antojos. Salir a pasear también puede apaciguar los antojos de chocolate. Caminar a paso ligero durante 15 minutos ayudó a los amantes del chocolate a resistir la tentación de comer algo dulce.

Los ejercicios aeróbicos, como caminar y trotar, aumentan los niveles del factor neurotrófico derivado del cerebro en la sangre (BDNF en inglés). Esta proteína ayuda a mantener saludables las células nerviosas, pero también puede inhibir el apetito. Un estudio encontró que hacer ejercicio aumentó los niveles de BDNF en personas con sobrepeso y en personas con obesidad. Cuanto mayor era su BDNF, más adelgazaron y menos calorías consumieron.

El ejercicio aeróbico a la vez estimula la hormona péptido YY que calma el apetito e inhibe la hormona grelina que abre el apetito. Así que salga a pasear después de cenar para sentirse satisfecho y con menos hambre, por más tiempo.

Combata el cáncer de colon. Investigadores de Harvard examinaron 25 años de estudios y concluyeron que las personas que hacen ejercicio reducen sus probabilidades de desarrollar cáncer de colon en un 25 por ciento.

Tampoco necesita pasarse todo el día en una caminadora. "El efecto beneficioso del ejercicio se aplica a todo tipo de actividades", dice la autora principal del estudio, Kathleen Wolin, experta en prevención y control del cáncer del Centro de Cáncer Siteman del Barnes-Jewish Hospital y la Universidad de Washington. Actividades como trotar, montar bicicleta y nadar, e incluso las relacionadas al trabajo, como caminar, cargar y excavar, parecen ofrecer esta protección.

Concéntrese en su estado físico y no en su peso

Qué tan bueno es su estado físico, no cuánto pesa, es lo que más importa para vivir una vida larga. Entre más de 2600 personas mayores de 60 años, aquéllas calificadas como "En buena forma física" según pruebas realizadas en una caminadora estacionaria, resultaron ser las menos propensas a morir en los próximos 12 años, sin importar su peso. Para las personas calificadas como "En mala forma física", por el contrario, sus probabilidades de morir eran más de cuatro veces mayores.

Tampoco es necesario correr maratones. Incluso las personas mínimamente en forma tenían la mitad de probabilidades de morir que las personas en mala forma física. Los expertos afirman que una caminata de 30 minutos al día, casi todos los días de la semana, pondría a casi todo el mundo dentro de la categoría de "En buena forma".

Descanse para derrotar la diabetes

No acelere los problemas del envejecimiento; más bien retráselos con sólo dormir bien y lo suficiente. El sueño poco profundo, la extrema sensibilidad a la insulina y el riesgo creciente de diabetes son típicos de la edad, pero hasta ahora los científicos no se habían dado cuenta que uno afecta a los otros.

Las personas que duermen menos de seis horas cada noche tienen cuatro veces más probabilidades de desarrollar problemas de azúcar en la sangre, lo que puede preceder a la diabetes, que las que duermen entre seis y ocho horas cada noche. Pero no sólo es importante la cantidad de sueño. También lo es la calidad.

El cerebro se mueve a través de diferentes etapas del sueño durante la noche. La conexión entre el sueño y el azúcar en la sangre puede depender de la cantidad suficiente de sueño profundo de onda lenta que uno obtenga. El cuerpo sufre cambios hormonales durante esa fase, lo que ha llevado a los investigadores a sospechar que es particularmente importante para el control del azúcar en la sangre.

Los expertos probaron su teoría en un grupo de jóvenes sanos, pero con déficit de sueño. Durante las noches hicieron ruido para evitar que los jóvenes cayesen en un sueño profundo. Después de tan sólo tres noches, la falta de sueño provocó un descontrol en sus niveles de azúcar en la sangre. Increíblemente, sus cuerpos reaccionaron como si de repente hubiesen aumentado entre 17 y 28 libras, y los cambios que sufrieron fueron suficientes como para merecer la calificación de "alto riesgo" para la diabetes. Su sensibilidad a la insulina disminuyó y su tolerancia a la glucosa empeoró. Cuanto menos sueño profundo tuvieron, peores fueron sus síntomas.

No es necesario tener a un grupo de científicos despertándole todas las noches para terminar con una deficiencia de descanso reparador de este tipo. Otros factores también pueden sabotear el sueño:

- La edad. Estos jóvenes cansados en el fondo estaban teniendo la misma cantidad de sueño de onda lenta que alguien 40 años mayor. La cantidad de sueño profundo que usted tiene cada noche tiende a disminuir a medida que envejece, un cambio que puede aumentar el riesgo de diabetes tipo 2.

- El peso. El sobrepeso también puede empeorar el sueño. Las personas obesas son especialmente propensas a tener un sueño muy poco profundo, gracias en parte a problemas como la respiración alterada durante el sueño. Estos problemas, a su vez, podrían contribuir a la resistencia a la insulina en personas obesas.

Dormir más y con un sueño de mejor calidad, sin embargo, puede ayudar a controlar el peso, además de prevenir o retrasar la aparición de diabetes tipo 2 (si se trata de un factor de riesgo para usted), así como combatir la presión arterial alta y evitar los resfriados. Pruebe estos consejos de descanso reparador de la Academia Estadounidense de Medicina del Sueño (AASM, por sus siglas en inglés).

- Atienda las tareas que le pueden causar preocupación, tales como pagar sus cuentas, temprano en el día y no justo antes de irse a dormir.

- Haga ejercicio temprano, no antes de acostarse.

- Deje de beber cafeína después del almuerzo. Eso también incluye el té con cafeína.

- Evite el alcohol durante las últimas seis horas antes de irse a la cama.

- No fume antes de meterse en el sobre. La nicotina es un estimulante.

- Disfrute de las comidas abundantes al final de la tarde, no tarde por la noche.

- Sólo acuéstese cuando sienta sueño. Si no se ha dormido después de 20 minutos, levántese.

- Cree rituales relajantes antes de dormir, como darse un baño caliente, un aperitivo especial, leer durante unos minutos o simplemente lavarse los dientes, para preparar su mente y cuerpo para el sueño.

- Mantenga el dormitorio a oscuras, tranquilo y un poco fresco por la noche.

- Use la cama para dormir, y no para comer, ver televisión o hablar por teléfono mientras está acostado.

- Trate de levantarse a la misma hora todos los días para mantener el cuerpo en una rutina constante.

Presione estos puntos secretos para superar el cansancio

Renueve su vitalidad y reponga su energía. Sólo masajee estos puntos secretos contra la fatiga y sentirá la diferencia de inmediato. Puede que suene demasiado bien para ser verdad, pero un estudio realizado por la Universidad de Michigan muestra que la digitopresión, también conocida como digitopuntura o acupresión, realmente funciona.

A un grupo de estudiantes que debían asistir a una clase aburrida que duraba todo un día, se les pidió que utilizaran una de dos técnicas de digitopresión: debían presionar o bien los puntos de relajación o bien los puntos estimulantes de la atención mientras permanecían sentados en clase. Efectivamente, presionar los puntos estimulantes de la atención hizo que se sintieran más despiertos.

Se trata de una técnica que usted también puede aprender. Presione estos cinco puntos de estimulación para despertarse rápidamente, empezando por la cabeza y continuando hacia abajo. Para la corona de la cabeza, simplemente golpéela suavemente durante tres minutos. En los demás puntos, frote suavemente hacia la derecha y hacia la izquierda durante tres minutos con los dedos o el pulgar.

- Coloque los dedos sobre la corona, que es el punto central de la parte superior de la cabeza.

- Encuentre las dos crestas óseas en la base del cráneo. Descienda 1 pulgada (2.5 cm), luego mueva los dedos 1.5 pulgadas (3.8 cm) más cerca de la oreja izquierda por un lado y de la oreja derecha por el otro.

- Aplique presión en el espacio interdigital entre el pulgar y el dedo índice de cada mano.

- Ubique el punto debajo de la rótula de cada rodilla. Vaya cuatro dedos de ancho más abajo, luego muévase media pulgada (1.3 cm) hacia el exterior.

- Encuentre el punto donde se unen el segundo y el tercer dedo del pie, luego vaya a la planta del pie, justo debajo de la bola del pie, y presione ese punto estimulante.

Aromas para permanecer alerta

La próxima vez que se siente a revisar sus impuestos o a pagar cuentas, aspire un poco de lavanda o de limón. No sólo le hará la tarea más agradable, también le mantendrá alerta.

- A la lavanda se la conoce más por su efecto relajante, pero lo cierto es que también puede servir para aumentar la atención. Es ideal para las tareas mentales exigentes que requieren mucha concentración durante períodos largos de tiempo.

- El limón podría impedir el cansancio. Estudiantes obligados a resolver problemas de matemáticas mostraron tener más vigor y menos agotamiento cuando olían un aroma alimonado.

Una cura sencilla para la apnea del sueño

Se trata de una dolencia grave que puede tener un tratamiento simple, incluso una cura. Bajar de peso podría poner fin a la apnea del sueño en casi nueve de cada 10 personas.

Las personas con apnea del sueño dejan de respirar, a veces cientos de veces, durante la noche. Cada vez que lo hacen, se despiertan un poco, lo que puede dejarlas exhaustas al día siguiente. Pero el problema va mucho más allá del simple cansancio. La apnea del sueño puede elevar la presión arterial, duplicar el riesgo de accidente cerebrovascular, ocasionar pérdida de memoria y trastornos de la personalidad y aumentar las probabilidades de desarrollar enfermedades cardíacas y diabetes.

Usted puede comprar aparatos dentales y respiradores para combatir la apnea, pero el tratamiento número uno es gratuito: perder el peso que le sobra. Treinta y cinco enfermos de apnea del sueño iniciaron una dieta baja en calorías y adelgazaron un promedio de 20 libras en un año. Nueve de cada 10 personas del grupo que adelgazó

33 libras se curaron por completo. Incluso una pérdida mínima de peso puede ser de ayuda. Seis de cada 10 personas que bajaron entre 11 y 33 libras también se curaron.

Bajar de peso no es algo que sucede de un día para otro. Mientras adelgaza, usted puede empezar a dormir mejor con estos consejos:

- Duerma de costado, no de espaldas.

- Eleve la cabecera de la cama.

- Deje de fumar.

- Evite el alcohol y los sedantes antes de dormir. Los hombres, en particular, deben reducir la cantidad total de alcohol que beben, no sólo la que beben antes de acostarse.

Pase frío para adelgazar

No toda la grasa es mala. La grasa marrón de hecho puede quemar calorías y podría acelerar su pérdida de peso.

Hay dos tipos de grasa en el cuerpo: la blanca y la marrón. La grasa blanca almacena el exceso de energía de los alimentos que comemos, pero también libera hormonas y otros compuestos que pueden estropear el metabolismo y causar la resistencia a la insulina.

La grasa marrón, por otra parte, ayuda a regular la temperatura del cuerpo. La mayor parte del tiempo está en estado latente, hasta que uno siente frío. Entonces entra en acción para producir calor. Está compuesta de mitocondrias, que son diminutos generadores de energía dentro de las células que capturan y queman las grasas y el azúcar del torrente sanguíneo para elevar la temperatura corporal.

Es más, la grasa marrón puede afectar el metabolismo de forma positiva al mejorar la sensibilidad a la insulina y frenar la tendencia a aumentar de peso con la edad. Tener más grasa marrón se ha asociado con tener un peso más saludable, mejores niveles de azúcar en la sangre y menos grasa corporal total. Lamentablemente, cuanto más envejecemos, solemos tener menos grasa marrón. Tomar beta bloqueadores por períodos prolongados también puede afectar su funcionamiento, lo que explicaría por qué estos medicamentos a veces conducen al aumento de peso.

Cuando el cuerpo siente frío "activa" su capacidad para quemar calorías. En un estudio, los participantes activaron su grasa marrón sentándose en una habitación a 61 grados Fahrenheit durante dos horas, sin abrigarse. Nadie quiere sufrir una hipotermia en un intento por activar su grasa marrón, por lo que los expertos están buscando maneras de activarla con la ayuda de medicamentos. Estén atentos a los avances y, mientras tanto, disfruten del clima frío.

Seis trucos para bajar de peso y no recuperarlo

Usted puede engañar a su cuerpo para sentirse más lleno y controlar los antojos sin pasar hambre o privaciones. Pruebe estas estrategias inteligentes de personas que han tenido éxito en sus dietas.

Lleve un diario de alimentos. Registre lo que come y adelgazará el doble. Las personas en un ensayo llamado "Mantenimiento de la Pérdida de Peso" que llevaron un diario de alimentos, perdieron dos veces más peso que aquéllas que no lo hicieron. De hecho, de 1700 personas, casi siete de cada 10 adelgazaron al menos 9 libras.

"Cuantas más anotaciones hacían en sus diarios, más peso perdían", explica Jack Hollis, investigador del Centro para la Investigación de la Salud, de Kaiser Permanente, y autor principal del estudio. "Parece que el simple hecho de anotar lo que comen anima a las personas a consumir menos calorías".

Sin embargo, no es necesario llevar un diario detallado, afirma Keith Bachman, médico y miembro de la Iniciativa para el Control del Peso, de Kaiser Permanente. "Llevar un diario de alimentos no tiene que ser una actividad formal. Tan sólo el acto de garabatear lo que se come en un pequeño pedazo de papel es suficiente. Es el proceso de reflexión acerca de lo que comemos lo que nos ayuda a tomar conciencia de nuestros hábitos y, con suerte, a cambiar nuestro comportamiento".

Además de mantener un registro de lo que comieron, los participantes de este estudio también:

- Siguieron una dieta baja en grasas basada en frutas y verduras.

- Se trazaron como meta hacer 30 minutos o más de ejercicio todos los días.

- Asistieron a reuniones semanales de apoyo grupal.

Saboree la comida. Comer lentamente, con bocados pequeños y pausas entre bocados, masticar bien los alimentos y tomar la sopa con una cucharilla en lugar de una cuchara grande, son trucos sencillos que pueden ayudarle a bajar de peso. Las mujeres que los siguieron consumieron 67 calorías menos que cuando comieron la misma comida de manera rápida. Además, quedaron más satisfechas. Las calorías se acumulan rápidamente. A este ritmo, comer tres comidas diarias de manera más lenta podría significar un ahorro impresionante de 201 calorías al día.

Preempaquete sus refrigerios. Dividir una bolsa o caja grande de refrigerios en porciones individuales y llevarlas en pequeñas bolsas de plástico resellables puede ayudarle a comer menos. Tener que abrir un segundo envase o bolsa le da al cerebro la oportunidad de elegir conscientemente si realmente quiere comer algo o no. De lo contrario, el proceso de merendar se hace sin pensar. El efecto desaparece con el tiempo. El cerebro se acostumbra a los envases y a tener que abrir una segunda y una tercera bolsa, y empieza a hacerlo sin pensar. Para evitar que esto ocurra, cambie con frecuencia la forma en que organiza y divide sus refrigerios.

Evite los dramas. Opte por las comedias. Los voluntarios de un estudio podían comer palomitas de maíz saladas o uvas sin semilla mientras miraban una de dos películas. Los que vieron la película triste comieron un tercio más del refrigerio salado que los que vieron la comedia. Los investigadores creen que las personas tienden a preferir comidas reconfortantes cuando se sienten tristes.

Súbase a la báscula. Pesarse regularmente puede ayudar a combatir la acumulación de grasa alrededor de la cintura en las personas de mediana edad. En un estudio, las personas que continuaban pesándose todos los días después de adelgazar tenían más probabilidades de mantener su peso. Por el contrario, aquéllas que evitaban la báscula fueron más propensas a engordar nuevamente.

Obtenga ayuda. Unirse a un programa de pérdida de peso que incluye sesiones de asesoramiento sobre la dieta puede hacer que sus esfuerzos sean más exitosos. En un estudio, a las personas que siguieron obteniendo asesoramiento después de adelgazar les fue mejor en sus esfuerzos por mantener su peso durante el año y medio siguiente que a las personas que decidieron no recibir asesoramiento.

Alternativas médicas

Nuevos tratamientos sencillos para la apnea del sueño

El estándar de oro para el tratamiento de la apnea del sueño, la máquina de presión positiva continua de las vías respiratorias (CPAP, por sus siglas en inglés), puede ser difícil de usar. Como resultado, muchas personas abandonan su uso. Afortunadamente, no es la única solución. Tres dispositivos novedosos podrían aliviar las dificultades respiratorias y los ronquidos con menos inconvenientes.

Haga ejercicios bucales. Dieciséis personas con apnea del sueño moderada hicieron una rutina de ejercicios desarrollados para la lengua, el paladar blando y la garganta durante 30 minutos todos los días. Al cabo de tres meses, respiraban con más facilidad, dormían mejor, roncaban más silenciosamente y con menos frecuencia, y se sentían más despiertas durante el día en comparación con los pacientes que no hicieron los ejercicios.

En la apnea obstructiva del sueño, se produce un colapso de las vías respiratorias superiores durante el sueño, lo que interrumpe la respiración haciendo que se despierte. Los investigadores detrás de este estudio dedicaron ocho años a desarrollar ejercicios específicos para ayudar a detener este colapso. Usted puede aprenderlos si encuentra un terapeuta del habla familiarizado con ellos.

Explore opciones dentales. Ahora existen aparatos bucales que se pueden utilizar para el tratamiento de la apnea del sueño leve o moderada, según la Academia Estadounidense de Medicina del Sueño. Pero un nuevo estudio sugiere que hay una pieza bucal que también puede ser efectiva para las personas con apnea severa.

Investigadores de Texas probaron este nuevo aparato llamado posicionador ajustable Thornton (TAP, por sus siglas en inglés) en pacientes que no podían tolerar la máquina de CPAP tradicional. "Lo que observamos fue que muchos de nuestros pacientes con apnea del sueño de moderada a severa no seguían el tratamiento estándar si debían hacerlo con una máquina de CPAP", dice Paul McLornan, profesor adjunto en el Departamento de Prostodoncia en la Facultad de Odontología de la Universidad de Texas. Menos de la mitad utilizaban las máquinas de CPAP, por lo que los investigadores buscaron otra forma de tratar esta dolencia.

El TAP es un aparato mucho más pequeño que se ajusta cómodamente en la boca y que tira de la mandíbula inferior hacia adelante, manteniendo las vías respiratorias abiertas mientras se duerme. Los pacientes del estudio lo utilizaban todas las noches y, según McLornan, con buenos resultados. "Vimos a pacientes que al inicio del estudio tenían una apnea del sueño severa y que al final tenían una apnea muy leve o se habían librado de ella. Los pacientes dijeron dormir mejor y sentirse más descansados por la mañana y más saludables en general". De hecho, los estudios demuestran que las personas tienen más éxito a largo plazo con estos dispositivos bucales que con la cirugía estándar para la apnea del sueño.

El TAP no es su única opción. Otros aparatos bucales, como Dynamax, pueden tratar apneas leves o moderadas. Tenga en cuenta, sin embargo, que los aparatos bucales generalmente funcionan mejor si usted duerme boca arriba o boca abajo, pero no de lado.

Pregunte acerca de los implantes. El procedimiento Pillar para colocar implantes de paladar trata principalmente el ronquido, pero también puede ayudar con la apnea del sueño de leve a moderada. Los implantes se colocan en un consultorio médico con anestesia local. Se insertan tres piezas cortas de poliéster dentro del velo del paladar para limitar su movimiento durante la noche. Los estudios muestran que funciona tan bien como la cirugía, pero con mucho menos dolor y una recuperación más rápida.

Lo más importante es encontrar algo que funcione para usted, ya sea la máquina de CPAP, un aparato bucal o un implante. Si no se trata, la apnea obstructiva del sueño puede aumentar el riesgo de sufrir un ataque al corazón, enfermedades coronarias, presión arterial alta, insuficiencia cardíaca congestiva y enfermedad por reflujo gastroesofágico (ERGE). No sólo eso, también reduce la esperanza de vida en aproximadamente 20 años.

Haga STOP antes de someterse a cirugía

Responder a una encuesta sencilla llamada STOP puede ayudarle a evitar complicaciones quirúrgicas y una larga estadía en el hospital, e incluso puede salvarle la vida.

Hasta una de cada cuatro personas sufre de apnea del sueño, pero nueve de cada 10 no lo saben. Ésas son estadísticas peligrosas, especialmente si usted piensa someterse a una cirugía. Las personas con apnea obstructiva del sueño son más propensas a sufrir problemas de intubación, complicaciones postoperatorias y muerte después de la cirugía. También tienden a tener estancias hospitalarias más largas y mayores tasas de admisión a cuidados intensivos.

Sin embargo, si el anestesiólogo sabe que usted tiene apnea del sueño, puede elegir técnicas y equipos más adecuados a su situación, así como asegurarse de que la cirugía tenga lugar en un hospital equipado para lidiar con posibles complicaciones.

La mayoría de los hospitales y clínicas no identifican a las personas con apnea del sueño antes de una cirugía, debido principalmente a que no había una forma fácil de hacerlo. Pero ahora la hay. Los expertos han elaborado lo que se conoce como la encuesta STOP, que consiste en cuatro preguntas del tipo sí/no, que pueden ayudar a los médicos y a los anestesiólogos a determinar si un paciente sufre de apnea del sueño. Examínese contestando estas preguntas STOP:

■ ¿Ronca usted ruidosamente (lo suficientemente fuerte como para que se le oiga a través de puertas cerradas)?

■ ¿Se siente a menudo cansado, fatigado o somnoliento durante el día?

■ ¿Alguien se ha fijado si usted deja de respirar mientras duerme?

■ ¿Usted tiene o está en tratamiento para la presión arterial alta?

Si contestó "sí" a dos o más preguntas, es muy posible que sufra de apnea del sueño. Esas probabilidades se elevan aún más si usted:

■ Es hombre.

■ Tiene más de 50 años.

■ Su índice de masa corporal (IMC) es superior a 35.

■ La circunferencia de su cuello es mayor de 40 centímetros.

Notifique a su médico si usted cree que tiene apnea del sueño, incluso si no está planeando una cirugía. Si trata esta dolencia, usted vivirá una vida más larga y saludable.

Solución sin fármacos para las náuseas

Llevar una pulsera puede aliviar las náuseas después de la cirugía. Así lo asegura un análisis de 40 estudios sobre digitopresión y acupuntura. Presionar el punto P6 en el interior del antebrazo, dos pulgadas hacia arriba desde la muñeca, parece ser la clave. Es el mismo lugar al que apuntan las pulseras que se venden para el mareo por movimiento. Un estudio notó que estimular ese punto fue tan efectivo como los fármacos para las náuseas y los vómitos, y redujo la necesidad de contar con medicación de rescate contra las náuseas.

Pruebas sencillas para la detección del cáncer de colon

Nuevas pruebas y técnicas de detección pueden hacer que las colonoscopías sean menos frecuentes y más tolerables.

Hágase una prueba más simple. Muchas personas posponen la cita para hacerse una colonoscopía porque temen que será poco agradable. Aunque es la prueba recomendada para detectar el cáncer de colon, una prueba sólo puede ser tan eficaz como la voluntad de las personas para hacérsela. Existe otra prueba más popular y no invasiva: la prueba de sangre oculta en materia fecal (FOBT, por sus siglas en inglés). Desafortunadamente, esa prueba no es tan buena para el diagnóstico temprano del cáncer de colon. Esto es un problema, porque la detección temprana aumenta las probabilidades de supervivencia.

Por suerte, los científicos parecen haber descubierto una forma más fácil de detectar esta enfermedad mortal. La mayoría de las personas con cáncer de colon tienen niveles altos de la proteína CD24 en la sangre. Nuevas investigaciones muestran que un simple análisis de sangre puede comprobar los niveles de CD24 y detectar acertadamente el cáncer en sus etapas iniciales.

Obtenga mejores biopsias. Si su médico considera que debe hacerse una colonoscopía, especialmente si la prueba CD24 resultó positiva, pregunte por el nuevo sistema de endomicroscopía confocal (CFM, en inglés), que puede no detectar pólipos en el colon pero también determinar si son benignos o cancerosos antes de extirparlos para la biopsia. Como resultado, usted necesitará menos extracciones de pólipos y prevendrá biopsias innecesarias.

Haga su reserva para la mañana. Programe su examen a primera hora de la mañana, mientras el médico está descansado y alerta. Un estudio comprobó que los médicos eran más propensos a identificar y eliminar pólipos precancerosos durante las colonoscopías matutinas, en comparación con las de la tarde. La probabilidad de detectar pólipos peligrosos decayó por cada hora de atención de pacientes.

Cumpla con el horario. El tipo de examen, ya se trate de una colonoscopía, una sigmoidoscopía flexible, una colonografía por

CT o una prueba fecal, importa menos que si usted cumple con el programa recomendado de pruebas. Puede que no necesite hacerse chequeos de rutina después de cumplir los 76 años. El Grupo de Trabajo de Servicios Preventivos de EE.UU. opina que, para la mayoría de las personas, los riesgos de las pruebas de cáncer de colon empiezan a superar los beneficios después de 75 años de edad.

Los diferentes tipos de pruebas tienen diferentes cronogramas. Analice sus factores de riesgo, su historial médico y las pruebas disponibles con su médico para encontrar la adecuada para usted.

Cúrese más rápido ¡mascando chicle!

La goma de mascar puede ayudarle a recuperarse más rápido de la cirugía colorrectal. Nuevos estudios muestran que las personas que mascaron chicle se recuperaron aproximadamente un día antes que las que no lo hicieron. Puede que no reduzca su estadía en el hospital, pero contribuye a la normalización de la digestión después de una cirugía.

Seis razones para la cirugía de pérdida de peso

Es motivo de controversia, pero podría salvar vidas. La cirugía bariátrica o de pérdida de peso, puede ayudar a las personas que no han adelgazado de la forma tradicional, por no mencionar que corta de raíz el riesgo de desarrollar diabetes, problemas cardíacos y otras afecciones relacionadas con la obesidad.

- La cirugía bariátrica curó la diabetes tipo 2 en tres de cada cuatro personas en un estudio, y en otro estudio, redujo el riesgo de muerte asociada a la diabetes en un asombroso 92 por ciento.

- Las personas obesas que optaron por la cirugía barbárica redujeron a la mitad sus probabilidades de morir por arteriopatía coronaria y en un 43 por ciento su riesgo de sufrir un ataque cardíaco.

- El procedimiento curó la hipertensión arterial en seis de cada 10 personas obesas y mejoró el colesterol en siete de cada 10.

- El ochenta y cinco por ciento de los obesos con apnea del sueño se curaron después de la cirugía bariátrica.

- Las personas obesas sometidas a cirugía de baipás gástrico redujeron su probabilidad de morir de cáncer en un 60 por ciento.

- En un estudio, las personas obesas sometidas a cirugía de baipás gástrico redujeron su probabilidad de morir en los próximos siete años en un 40 por ciento y, en otro estudio, en un 89 por ciento.

No todo el mundo es un buen candidato para esta cirugía, pero las personas que son mórbidamente obesas y tienen tanto diabetes como síndrome metabólico, son las que más se pueden beneficiar. Incluso Medicare cubrirá estos tres procedimientos bariátricos si su índice de masa corporal (IMC) es de 35 o superior y:

- Tiene al menos una enfermedad asociada a la obesidad, como diabetes tipo 2.

- No ha podido bajar de peso con otros tratamientos para adelgazar.

Banda gástrica ajustable por vía laparoscópica (LAGB, en inglés). Este procedimiento contrae el estómago hasta formar una bolsa pequeña del tamaño de un pulgar, obligándolo a comer menos. El tamaño de la bolsa puede aumentarse o disminuirse, dependiendo de qué tan rápido esté perdiendo peso.

Derivación gástrica en Y de Roux (RYGBP, en inglés). No sólo reduce el tamaño del estómago, sino que también desvía el tracto digestivo de modo que el estómago se vacía directamente en la parte media del intestino delgado. Usted se sentirá lleno después de comidas pequeñas, además de absorber menos calorías de los alimentos.

Derivación biliopancreática con cruce duodenal (BPD/DS, en inglés). Un procedimiento combinado parecido al RYGBP, que crea una bolsa gástrica más grande y le permite comer más porciones de tamaño normal. La bolsa se engancha a los intestinos más cerca del colon, limitando aún más las calorías y nutrientes que se absorben.

La edad puede aumentar las probabilidades de complicaciones quirúrgicas, pero los estudios muestran que el riesgo disminuye sustancialmente si un cirujano experimentado realiza el procedimiento. Los hospitales también desempeñan un papel importante. Mientras más procedimientos hacen, menos complicaciones y muertes ocurren.

Aun si todo sale bien, usted probablemente sufrirá algunos efectos secundarios y correrá los riesgos de toda cirugía de pérdida de peso:

- Vómitos, náuseas, acidez estomacal, gastritis y problemas para tragar son complicaciones comunes.

- La rápida pérdida de peso después de la cirugía puede aumentar el riesgo de desarrollar cálculos biliares.

- Puede que necesite tomar vitaminas y minerales bajo receta de por vida para evitar la desnutrición.

- Hasta una de cada cuatro personas necesitará cirugía correctiva o una repetición de la cirugía después del primer procedimiento.

- Deberá masticar bien los alimentos y servirse porciones más pequeñas.

- El nuevo estómago puede no ser capaz de manejar alimentos sólidos y líquidos al mismo tiempo.

- Usted no será capaz de comer tanta grasa o azúcar, o beber tanto alcohol como antes. Evite los alimentos fritos, la comida chatarra y otras golosinas altas en grasas y azúcar.

Los procedimientos que redirigen el tracto digestivo, como la RYGBP y la BPD/DS, tienden a producir más pérdida de peso, pero conllevan mayores riesgos de deficiencias nutricionales en el largo plazo.

Para algunas personas, la cirugía por sí misma no es suficiente. Alrededor del 10 por ciento no pierde el peso suficiente o recupera gran parte de él, especialmente si continúan prefiriendo los refrigerios con alto contenido de calorías y no hacen ejercicio. Es necesario cambiar de estilo de vida, no sólo someterse al cuchillo, para hacer que la pérdida de peso se vuelva permanente.

Una terapia hormonal más segura

La enfermedad de la vesícula biliar se vuelve más común después de la menopausia, y la terapia hormonal no ayuda. Cuanto mayor es la dosis de hormonas, mayor será el riesgo de desarrollar la enfermedad de la vesícula biliar. Sin embargo, un nuevo e importante estudio encontró que administrar las hormonas a través de un parche de piel o un gel expuso a las mujeres a un riesgo menor que si se administraban en forma de pastillas. Pregúntele a su médico qué tratamiento es el adecuado para usted.

Nuevos fármacos aceleran la pérdida de peso

La cirugía no es su única opción para bajar de peso. El nuevo fármaco tesofensina puede ayudarle a perder dos veces más peso que los medicamentos actuales para adelgazar al inhibir el hambre y al mismo tiempo hacerle sentir más lleno y satisfecho. Todavía se encuentra en fase experimental y aún no está disponible, pero otros medicamentos sí lo están y son de tres tipos:

Supresores del apetito. Éstos hacen que uno sienta menos hambre al aumentar las sustancias químicas en el cerebro que afectan el estado de ánimo y el apetito. La sibutramina, por ejemplo, es un fármaco que puede tomarse hasta por un año, mientras que otros, como la fentermina, la fendimetrazina y el dietilpropión, sólo se pueden tomar durante tres meses seguidos.

Un médico no recetará un supresor del apetito a personas con cardiopatías, hipertensión arterial, arritmia cardíaca, glándula tiroidea hiperactiva, glaucoma o antecedentes de derrame cerebral.

Bloqueadores de grasa. También conocidos como inhibidores de la lipasa, los bloqueadores de grasa impiden que la enzima lipasa descomponga la grasa de los alimentos para su absorción. Al no poder absorber la grasa, el cuerpo la elimina con otros residuos, ahorrándole esas calorías. El bloqueador de grasa orlistat (*Alli*) puede comprarse con o sin receta médica, dependiendo de su concentración, aunque nuevas investigaciones advierten de una relación entre el uso de este fármaco y casos de daño hepático. Siga estos consejos para aprovechar al máximo este medicamento.

- No se valga exclusivamente de orlistat para bajar de peso. Se supone que también debe hacer ejercicio y reducir el consumo de calorías.

- Reduzca la grasa de su dieta, ya que puede empeorar los efectos secundarios del medicamento.

- Tome un multivitamínico al menos dos horas antes de tomar orlistat, ya que este fármaco bloquea la absorción de algunos nutrientes en los alimentos.

Uso de fármacos en indicaciones no autorizadas. Algunos antidepresivos también suprimen el apetito y pueden ayudar a bajar de peso por hasta seis meses. Sin embargo, las personas por lo general comienzan a recuperar el peso transcurrido ese tiempo, incluso si no dejan de tomarlos. El antidepresivo buproprión, puede evitar que se recupere el peso hasta por un año.

Las píldoras no son la solución mágica para adelgazar y mantenerse en su peso. Los medicamentos para bajar de peso sólo le ayudan a bajar un promedio de 10 libras más de lo que adelgazaría por sus propios medios con una alimentación sana y ejercicio. Y algunos de estos medicamentos dejan de funcionar una vez que el cuerpo se adapta a ellos.

Dicho esto, incluso la pérdida de peso a corto plazo puede reducir el riesgo de otras enfermedades. Los estudios muestran que los medicamentos para bajar de peso que se venden con receta médica pueden ayudar a mejorar la presión arterial, el colesterol, los triglicéridos y la habilidad del cuerpo para utilizar el azúcar en la sangre. En resumidas cuentas, hable con su médico si le es imposible adelgazar únicamente haciendo cambios en su estilo de vida.

La pastilla que ayuda a frenar enfermedades

Usted podría ganarle la guerra al cáncer de colon y a la diabetes con unos pocos centavos al día, gracias a la humilde aspirina.

Luche contra el cáncer. Los científicos han sabido durante años que las personas que toman aspirina tienen menos probabilidades de padecer de cáncer de colon, pero nuevas investigaciones muestran que este medicamento también podría ayudar a tratarlo.

La mayoría de los tumores de colon, aunque no todos, producen cantidades excesivas de la enzima inflamatoria COX-2. La aspirina tiene el poder para impedir que las células produzcan COX-2. En un estudio reciente, quienes comenzaron a tomar el analgésico después de haber sido diagnosticados con cáncer de colon en etapa I, II o III, redujeron su riesgo de muerte a la mitad.

Los expertos dicen que necesitan continuar con las investigaciones antes de recomendar la aspirina y otros inhibidores de la COX-2 para el tratamiento de cáncer de colon. Por ahora, sus efectos secundarios, tales como irritación y sangrado gastrointestinal, hacen que sea demasiado arriesgado, pero con los avances, esta pequeña pastilla de bajo costo algún día podría convertirse en el tratamiento estándar para algunos tipos de cáncer de colon.

Hable con su médico acerca de la aspirina si usted tiene cáncer de colon o tiene un alto riesgo de contraerlo, para evaluar las ventajas y desventajas, así como la dosis adecuada.

Adquiera control sobre la diabetes. Un medicamento similar a la aspirina ayudó a disminuir los niveles de azúcar en la sangre en personas obesas pero por lo demás sanas. Los investigadores creen que los salicilatos como la aspirina hacen que las células beta del páncreas produzcan más insulina. En otro estudio se encontró que dosis bajas de aspirina son particularmente eficaces contra la diabetes cuando se toman junto con la rosiglitazona, un medicamento para la diabetes. La aspirina también podría ayudar a combatir el aumento del riesgo de enfermedad cardíaca en las personas con diabetes.

Pautas para el cuidado de la salud íntima

Cinco superalimentos contra el cáncer

No es necesario servirse montañas de frutas y verduras exóticas para mantenerse libre de cáncer. Usted podría hacerle frente al cáncer de mama con la ayuda de los compuestos químicos naturales que se encuentran en estos cinco deliciosos alimentos.

Regálese una manzana al día. Las manzanas tienen más de una docena de compuestos protectores llamados triterpenoides. Estudios de laboratorio han demostrado que estos compuestos fitoquímicos inhiben el crecimiento de las células cancerosas. Los triterpenoides se encuentran principalmente en la cáscara de la manzana, por lo que se recomienda comer la fruta entera o elegir la sidra o el jugo de manzana no filtrado. Sírvase entre 5 y 12 porciones de frutas y verduras al día y asegúrese de que la manzana sea una de ellas.

Disfrute de los muchos beneficios de las uvas. En la piel de la uva se encuentra un antioxidante natural llamado resveratrol. El resveratrol ayuda a detener el crecimiento de los tumores de mama al impedir que el estrógeno inicie el proceso que conduce al cáncer. Este antioxidante también se encuentra en el vino tinto, los arándanos rojo y azul, y el cacahuate. Pero la fuente más poderosa de resveratrol es el jugo de uva roja y uva morada. Además de inhibir el crecimiento tumoral, esta deliciosa bebida reduce la presión arterial y el colesterol, e incluso puede aumentar la capacidad intelectual. Estos beneficios se deben a las poderosas propiedades antioxidantes del resveratrol.

Cuídese comiendo coliflor. Los investigadores encontraron que las mujeres en China que comían más verduras crucíferas, como el nabo y la col china, presentaban menos probabilidades de desarrollar cáncer de mama que otras mujeres. ¿Qué hay de bueno en estas verduras? Están llenas de isotiocianatos, como el sulforafano. Estas sustancias fotoquímicas, al igual que los fármacos contra el cáncer, actúan para impedir que las células tumorales se dividan y crezcan. Las mujeres en el estudio que además tenían una particular variación genética se beneficiaron de una protección aún mayor. La coliflor, el brócoli y el repollo son buenas fuentes de isotiocianatos.

Aproveche el aceite de oliva. Sus grasas saludables ayudan al corazón, pero este oro líquido también aporta un verdadero tesoro de polifenoles que combaten el cáncer. En un estudio de laboratorio se demostró que estos compuestos fitoquímicos pueden bloquear de manera efectiva el gen del cáncer de mama HER2. Usted obtendrá la mayor cantidad de polifenoles del aceite de oliva extra virgen, que es menos refinado que otros tipos de aceite. Otra fuente excelente es el té verde. Agregue al té un chorrito de jugo de limón, para potenciar sus propiedades anticancerígenas.

Consiéntase con nueces. Los fitoesteroles, o esteroles vegetales, son compuestos grasos presentes en algunos frutos secos, como las nueces y los pistachos. En investigaciones realizadas con ratones se encontró que un aumento en el consumo de nueces puede reducir el riesgo de desarrollar cáncer de mama. Las nueces aportan además gran cantidad de ácidos grasos omega-3 y antioxidantes, que también combaten el cáncer. A la hora de merendar, aléjese de las galletas dulces y prefiera estas delicias.

El huevo aminora el riesgo de desarrollar cáncer de mama

El huevo tiene muchas proteínas y sabe bien. También proporciona un nutriente vital para el funcionamiento de las células, incluidas las cerebrales y las nerviosas, llamado colina. Los investigadores han comprobado que la colina puede ayudar a la memoria y proteger la salud cardíaca, además de reducir el riesgo de desarrollar cáncer de mama. En un estudio, las mujeres que consumían seis o más huevos a la semana tenían un riesgo 44 por ciento menor de desarrollar cáncer de mama en comparación con las que consumían dos huevos o menos.

Antes de la menopausia, los estrógenos naturales en el cuerpo de las mujeres contribuyen a la formación de colina. Pero tanto las mujeres posmenopáusicas, como los hombres, necesitan obtener la colina a partir de los alimentos.

Una yema de huevo aporta alrededor de 125 miligramos (mg) de colina, más de una cuarta parte del consumo diario recomendado para las mujeres. Incluya coliflor, germen de trigo, hígado y pistachos en su dieta, y obtendrá más que suficiente de este importante nutriente.

Dígale NO a la hamburguesa con papas fritas

Las mujeres pueden reducir su riesgo de padecer cáncer de mama simplemente dejando de comer estas dos cosas.

Las papas fritas son una impresionante fuente de ácidos grasos trans, y está demostrado que las grasas trans aumentan el riesgo de desarrollar cáncer de mama. Las grasas trans se producen de forma natural en las carnes rojas y en los lácteos, y de forma sintética a partir de los aceites hidrogenados —el tipo de aceite utilizado en muchos restaurantes para freír las papas—. En lugar de papas fritas elija una rica ensalada.

El problema con las carnes rojas puede que sean las grasas saturadas que contienen. Según los expertos, el consumo más alto de grasas saturadas aumenta el nivel de estrógeno en el organismo, lo que a su vez eleva el riesgo de desarrollar cáncer de mama. Múltiples estudios muestran que las mujeres que comen más carnes rojas y grasas son más propensas a desarrollar esta enfermedad. En lugar de pedir una hamburguesa, trate de comer pollo o pescado.

Lo que usted debe saber sobre la soya

En estudios realizados en Asia se encontró que el riesgo de desarrollar cáncer de mama era más bajo en las mujeres que consumían la mayor cantidad de soya, sobre todo cuando eran jóvenes. Según los expertos, la protección que ofrece la soya proviene de los fitoestrógenos o estrógenos vegetales, entre ellos las isoflavonas. Esta teoría de que las mujeres que consumen más alimentos de soya presentan un menor riesgo de cáncer de mama fue corroborada por un análisis de ocho estudios efectuado por la Universidad del Sur de California. Dicho análisis llegó a la conclusión de que la soya, en las cantidades que se consumen en los países asiáticos, puede tener un efecto protector.

Pero no todas las investigaciones sobre la soya arrojan resultados positivos. Algunos estudios en animales muestran lo contrario: que las isoflavonas estimulan el crecimiento de las células cancerosas. Otros estudios advierten que la soya puede dañar la memoria a medida que se envejece. En la página 15 se dan a conocer los últimos hallazgos sobre cómo los alimentos de soya afectan la memoria.

La recomendación es que pregunte a su médico antes de agregar soya a su dieta. Pruebe la carne de soya y los sustitutos de lácteos a base de soya, como la leche y el queso de soya; también el tofu (leche de soya cuajada), la sopa de miso (pasta elaborada con semillas de soya fermentadas) y el edamame (vainas de soya hervidas con sal). La clave está en la moderación. Un estudio sugiere que el consumo de 10 miligramos de isoflavonas al día —una porción típica de tofu— puede ser beneficioso para protegerse del cáncer de mama.

Grasas "milagrosas" para la salud de la próstata

En Estados Unidos, el cáncer de próstata es el cáncer extracutáneo más común entre la población masculina, afectando a uno de cada seis hombres. La próstata es la glándula que rodea la uretra o conducto que lleva la orina fuera del cuerpo.

Una nueva investigación muestra que el consumo de alimentos ricos en ácidos grasos omega-3, como los que se encuentran en el pescado graso o la linaza, puede prevenir el cáncer de próstata. Un estudio encontró que en los hombres que consumían más ácidos grasos omega-3 —sobre todo en los que comían pescado oscuro, como el salmón, al menos una vez a la semana—, el riesgo de desarrollar la forma agresiva de cáncer de próstata era menor.

En otro estudio se comprobó que complementar la dieta diariamente con linaza molida también reduce el crecimiento de los tumores de próstata. Es más, seguir una dieta baja en grasas ofrece una protección adicional. Existe el temor de que el aceite de linaza —más no las semillas en sí— pueda fomentar el crecimiento de los tumores prostáticos. Si usted ha sido diagnosticado con cáncer de próstata, consulte con su médico antes de hacer cualquier cambio en su dieta.

Sorprendentemente, es posible reducir al mínimo el riesgo de aparición de cáncer de próstata si se disminuyen los niveles de colesterol y simultáneamente se incrementa el consumo de omega-3. Tomar un medicamento reductor del colesterol, como ezetimiba (*Zetia*), parece frenar el crecimiento de los vasos sanguíneos que alimentan estos tumores. Además, un incremento en el consumo de pescado y linaza con omega-3, también impedirá que el colesterol se acumule en las arterias. Aumentar su consumo de estos ácidos grasos es, pues, como matar dos pájaros de un tiro.

Otros estudios han encontrado que los hombres que han tenido cáncer de próstata y que siguen una dieta alta en grasas saturadas —como la que se encuentra en la carne de res, la mantequilla, el queso y el helado— tienen un riesgo mayor de que el cáncer reaparezca. Una razón más para preferir el pescado a la hamburguesa.

Comer pescado rico en ácidos grasos omega-3 es bueno no sólo para la próstata. Tan sólo dos porciones a la semana combaten la depresión, los ataques al corazón, los ataques cerebrales, la diabetes y el cáncer de colon. Se sabe que estas grasas buenas reducen la inflamación que afecta el funcionamiento del cerebro y que modifica los factores de riesgo para las enfermedades crónicas, como las del corazón y el cáncer, y la diabetes y sus complicaciones. Estos ácidos grasos milagrosos mantienen la salud de la próstata y del resto del cuerpo.

Solución simple para controlar la incontinencia

Prestar atención a lo que se come y se bebe puede ayudar a resolver el problema de la incontinencia urinaria o la salida involuntaria de orina provocada por la irritación del revestimiento de la vejiga.

Evite estos alimentos para reducir la irritación:

- Chocolate
- Tomates
- Cítricos y jugos de cítricos
- Comidas picantes
- Bebidas alcohólicas
- Refrescos con cafeína
- Leche y productos lácteos
- Azúcar, jarabe de maíz, miel y edulcorantes artificiales
- Café, incluso el café descafeinado
- Té

Sin embargo, no es necesario limitar el consumo de agua. A pesar de que beber menos significa que el cuerpo producirá menos orina, también significa que la orina estará más concentrada, lo que podría irritar el revestimiento de la vejiga. Y esto crearía un círculo vicioso.

Tres frutas con superpoderes para la salud masculina

El cáncer de próstata y la disfunción eréctil (DE) son dos de las principales preocupaciones para el hombre a medida que envejece. Los compuestos químicos que se encuentran en estas tres frutas pueden ofrecer alivio a estos dos problemas.

La granada. Esta fruta destaca por su contenido de elagitaninos, que son los compuestos químicos naturales que el organismo metaboliza para producir las urolitinas que combaten el cáncer de próstata. En un estudio, los hombres con cáncer de próstata que bebían 8 onzas de jugo de granada al día presentaban un aumento más lento en sus mediciones de PSA, un marcador que indica la presencia de cáncer.

Los hombres entre los 60 y 80 años que beben jugo de granada podrían frenar el crecimiento de tumores en la próstata, hasta el punto de no necesitar un tratamiento oncológico. En un estudio, el tiempo promedio que tarda el marcador tumoral de cáncer de próstata (PSA) en duplicarse pasó de alrededor de 15 meses a cinco años en los hombres que empezaron a beber jugo de granada todos los días. Sin embargo, sólo se observó este beneficio para el cáncer de próstata que no se había diseminado.

Los antioxidantes en el jugo de granada también ayudaron a un grupo de hombres con disfunción eréctil (DE) de leve a moderada que bebieron tan sólo 8 onzas del jugo todos los días, durante cuatro semanas. Los antioxidantes barren con los radicales libres que pueden interrumpir la circulación y, en el caso específico de estos hombres, el flujo de sangre a sus partes íntimas. Este efecto sobre la circulación en general, es una de las razones por las que se cree que el jugo de granada es bueno para el corazón.

En varios estudios se utilizó la marca *POM Wonderful*, empresa que además financió algunas de estas investigaciones. Pero el jugo de granada *POM Wonderful* no es barato. Hay marcas más económicas, como *R. W. Knudsen* o *Lakewood*.

La sandía. El color rojo intenso de las sandías, al igual que el del tomate, proviene del licopeno, un antioxidante que protege la próstata y el corazón.

Pero si lo que le preocupa es la disfunción eréctil, le interesará saber que la sandía también contiene citrulina, un aminoácido que funciona como el *Viagra* para relajar los vasos sanguíneos y mejorar la función sexual masculina. "Puede que la sandía no actúe sobre un órgano específico como lo hace el *Viagra*", dice el Dr. Bhimu Patil, del Centro de Mejoramiento de Frutas y Vegetales de la TAMU, "pero es una buena manera de relajar los vasos sanguíneos sin efectos secundarios".

El arándano rojo. Contiene varios tipos de sustancias fitoquímicas (sustancias químicas de origen vegetal) que ayudarían a prevenir el cáncer de próstata, de mama, de colon y de pulmón. En primer lugar están las antocianinas, los pigmentos que dan a los arándanos su color rojo carmesí. Estos antioxidantes reparan y protegen el ADN en las células, inhibiendo el crecimiento tumoral. Otras sustancias fitoquímicas del arándano rojo, como la quercetina, el ácido ursólico y las proantocianidinas, también ayudan a combatir el cáncer.

Secreto para la salud de la próstata

Si es hombre, la próxima vez que alguien le ofrezca una segunda porción de verduras, acéptela. Su próstata se lo agradecerá. A medida que envejecen, muchos hombres luchan contra el agrandamiento de la próstata, una afección que se conoce como hiperplasia prostática benigna (HPB). Se cree que el consumo de verduras mantendría el problema bajo control. Un estudio encontró que los hombres de mediana edad o mayores que consumieron la mayor cantidad de verduras experimentaron menos síntomas de HPB.

Los mejores resultados se lograron con las dietas ricas en ciertos antioxidantes: betacaroteno, luteína y vitamina C. Las verduras del género *Allium*, como la cebolla y el ajo, también tuvieron un efecto protector. Se cree que los antioxidantes de las verduras limitan el daño oxidativo de la HPB.

Protéjase con estos combatientes naturales del cáncer

Búsquelos en el supermercado. Uno de ellos, el sulforafano, es un poderoso compuesto de origen vegetal que puede ayudar a combatir el cáncer de vejiga y de próstata. Las verduras crucíferas, como el brócoli, contienen sulforafano y otros compuestos similares. Si no es un aficionado del brócoli, pruebe la coliflor, el repollo, los repollitos de Bruselas, la col rizada, el nabo, la berza o los rábanos.

Las verduras crucíferas también son ricas en isotiocianatos, o sustancias fitoquímicas que reducen el riesgo de desarrollar cáncer de vejiga. El sulforafano, un tipo de isotiocianato, refuerza la capacidad del sistema inmunitario para enfrentarse al cáncer. Estos antioxidantes naturales ayudan a las enzimas a inducir la apoptosis, o muerte programada de las células cancerosas. Un estudio encontró que consumir más verduras crucíferas reducía en un 29 por ciento el riesgo de desarrollar cáncer de vejiga.

En otro estudio que se centró en el cáncer de próstata, se compararon las propiedades anticancerígenas del brócoli con las de los chícharos (arvejas, guisantes verdes o *peas*, en inglés). Durante un año, un grupo de hombres con riesgo de desarrollar cáncer de próstata consumió dos porciones grandes a la semana de brócoli o bien de chícharos. Al final del estudio, el número de hombres que presentaban señales de cáncer de próstata era menor entre los que comieron brócoli. Según los expertos, esto se debió a los isotiocianatos del brócoli.

La mejor manera de aprovechar al máximo estos compuestos químicos naturales es disfrutando del brócoli crudo. La cocción reduce la cantidad de isotiocianatos disponibles para el cuerpo. Según un estudio realizado en los Países Bajos, los hombres que comieron el brócoli crudo en lugar de cocido absorbieron una cantidad mayor de sulforafano. Es más, las cabezas de brócoli contienen más sulforafano que los tallos, pero, al final, incluso los tallos de brócoli aportan más sulforafano que otras verduras.

Los mitos y la verdad sobre los cálculos renales

Nuevas investigaciones acaban con los mitos sobre lo que se debe comer y lo que no se debe comer para prevenir los cálculos renales.

Mito: *No se debe comer carne.* Algunos expertos dicen que se debe limitar la cantidad de proteínas que se obtienen de la carne, pero en un análisis de varios estudios no se encontraron pruebas concluyentes en contra de comer carne. Aun así, puede que el pescado sea una mejor opción. Según una investigación, las personas que han tenido cálculos de calcio pueden evitar volver a tenerlos tomando suplementos de ácido eicosapentaenoico (EPA), uno de los ácidos grasos omega-3 presentes en el aceite de pescado.

Mito: *La sal es malísima.* Depende de cada persona. Según un estudio, las personas que limitaron su ingesta de sal y proteínas, pero que consumían una cantidad normal de calcio, mostraron tener un riesgo menor de formación de cálculos renales. Pero en otro estudio se descubrió que aumentar la ingesta de sal en la forma de suplementos de sodio, hizo que las personas bebieran más agua. Pregúntele a su médico si la sal es buena para usted o no.

Mito: *Los productos lácteos son peligrosos.* No es así. Gran parte del calcio de los alimentos y de los suplementos no parece aumentar el riesgo. De hecho, algunos estudios muestran que el calcio de los lácteos podría proteger contra los cálculos.

Mito: *El café y el té están vedados.* Es un mito que la cafeína en el café deshidrata. Es más, los investigadores han descubierto que el café podría tener más bien un efecto protector. El problema con el té negro es su contenido de oxalato, pero eso sólo afectaría a las personas que tienden a formar cálculos de oxalato de calcio. En todo caso, lo mejor es seguir la recomendación de eficacia probada de beber mucha agua para diluir la orina. Beba lo suficiente para producir dos cuartos de galón (casi dos litros) de orina cada 24 horas. Otra buena opción es la limonada.

Causa sorprendente de daño renal

Otra razón para preferir el agua es que hace bien a los riñones. Según un estudio, las mujeres que beben dos o más sodas o refrescos azucarados al día corren un riesgo mayor de desarrollar daño renal. Beber tan sólo una soda al día o beber sodas de dieta no aumenta el riesgo. Los científicos creen que el daño se debe a un ingrediente común en estos refrescos: el jarabe de maíz con alto contenido de fructosa.

Otros remedios naturales

Para las mujeres: advertencia sobre los suplementos

Antes de iniciar un tratamiento contra el cáncer de mama, toda mujer debería revisar los suplementos que está tomando. Alrededor del 40 por ciento de las personas que tienen cáncer toman vitaminas u otros suplementos sin saber que éstos pueden interferir con los fármacos que tratan el cáncer. El problema es que casi dos tercios de los pacientes que utilizan terapias no probadas o no convencionales no informan a sus médicos que están tomando estos suplementos. A continuación presentamos tres que podrían causar complicaciones:

Vitamina E. Por tratarse de un antioxidante, la vitamina E puede acabar protegiendo tanto las células tumorales como las células sanas de los tipos de tratamiento que eliminarían el cáncer. Los estudios muestran que los pacientes que están bajo un tratamiento de quimioterapia o de radiación no deben tomar suplementos antioxidantes. Los expertos solían creer que la vitamina E ofrecía protección contra los efectos secundarios de la quimioterapia, pero los estudios no han confirmado esta suposición. Además, los suplementos de vitamina E parecen interferir con el tamoxifeno, un fármaco comúnmente utilizado para bloquear la acción del estrógeno en los tumores de cáncer de mama con receptores hormonales positivos.

Vitamina C. La vitamina C es otro antioxidante, por lo que también puede servir de escudo a las células cancerosas. Un estudio encontró que esta vitamina parece proteger las mitocondrias de las células cancerosas, de modo que la quimioterapia no puede destruirlas.

Genisteína. Muchas mujeres toman genisteína para controlar los sofocos y otros síntomas de la menopausia. Pero la genisteína interfiere con una clase de fármacos contra el cáncer que se conocen como inhibidores de la aromatasa, incluido uno llamado *Letrozol*.

La conclusión es que durante un tratamiento contra el cáncer no se deben tomar suplementos sin consultar a su médico.

Calme la comezón con probióticos

Una pastilla probiótica de venta sin receta médica puede ayudar a prevenir las infecciones vaginales por hongos (candidiasis). Los probióticos son bacterias beneficiosas que ayudan al cuerpo de muchas maneras. Una de ellas es impidiendo que las bacterias y los hongos no deseados se multipliquen en exceso y colonicen sus espacios personales.

El suplemento *Fem-Dophilus* contiene dos cepas de bacterias *Lactobacillus* que se utilizan comúnmente para tratar las infecciones vaginales. Su función es recubrir el revestimiento de la vagina para impedir que las bacterias no deseadas sigan multiplicándose y, a la vez, repoblar la vagina con microflora beneficiosa.

Una cápsula diaria ayuda a evitar las infecciones vaginales, pero si las tiene sólo ocasionalmente, tome el suplemento según sea necesario. El uso de *Fem-Dophilus* durante y después de un tratamiento con antibióticos puede ser especialmente útil porque los probióticos irán restaurando la microflora "buena", mientras el fármaco elimina la que es perjudicial.

Conozca la composición de sus cálculos renales

Los suplementos de fósforo pueden ayudarle a evitar otro ataque doloroso, pero sólo si usted conoce qué tipo de cálculo o piedra tuvo en el riñón. De lo contrario, los suplementos podrían incluso causarle más problemas.

El fósforo es un mineral que se produce naturalmente en alimentos como la leche, el queso, la crema de cacahuate y los frijoles secos. A veces recibe el nombre de fosfato, la forma más común del fósforo. Tomar fosfato de sodio o fosfato de potasio, dos tipos de sales hechas a partir de este mineral, puede prevenir la formación de cálculos renales cuando se tiene un exceso de calcio en la orina, una afección llamada hipercalciuria. También es beneficioso para quienes tienden a formar cálculos renales compuestos de oxalato de calcio.

Una infección urinaria, por otro lado, puede promover la formación de cálculos de estruvita, hechos de fosfato de amonio y magnesio. Para las personas con cálculos que contengan fosfatos, tomar suplementos de fósforo es como echarle leña al fuego y sólo provocará la formación de más cálculos. Cuando elimine un cálculo renal, solicite a su médico que lo analice para determinar qué tipo de cálculo es.

Si su médico aprueba el uso de suplementos de fósforo, busque uno que diga "fosfato de sodio" (*sodium phosphate*) o "fosfato de potasio" (*potassium phosphate*) en la etiqueta. Las marcas comunes incluyen *K-Phos* y *Neutra-Phos*. Por lo general se toman cuatro veces al día, preferiblemente después de comer.

El peligro oculto de los multivitamínicos

Justo cuando parece que se puede empezar a confiar en una vitamina o un mineral para protegerse de uno de los aspectos más temibles del proceso de envejecimiento, los científicos descubren que no, que no es tan sencillo. Los expertos especulaban que el mineral selenio y la vitamina E podrían ayudar a prevenir el cáncer de próstata. Lamentablemente esto parece no ser cierto, según reveló el Estudio del Selenio y la Vitamina E para Prevenir el Cáncer (SELECT) que incluyó a más de 35 000 hombres.

El estudio debió tener una duración de siete años, pero fue suspendido cuando los investigadores notaron que los suplementos no aportaban beneficio alguno y que más bien causaban daño. Se presentaron ligeramente más casos de hombres que empezaban a desarrollar cáncer de próstata en el grupo de vitamina E y ligeramente más casos de hombres que empezaban a desarrollar diabetes en el grupo de selenio. Los participantes del estudio tomaron 200 microgramos de selenio y 400 unidades internacionales (UI) de vitamina E, solos o en combinación. Eso es varias veces la cantidad que contiene un suplemento multivitamínico común.

Otras investigaciones se han centrado en los multivitamínicos, esos complejos vitamínicos "para todo uso" que la mayoría de las personas creen que son totalmente inofensivos. Un estudio encontró que el uso regular de multivitamínicos no influye en el riesgo de contraer cáncer de próstata, aunque los hombres identificados como "consumidores intensivos" presentaban un mayor riesgo de desarrollar la enfermedad. El estudio describe al consumidor intensivo como la persona que toma multivitamínicos más de siete veces a la semana. Se observó que el peligro era mayor para los consumidores intensivos con antecedentes familiares de cáncer de próstata o para los que además tomaron suplementos de selenio, betacaroteno y zinc.

Para muchos expertos en salud existe una mejor manera de mantenerse en buena salud: seguir una dieta equilibrada que incluya frutas, verduras, granos enteros, grasas saludables, carne magra y lácteos bajos en grasas, y no depender de una pastilla para prevenir el cáncer.

Auxiliares para la impotencia de venta libre

La impotencia, también conocida como disfunción eréctil (DE), es más frecuente en los hombres a medida que envejecen. Según una encuesta, el 44 por ciento de los hombres mayores de 50 años experimentan este problema frustrante. Aunque muchos hombres prefieren tomar suplementos, actualmente no existen muchas investigaciones sobre la mayor parte de estos llamados remedios.

Recuerde que los remedios herbarios y otros suplementos no están regulados por la Administración de Alimentos y Medicamentos (FDA, en inglés), por lo que no hay garantía de que contengan los ingredientes que figuran en la etiqueta. Algunos suplementos podrían interactuar con los medicamentos con receta que usted está tomando, así que asegúrese de hablar con su médico antes de probarlos.

■ Vitaminas B. Además de ayudar a combatir la disfunción eréctil (DE), las vitaminas B pueden reducir los niveles de homocisteína en la sangre. Un nivel elevado de este aminoácido a veces es señal de enfermedad cardíaca. Esta relación tiene sentido, ya que la DE con frecuencia está asociada a una afección del corazón.

- Yohimbina. Elaborado a partir de la corteza de un árbol africano, este remedio herbario mejora el flujo sanguíneo en hasta el 75 por ciento de hombres que lo toman. La dosis habitual es de entre 5 y 10 miligramos (mg).

- *Ginseng*. Para tratar la impotencia se utilizan tanto el *ginseng* americano como el *ginseng* coreano rojo. Los expertos creen que los ginsenósidos son los ingredientes activos que afectan el sistema nervioso central y ayudan a expandir el tejido del pene.

- *Pycnogenol*. Este extracto de la corteza de un pino francés se utiliza también para tratar el asma, la enfermedad cardíaca y la diabetes. Si le interesa probarlo para la disfunción eréctil, algunos expertos recomiendan una dosis diaria de 120 mg.

- L-arginina. El cuerpo utiliza este aminoácido para producir óxido nítrico, importante para la relajación del músculo del pene.

- *Ginkgo*. Algunos herboristas creen que mejora la función sexual, aunque su uso excesivo podría causar sangrado y convulsiones.

Vida saludable

Técnicas para calmar la vejiga hiperactiva

La incontinencia urinaria, o problema para controlar la vejiga, es común entre las mujeres de mediana edad y mujeres mayores, sobre todo entre las que han estado embarazadas o que tienen diabetes, sobrepeso u otros problemas de salud. Los hombres que padecen de la próstata también podrían sufrir de incontinencia. La cirugía y otros procedimientos médicos pueden aliviar la incontinencia. Pero incluso las cirugías realizadas en las mejores condiciones conllevan el riesgo de posibles complicaciones, como infecciones y nuevos problemas urinarios. Antes de apresurarse a una cirugía, pruebe estas técnicas que podrían ayudarle a encontrar alivio sin correr riesgos.

Haga los ejercicios de Kegel. Estos ejercicios fortalecen los músculos del piso pélvico y son especialmente útiles para la incontinencia urinaria que ocurre cuando se hace un esfuerzo físico. Apriete los músculos que utiliza para detener el flujo de orina. Mantenga la contracción durante 10 segundos y relaje los músculos durante otros 10 segundos. Repita 10 veces. Haga tres series de ejercicios cada día.

Adelgace si es necesario. Subir de peso alrededor de la cintura aumenta la presión sobre la vejiga y la zona pélvica, lo que a su vez eleva el riesgo de incontinencia. En un estudio, a las mujeres con sobrepeso les bastó perder un 8 por ciento de su peso corporal para reducir a la mitad sus episodios de incontinencia.

Controle su consumo de líquidos. Los científicos encontraron que las personas afectadas por el síndrome de vejiga hiperactiva podían reducir sus síntomas en un 25 por ciento si disminuían la cantidad de líquidos que bebían. Eso sí, asegúrese de beber lo suficiente para evitar la deshidratación.

Explore la conexión mente-cuerpo. Pregunte a su médico sobre la posibilidad de recibir ayuda profesional para tratar el componente mental de este problema. Las sesiones de biorretroalimentación, por ejemplo, ayudan a lidiar con la urgencia por orinar. La terapia cognitiva, por otro lado, ayuda a calmar la vejiga hiperactiva utilizando ejercicios de visualización y de respiración profunda.

Cuatro maneras inteligentes de vencer el cáncer de vejiga

Muchos se preocupan por el cáncer de pulmón, de piel o de próstata. Pero los tumores también pueden aparecer en la vejiga, especialmente en los hombres. Siga estos hábitos de buena salud para prevenirlos.

Beba mucha agua. Las investigaciones muestran que las personas que beben agua —aunque sean sólo cinco o seis vasos al día— tienen un menor riesgo de desarrollar cáncer de vejiga y de colon. Otros estudios revelan que beber más líquidos de todo tipo reduce este riesgo. Los expertos creen que el paso de los líquidos por el tracto urinario ayuda a eliminar las sustancias cancerígenas.

Responda al llamado de la naturaleza. Usted puede reducir su riesgo de desarrollar este tipo de cáncer si va al baño cada vez que sienta la urgencia por orinar, incluso si tiene que levantarse por la noche. Deshacerse de las toxinas cancerígenas lo más rápido posible significa que no permanecerán en contacto con la vejiga.

No fume. Este mal hábito es el responsable de hasta la mitad de todos los cánceres de vejiga. Dejar de fumar reduce el riesgo en un 40 por ciento en un plazo de cuatro años.

Evite el cloro. Los subproductos del cloro en el agua, los trihalometanos, pueden filtrarse a través de la piel y aumentar el riesgo de aparición del cáncer de vejiga. Trate de limitar su exposición cuando bebe, nada o se baña en agua clorada.

Un enfoque más suave para tratar el cáncer

Para prevenir el cáncer de mama se recomiendan las tácticas agresivas, como las dietas bajas en calorías y el ejercicio vigoroso. Pero una vez diagnosticado, la mejor táctica para reforzar la respuesta inmunitaria y ayudar al cuerpo a combatir el cáncer tal vez sea optar por tratamientos más suaves, como la relajación muscular progresiva, el masaje y el *tai chi*.

Alivie los síntomas de la HPB sin fármacos peligrosos

Realizar cambios sencillos en su rutina diaria puede ayudar a aliviar los síntomas de la hiperplasia prostática benigna (HPB) o agrandamiento de la próstata. La próstata es la glándula que rodea la uretra. La HPB, que es muy frecuente entre los hombres a medida que envejecen, puede causar dificultades al orinar. Usted puede notar un flujo débil de orina, debido a que la glándula presiona la uretra o causa espasmos musculares. La HPB también puede hacer que tenga que levantarse por la noche para ir al baño, posiblemente varias veces.

Éstos son algunos trucos para aliviar dichos síntomas:

- Baje de peso si es necesario. Las investigaciones muestran que los hombres con sobrepeso son más propensos a tener síntomas de HPB. El riesgo es aún mayor si además tienen diabetes o problemas para controlar sus niveles de azúcar en la sangre.

- Muévase. Según los expertos, la actividad física puede reducir los síntomas de la HPB.

- No espere cuando sienta urgencia por orinar, y limite la cantidad de líquidos que bebe después de las 7 pm.

- Limite el uso de antihistamínicos y descongestionantes de venta libre, ya que pueden impedir que los músculos que rodean la vejiga se relajen.

- Practique los ejercicios de Kegel para fortalecer los músculos del piso pélvico.

- Abríguese. El clima frío puede afectar el sistema nervioso simpático y provocar los síntomas de la HPB.

- Chequéese. Mantenga niveles saludables de colesterol, de presión arterial y de azúcar en la sangre.

Información útil sobre el cáncer de próstata

Los hombres con sobrepeso están en mayor riesgo de desarrollar cáncer de próstata que los hombres que se mantienen en forma. Eso no es todo. Tanto las pruebas como los tratamientos para este tipo de cáncer parecen funcionar mejor en los hombres esbeltos.

- Los investigadores encontraron que los hombres con sobrepeso que perdieron más de 11 libras redujeron su riesgo de desarrollar una forma agresiva de cáncer de próstata.

- Los hombres diagnosticados con cáncer de próstata que tienen sobrepeso o que son obesos corren un mayor riesgo de morir a causa de esta enfermedad que los hombres que mantienen un peso saludable. El riesgo es aún mayor para los hombres con sobrepeso que además tienen un alto nivel sanguíneo de péptido C, un marcador de la secreción de insulina.

- El sobrepeso también puede hacer que la radioterapia para el cáncer de próstata sea menos efectiva.

- La obesidad reduce los valores de PSA. De ahí que un hombre con sobrepeso y un nivel de PSA ligeramente alto corra un riesgo mayor que un hombre delgado con el mismo nivel de PSA.

Causa poco conocida de los cálculos renales

La probabilidad de tener cálculos renales es mayor si se tiene síndrome metabólico. Éste es un término elegante para referirse a la combinación de obesidad, diabetes e hipertensión arterial. Los expertos creen que esto se debe a que la orina de las personas con síndrome metabólico tiende a ser más ácida. También puede deberse a un consumo excesivo de proteínas y sodio. Controle su peso y su presión arterial, y podría evitar el dolor de una pierda en el riñón.

Alternativas médicas

Una al día le cierra el paso al cáncer de mama

La aspirina diaria que muchas personas toman para el corazón también puede prevenir el cáncer de mama.

Los investigadores descubrieron que las mujeres de mediana edad que toman una aspirina diaria son un 16 por ciento menos propensas a desarrollar el tipo de cáncer de mama que es positivo para los receptores de estrógeno. También observaron que esta aspirina diaria no influye en el riesgo de desarrollar otros tipos de cáncer de mama. Otro estudio reveló que las mujeres que toman aspirina o ibuprofeno (*Advil*) regularmente también tenían un riesgo menor de padecer cáncer de mama.

Pero los expertos de la Sociedad Estadounidense del Cáncer no recomiendan tomar una aspirina al día únicamente para prevenir el cáncer de seno. La aspirina conlleva riesgos como el sangrado, y aún no se ha establecido claramente la forma en que previene el cáncer.

Nuevos recursos para la detección temprana del cáncer

La detección de bultos en el seno a través de exámenes manuales o mamografías pronto será cosa del pasado. Ya está disponible una prueba de dos segundos que detecta el cáncer mucho antes de la aparición de alguna señal de la enfermedad. Y la detección temprana es esencial para atacar el cáncer desde sus inicios.

La nueva prueba de saliva es más sencilla y menos dolorosa que incluso una prueba de sangre, y tal vez resulte siendo más confiable. Investigadores de Houston han identificado las proteínas en la saliva que difieren entre las mujeres con cáncer de mama y las mujeres sanas, y que además son diferentes en las mujeres con tumores benignos de mama. Si esta nueva tecnología funciona, el cáncer de mama podría ser diagnosticado con una breve visita a su dentista. Éstas son otras tecnologías para la detección de tumores de mama:

- Elastografía. Esta técnica podría hacer innecesaria la biopsia invasiva, ya que ofrece una respuesta rápida a la pregunta de si una lesión mamaria es maligna o inofensiva. Esta prueba complementa la exploración manual con una exploración por imágenes para determinar cómo se mueve el tejido blando del seno cuando se le aplica presión. Los tumores malignos parecen ser más rígidos que el tejido normal.

- Tomosíntesis digital mamaria. Este procedimiento, que aún se encuentra en desarrollo, no es tan doloroso como la mamografía, ya que se requiere menos presión para obtener una buena imagen. Otra ventaja es la posibilidad de contar con reconstrucciones tridimensionales en lugar de una imagen plana.

■ Imágenes mamarias por radar. Expertos en Inglaterra están desarrollando un sistema para detectar el cáncer de mama que capta imágenes utilizando ondas de radio. A diferencia de la mamografía, en esta prueba el cuerpo no se expone a la radiación. También sería una prueba más cómoda que la mamografía, ya que permite apoyar el seno sobre una copa de cerámica en lugar de aplastarlo entre dos láminas de acrílico.

Soluciones inyectables para la incontinencia

La incontinencia urinaria es un problema incómodo que podría resolverse con una inyección.

Inyecciones de colágeno. El colágeno es una proteína que agrega volumen al tejido próximo a la uretra, el conducto que lleva la orina fuera del cuerpo. Esta inyección tensa el esfínter urinario, lo que ayuda a controlar el escape involuntario de orina.

El tratamiento consiste en administrar dos o tres inyecciones, con un intervalo de al menos cuatro semanas. En un estudio, las inyecciones de colágeno fueron efectivas en el 93 por ciento de las mujeres que las probaron, especialmente en las que padecían de incontinencia urinaria de esfuerzo y que ya habían tenido una cirugía. El colágeno también puede ser una buena opción para las personas demasiado débiles para someterse a una cirugía o que desean evitar el largo proceso de recuperación.

Sin embargo, al igual que otros tratamientos que utilizan materiales de relleno, las inyecciones de colágeno deben repetirse cuando el agente voluminizador se aplana, lo que ocurre después de aproximadamente un año. Dado que una ronda de inyecciones cuesta alrededor de $5000, puede que ésta no sea la mejor opción para las personas más jóvenes que necesitan tratamiento a largo plazo.

Inyecciones de bótox. Más conocidas como un tratamiento para las arrugas, las inyecciones de bótox (neurotoxina botulínica) también se utilizan para tratar la vejiga hiperactiva. El bótox se inyecta en el músculo detrusor de la vejiga, músculo que se contrae en el momento de orinar y bloquea las señales de los nervios que provocan que estas contracciones ocurran con demasiada frecuencia. Funciona alrededor del 96 por ciento de las veces, y puede ser una buena opción cuando los fármacos anticolinérgicos no funcionan.

Las desventajas del bótox son el costo y la incertidumbre acerca de sus efectos a largo plazo. Las inyecciones para un ciclo de tratamiento cuestan aproximadamente $1400 y su efecto dura tan sólo unos siete meses. Las inyecciones se aplican en 20 o 30 puntos de la vejiga y si fuera necesario repetir el tratamiento durante años, pueden causar cicatrices en el tejido, lo que podría causar problemas en el futuro.

Peligroso efecto secundario de fármaco común

Entre los fármacos que se recetan a las personas que padecen incontinencia de urgencia, o un deseo imperioso de orinar, están *Ditropan* y *Oxytrol* (oxibutinina). Estos dos tipos de fármacos anticolinérgicos detienen los espasmos musculares de la vejiga, retrasando la urgencia por orinar.

Pero también tienen un aspecto negativo, ya que pueden interferir en su capacidad para pensar con claridad y para llevar a cabo actividades básicas de la vida cotidiana. En un estudio, las personas de edad avanzada que tomaban inhibidores de la colinesterasa —que se utilizan para retardar el deterioro mental— mostraron tener aun más dificultades para pensar cuando empezaron a recibir un anticolinérgico. Una investigación más amplia confirmó este problema incluso en personas que no utilizaban estos otros fármacos. Antes de tomar un medicamento para tratar la incontinencia, hable con su médico.

Prueba casera para la detección temprana del cáncer

Las personas en riesgo de desarrollar cáncer de vejiga ahora pueden detectar este tipo común de cáncer en una etapa temprana.

La prueba utiliza tiras que cambian de color cuando entran en contacto con la orina que contiene sangre. Una investigación mostró que utilizar estas tiras permite detectar el cáncer de vejiga suficientemente temprano, cuando aún se puede tratar. En un 90 por ciento de los casos, la presencia de sangre en la orina es el primer signo de cáncer de vejiga. No se preocupe si el resultado es positivo, porque también puede ser un signo de otros problemas, como cálculos renales.

Los tumores de vejiga crecen muy rápido, por lo que las personas en riesgo deben hacerse la prueba con frecuencia. Los factores de riesgo incluyen tener un diagnóstico previo de cáncer de vejiga o defectos congénitos de la vejiga. Las personas que fuman o que están expuestas a ciertas sustancias químicas en el trabajo, como en los centros de limpieza en seco o en la fabricación de papel, también corren riesgo.

Estas tiras reactivas se pueden adquirir sin receta médica en las farmacias o en línea. Un paquete de 50 tiras cuesta alrededor de $30.

Cinco cosas que debe saber sobre el cáncer de próstata

Se habla mucho acerca del cáncer de próstata, pero entérese de los cinco datos fundamentales de esta enfermedad.

No todos los hombres necesitan hacerse la prueba. Una prueba de sangre para determinar el valor de PSA (antígeno prostático específico) puede ayudar a detectar el cáncer de próstata, un tipo de cáncer que podría llegar a ser mortal en un plazo de entre cinco y 25 años. El cáncer de próstata tiende a crecer tan lentamente que, incluso cuando la prueba de PSA es positiva, el paciente puede morir de otra causa antes de que el cáncer de próstata se vuelva un problema.

Según el Grupo de Trabajo de Servicios Preventivos de Estados Unidos, la detección del cáncer de próstata hace más daño que bien a las personas mayores de 75 años o con una esperanza de vida menor de 10 años a causa de otro problema de salud. En general, los hombres deben sopesar los posibles beneficios de esta prueba contra los riesgos, como las falsas alarmas que pueden llevar a pruebas y tratamientos adicionales.

La aspirina puede afectar el PSA. No inicie el tratamiento con aspirina para el cáncer de próstata sin consultar con su médico. La aspirina y otros fármacos antiinflamatorios no esteroideos (AINE) podrían reducir los niveles de PSA. Aún no se sabe si esto significa que los AINE reducen el riesgo de cáncer de próstata o simplemente reducen los valores de PSA.

Evite tener relaciones sexuales antes de una prueba de PSA. Algunos estudios muestran que eyacular uno o dos días antes de una prueba, puede aumentar los niveles de PSA en la sangre, dando lugar a una lectura falsa. Los hombres deberían abstenerse de tener relaciones sexuales durante las 72 horas previas a una prueba de PSA.

Nueva prueba puede ser mejor que el PSA. Se trata de una sencilla muestra de sangre para identificar el antígeno de cáncer de próstata temprano llamado EPCA-2. Es más precisa que la prueba de PSA en marcar la distinción entre una próstata con cáncer y una sana. Además, el EPCA-2 es más efectivo para identificar el cáncer que ha empezado a propagarse. Esta prueba debería estar disponible pronto.

Tratamientos que pueden salvar el tejido sano. Las terapias focales actúan únicamente sobre el tejido canceroso y no afectan el tejido sano. Estos tratamientos pueden evitarle los efectos secundarios de la cirugía de próstata, como la incontinencia y la impotencia.

- Crioablación focal. A veces llamada "lumpectomía masculina", este procedimiento congela y destruye únicamente el tumor.

- Braquiterapia de alta tasa de dosis o implantación de gránulos radioactivos. En lugar de dejar los gránulos dentro del cuerpo durante meses, como en la braquiterapia tradicional, éstos se implantan a través de agujas huecas de plástico y se retiran entre 24 y 48 horas después. Es tan efectiva como la braquiterapia tradicional, pero con menos efectos secundarios.

- Braquiterapia guiada por resonancia magnética. Este tipo de radioterapia interna permite que los gránulos se coloquen con mayor precisión.

Medidas de prevención para ver y oír siempre bien

6

Deliciosas maneras de salvar la vista

Algunos alimentos parecen especialmente concebidos para preservar la visión, gracias a unos potentes compuestos naturales conocidos como antioxidantes.

Rooibos al rescate. Mantenga la agudeza de su visión conforme envejece con una fragante infusión de rooibos repleta de nutrientes que protegen la vista. También se le conoce como "té rooibos", pero el rooibos no es verde ni negro. Es rojo. Los antioxidantes de esta infusión sudafricana pueden ayudar a prevenir complicaciones de la diabetes, como la retinopatía y las cataratas diabéticas.

Cuando se tiene diabetes, el cuerpo produce grandes cantidades de unas sustancias nocivas llamadas radicales libres, tanto así, que terminan debilitando las defensas naturales del organismo. Las bebidas y alimentos ricos en antioxidantes, como la infusión de rooibos, refuerzan esas defensa y ayudan a prevenir y tratar el daño oxidativo que causan estos compuestos. Estos antioxidantes pueden incluso proteger contra la degeneración macular asociada a la edad (DMAE).

Búsquelo en el supermercado y prepárelo como una infusión normal. Remoje las hojas de rooibos entre cinco y 10 minutos. Cuanto más tiempo las remoje en agua muy caliente, más antioxidantes obtendrá.

Cuídese con kiwi. El famoso estudio ocular que se realizó en la región de las Montañas Azules, de Australia, hizo seguimiento a casi 2500 personas durante más de 10 años y encontró que aquéllas que consumían más vitamina C tenían la mitad de probabilidades de desarrollar cataratas nucleares.

Lo más probable es que los radicales libres sean los culpables de la opacidad del cristalino del ojo. El trabajo diario de las células produce algunos radicales libres; otros son causados cuando los rayos ultravioleta (UV) del sol llegan a los ojos. De cualquier manera, estos compuestos pueden causar daños reales, y el cristalino de los ojos es especialmente vulnerable. Las lesiones que allí se producen pueden acelerar el desarrollo de cataratas.

Los ojos, y en especial el cristalino, contienen mucha vitamina C. Esta vitamina desempeña un papel clave, ya que absorbe la radiación UV y neutraliza los radicales libres antes de que puedan hacer daño. Los participantes de este estudio ocular consumieron un promedio de 500 miligramos (mg) de vitamina C al día, principalmente de verduras crucíferas, papas, cítricos y jugos de fruta. Un kiwi contiene 84 mg de vitamina C. Si los kiwis no son de su agrado, pruebe el jugo de naranja. Los expertos dicen que el jugo de la fruta ofrece una fuente más concentrada de vitamina C que la fruta entera.

Elija la especia amarilla. La cúrcuma, la especia amarilla presente en el polvo de curri, puede prevenir la retinopatía diabética, una enfermedad relacionada con el daño oxidativo por radicales libres.

La cúrcuma contiene un arma secreta, el compuesto curcumina, que da a la especia su color amarillo. Un estudio en ratas mostró que la curcumina ayuda a inhibir el estrés oxidativo y la inflamación, dos factores clave detrás de la retinopatía diabética. Esto llevó a los investigadores a suponer que podría funcionar igual en los humanos, frenando o previniendo el desarrollo de esta enfermedad de los ojos.

Como antioxidante, la curcumina es 10 veces mejor que la vitamina E en la guerra contra los radicales libres. Aunque no es una cura por sí sola, puede resultar útil junto con otros tratamientos para controlar las complicaciones de la diabetes.

Lista de compras para una visión vital

Vaya de compras con esta lista en mano y llegue a los 90 años con buena visión. Estos alimentos podrían reducir casi a la mitad el riesgo de desarrollar enfermedades degenerativas de los ojos.

Salmón. Para mantener la agudeza visual, las personas de edad avanzada deben asegurarse de comer pescado graso dos veces a la semana. Este tipo de pescado contiene gran cantidad de ácidos grasos omega-3, dos de los cuales pueden frenar el empeoramiento de la degeneración macular asociada a la edad (DMAE). En un estudio, las personas con DMAE húmeda o seca en sus etapas iniciales que consumieron la mayor cantidad de ácidos omega-3 DHA y EPA resultaron ser menos propensas a sufrir el avance de la enfermedad.

Las células fotosensibles del ojo mueren a consecuencia de ésta y otras enfermedades oculares degenerativas. Estas células necesitan DHA para producir NPD1, un compuesto que elimina la inflamación y evita que mueran. Los expertos dicen que tan sólo dos o tres porciones semanales de pescado graso, como el salmón, el atún, la caballa o el arenque, aportarían todo el DHA y EPA que se necesita para vencer esta enfermedad de los ojos.

Pan de trigo integral. El DHA y el EPA ofrecen mayor protección si son parte de una dieta de bajo índice glucémico (IG), que incluya alimentos como los granos integrales. El estudio ocular que se realizó en las Montañas Azules llegó a la misma conclusión. En el transcurso de 10 años, las personas que consumieron principalmente panes y cereales de bajo IG, como la avena, así como mucha fibra de cereales, redujeron su riesgo de desarrollar DMAE en un tercio. La dieta con alimentos de alto IG, en cambio, incrementó en un increíble 77 por ciento el riesgo de desarrollar esta enfermedad que causa ceguera.

Los alimentos con un IG alto hacen que el azúcar en la sangre aumente rápidamente, lo que puede lesionar las células de la retina. Los alimentos con un IG bajo, por otra parte, liberan el azúcar en el torrente sanguíneo poco a poco, evitando estos picos agudos. Bastaría con sustituir cinco rebanadas de pan blanco por pan integral todos los días para prevenir el 8 por ciento de los casos avanzados de DMAE en los próximos cinco años.

Pollo. Los australianos que comieron 10 o más porciones de carne roja a la semana eran 50 por ciento más propensos a desarrollar DMAE. Pero los que comieron pollo al menos tres veces por semana redujeron su riesgo a la mitad. Disfrute de las carnes rojas con moderación y, en cambio, centre su dieta en aves de corral y pescado.

Leche baja en grasa. La vitamina D puede prevenir la DMAE. Un nuevo estudio encontró que las personas con los niveles más altos de esta vitamina en la sangre tenían un tercio menos de probabilidades de padecer de DMAE incipiente. La leche también fue asociada a un riesgo más bajo. Los científicos piensan que la vitamina D ofrece una doble protección: puede apagar la inflamación que contribuye a la DMAE, además de impedir el crecimiento de los vasos sanguíneos anormales que son el sello distintivo de la DMAE húmeda.

Ponga fin a los ojos resecos comiendo pescado

Comer más pescado graso, como el atún o el salmón, puede prevenir la sequedad de los ojos. Las mujeres que comían atún cinco veces o más a la semana eran casi un 70 por ciento menos propensas a sufrir del síndrome del ojo seco, en comparación con las que lo hacían sólo una vez a la semana.

Ciertos compuestos del cuerpo fomentan la inflamación, la que a su vez tiene un papel protagónico en el síndrome del ojo seco. El pescado graso contiene dos ácidos grasos omega-3 —el DHA y el EPA— que sofocan las llamas de estos compuestos inflamatorios.

Coma espinacas para conservar una visión 20/20

Popeye debe haber tenido una visión perfecta con todas las espinacas que comió. Las verduras de hoja verde, como las espinacas y la col rizada (*kale*, en inglés), están repletas de luteína y zeaxantina, dos antioxidantes protectores de la visión.

Gánele la guerra a la DMAE. La luz que entra en el ojo produce estrés oxidativo. Con el tiempo, esto provoca la muerte de las importantes células de la visión, sin que éstas sean reemplazadas por otras nuevas. Los estudios de laboratorio ahora muestran que ciertos antioxidantes podrían contrarrestar totalmente los estragos del estrés oxidativo. La luteína y la zeaxantina parecen ser especialmente potentes. Ambas absorben la luz azul conforme entra en los ojos y evitan que llegue y dañe las células necesarias para la visión.

Un estudio realizado en Australia encontró que las personas que consumían la mayor cantidad de luteína y el zeaxantina en sus alimentos, reducían su riesgo de desarrollar degeneración macular asociada a la edad (DMAE) en dos tercios. Incluso las personas que consumían una cantidad promedio redujeron su riesgo en un tercio. Empiece a planificar sus comidas alrededor de las verduras de hoja verde y conserve una buena visión hasta una edad avanzada.

Acabe con las cataratas. Sin embargo, la protección no se detiene ahí. En un estudio con más de 35 000 mujeres, aquéllas que consumían más luteína y zeaxantina presentaban un riesgo 18 por ciento menor de desarrollar cataratas. Algunas de las razones eran las mismas: al filtrar la luz azul, la luteína y la zeaxantina ayudan a prevenir el daño oxidativo en el delicado tejido ocular.

Evite la retinopatía diabética. Estos compuestos también previenen la retinopatía diabética al combatir la inflamación, los factores de crecimiento y los radicales libres que contribuyen a esta afección. Si bien la combinación de estos dos antioxidantes no disminuyó el azúcar en la sangre en estudios realizados en animales, sí evitó que el daño a la retina empeorase.

Los investigadores creen que lo mismo podría ser válido para los seres humanos, y que consumir grandes cantidades de alimentos ricos en estos compuestos podría frenar la retinopatía diabética o, para empezar, podría ayudar a prevenirla.

Otros remedios naturales

Conserve su audición hasta la vejez

La sordera no tiene por qué ser parte del proceso de envejecimiento.

Agudice el oído. Una vitamina B común podría ayudar a salvar su audición. Investigadores holandeses estudiaron a personas entre los 50 y 70 años que estaban comenzando a perder la audición. La mitad tomó 800 miligramos (mg) de ácido fólico al día, mientras que la otra mitad tomó un placebo o píldora falsa. Después de tres años de tratamiento, el grupo de placebo había perdido más audición que el grupo de la vitamina, aun cuando la diferencia fuera pequeña.

En los Países Bajos los alimentos no son enriquecidos con ácido fólico como en Estados Unidos. Los expertos aún no saben si consumir más de esta vitamina en la forma de suplementos le dará al oído una ventaja adicional cuando ya se consume la cantidad suficiente a partir de los alimentos fortificados. Consulte a su médico antes de tomar este paso decisivo, especialmente si está tomando un medicamento anticoagulante.

Protección contra el ruido. Un suplemento de combinación que contiene magnesio, betacaroteno y las vitaminas C y E, puede proteger los oídos de la pérdida auditiva provocada por el ruido. Los científicos solían pensar que las vibraciones intensas de los ruidos dañaban el oído interno, produciendo la pérdida de la audición. Ahora piensan que el proceso es más complejo y, posiblemente, prevenible.

Cuando un ruido fuerte entra en los oídos, los radicales libres forman compuestos dañinos que pueden destruir las células diminutas del oído interno. Usted podría perder algo de audición temporalmente y recuperarla más tarde. Con el tiempo, sin embargo, el daño se vuelve permanente. Los estudios en animales muestran que un cóctel preparado con estos nutrientes y tomado antes de la exposición a ruidos fuertes, podría prevenir los daños a la audición provocados por el ruido.

El magnesio acelera la cicatrización al mejorar el flujo de sangre hacia el oído interno, mientras que los otros nutrientes actúan como poderosos antioxidantes, neutralizando los radicales libres antes de que dañen las células del oído. Juntos, estos nutrientes podrían ayudar a proteger contra la pérdida de audición, tanto la asociada a la edad como la provocada por el ruido. La empresa OtoMedicine comenzará a vender este suplemento bajo el nombre de *Auraquell* una vez que la Administración de Alimentos y Medicamentos (FDA, en inglés) lo apruebe.

Silencie el estruendo del tinnitus

La coenzima Q10 podría ayudar a silenciar el constante zumbido en los oídos que se conoce como acúfenos o tinnitus. Un estudio pequeño de cuatro meses de duración, encontró que este suplemento disminuía el zumbido en las personas que tenían niveles bajos de CoQ10 en la sangre. Sin embargo, no ayudó a las personas que ya tenían niveles normales de CoQ10.

Suplementos seguros que mantienen la visión aguda

La degeneración macular asociada a la edad (DMAE) no tiene cura, pero existen cada vez más pruebas de que ciertos suplementos pueden prevenirla o hacer más lento su progreso.

Las B son la clave. Hace mucho que se sabe que protegen la salud cardíaca, pero en un estudio se descubrió que las vitaminas B también pueden proteger la visión. A mujeres con un alto riesgo de cardiopatía se les dio un suplemento de complejo B que contenía:

- 50 miligramos (mg) de B6
- 2.5 mg de ácido fólico
- 1 mg de B12

Después de siete años, los investigadores comprobaron que estas mujeres tenían entre 35 y 40 por ciento menos probabilidades de contraer DMAE que las que no tomaron las vitaminas. La protección comenzó después de tan sólo dos años de tratamiento.

Los expertos sospechan que existe un vínculo entre los niveles altos de homocisteína (un compuesto que aumenta el riesgo de sufrir enfermedades del corazón y el endurecimiento de las arterias) y la DMAE. Las tres vitaminas B que se utilizaron en el estudio reducen la homocisteína y, además, pueden funcionar como antioxidantes, contrarrestando el daño de los radicales libres y optimizando el funcionamiento de los vasos sanguíneos en los ojos. Considere la posibilidad de tomar un complejo de vitaminas B si sufre de enfermedad cardíaca o está en alto riesgo de contraerla. Las dolencias relacionadas con el corazón pueden hacerle más propenso a desarrollar DMAE.

Las combinaciones de vitaminas son prometedoras. Hecho famoso por el Estudio de Enfermedades Oculares Relacionadas con la Edad (AREDS, en inglés), este suplemento de combinación tomado cuatro veces al día retardó la progresión de la DMAE y conservó la nitidez de la visión en personas con la enfermedad. El suplemento contenía:

- 7160 unidades internacionales (UI) de vitamina A, como betacaroteno

- 113 mg de vitamina C

- 100 UI de vitamina E

- 17.4 mg de zinc

- 0.4 mg de cobre

La misma fórmula está ahora disponible sin receta médica como *Ocuvite Preser-visión* y en una presentación de liberación retardada llamada *ICAPS*. Un tercer producto, *Natural Vision Carel*, contiene algunos de los mismos componentes, pero en cantidades menores, además de los antioxidantes luteína y zeaxantina. Los tres productos pasaron recientemente pruebas de control de calidad realizadas por un laboratorio independiente.

En un estudio sobre los carotenoides en la maculopatía asociada a la edad, llamado CARMA por sus siglas en inglés, se están realizando pruebas con una mezcla de luteína, zeaxantina, zinc y las vitaminas C y E. Este nuevo suplemento de combinación para tratar la DMAE podría llegar al mercado algún día.

Vida saludable

Lo que sus pies pueden hacer por sus ojos

Salir a correr todos los días ayuda a preservar la visión y a prevenir tres de los problemas más graves de la vista.

Cataratas. Son la causa más común de ceguera, por lo que su prevención es una prioridad.

Como parte del Estudio Nacional de Salud de Corredores, los investigadores dieron seguimiento a un grupo de corredores durante siete años. Los hombres que corrieron más de 5.7 millas al día redujeron su riesgo de desarrollar cataratas en más de un tercio en comparación con los hombres que corrieron menos de 1.4 millas diarias. La velocidad también cuenta. Los hombres que corrieron a mayor velocidad redujeron su riesgo a la mitad, en comparación con los corredores más lentos o con menos resistencia física.

La salud cardíaca y pulmonar parece ser la clave, y correr mantiene estos órganos en perfectas condiciones. Sin embargo, no es necesario empezar a entrenar para una maratón. Según los expertos, bastaría con caminar para reducir el riesgo de desarrollar cataratas.

Degeneración macular. Tener pies ligeros también puede ayudar a vencer la degeneración macular asociada a la edad (DMAE), que ataca a una de cada cuatro personas mayores de 75 años. Los participantes de un estudio redujeron en un 10 por ciento su riesgo de desarrollar DMAE por cada 0.6 millas (1 kilómetro) que corrieron todos los días. Los que corrieron entre 1.2 y 2.5 millas al día redujeron su riesgo en un 19 por ciento y los que corrieron más redujeron su riesgo casi a la mitad.

Glaucoma. La presión ocular elevada puede conducir al glaucoma, pero un poco de ejercicio aeróbico, como correr durante 30 minutos, puede aliviar la presión dentro del ojo. Sin embargo, no todos los ejercicios ayudan. Los ejercicios de levantamiento de pesas como el *press* de banca, por ejemplo, pueden aumentar temporalmente la presión ocular y, por lo tanto, elevar el riesgo de desarrollar glaucoma o de empeorarlo, especialmente si aguanta la respiración mientras hace el mayor esfuerzo. Estos cambios frecuentes en la presión ocular han sido asociados con la aparición de glaucoma más adelante.

Bloquee los rayos UV para proteger la vista

Demasiado sol no es sólo malo para la piel. Según la Asociación Estadounidense de Optometría:

- Exponer el ojo desnudo incluso a pequeñas cantidades de radiación ultravioleta (UV) de la luz del sol durante muchos años aumenta la probabilidad de desarrollar cataratas y puede dañar la retina.

- Cuanto mayor sea la exposición de los ojos a los rayos UV, mayor será el riesgo de cataratas y degeneración macular.

Empiece por usar un sombrero de ala ancha o una gorra cuando esté afuera, además de anteojos de sol de calidad. Busque anteojos de sol que aseguren bloquear entre el 99 y el 100 por ciento de ambos tipos de rayos, el UV-A y el UV-B.

Al comprar los anteojos de sol asegúrese que tengan lentes grises lo suficientemente oscuras para filtrar por lo menos tres cuartas partes de la luz. Pruébelos delante de un espejo. Si puede ver sus ojos a través de los lentes con facilidad, entonces es probable que no sean lo suficientemente oscuros.

Proteja sus oídos de los peligros cotidianos

El uso de palos de golf de titanio puede llevar a la pérdida de la audición. Un nuevo estudio muestra que los palos de titanio de cara delgada producen un "ruido de impacto" mucho más fuerte que el de los anticuados palos de acero. Sonidos más fuertes que 85 decibelios (dB) ponen en peligro la audición. La exposición crónica a ruidos fuertes daña las delicadas células ciliadas del oído interno, que son fundamentales para el proceso de audición.

Sin embargo, los palos de golf no son el único peligro oculto. Tenga cuidado con las amenazas de alta tecnología en forma de auriculares y reproductores de música personales, como los reproductores MP3 y los iPod. El volumen máximo en un iPod es de más de 100 dB si se emplean los *"earbuds"* de Apple que vienen con el dispositivo. Ese nivel de volumen podría dañar la audición en cosa de minutos.

Lo mismo es válido para otros dispositivos y auriculares. A todo volumen, la mayoría sólo pueden usarse de forma segura:

- Durante 18 minutos, con auriculares de espuma que encajan sobre las orejas.

- Durante cinco minutos, con auriculares regulares que se ajustan dentro de los oídos.

- Durante tres minutos, con auriculares especiales "aislantes" diseñados para bloquear el ruido exterior.

Vaya a lo seguro. Limite la cantidad de tiempo que escucha un reproductor de música personal y nunca lo ajuste a más del 70 por ciento del volumen máximo. Algunos dispositivos, como el iPod, le permiten establecer sus propios límites de volumen máximo.

Proteja sus oídos. Use tapones para los oídos u otra protección cuando juegue al golf, utilice una cortadora de césped, asista a eventos deportivos en estadios o realice otras actividades bulliciosas, incluidos los viajes en transporte público. Un estudio en la ciudad de Nueva York encontró que los niveles sonoros en los vagones y las plataformas del metro estaban por encima del nivel seguro.

Regale seguridad. La pérdida de audición comienza temprano. Al comprar juguetes para los más pequeños, preste atención a cuánto sonido producen. La Asociación para la Vista y la Audición encontró que 14 de los 18 juguetes estudiados producían más de 100 dB, suficiente para dañar el oído de un niño en 15 minutos. Incluso los juguetes "seguros" pueden dañar la audición de un niño si se llevan junto al oído.

Vaya a lo seguro con los celulares

Pasar demasiado tiempo hablando por un teléfono celular podría dañar la audición. En un estudio a largo plazo, el uso de un teléfono celular más de una hora al día produjo una pérdida auditiva de alta frecuencia.

Culpe a la radiación de los teléfonos celulares, no a los familiares y amigos gritones. Los teléfonos que utilizan tecnología GSM emiten radiaciones electromagnéticas que pueden interferir con la actividad de las células del oído.

Preste atención a síntomas como zumbidos, calor o sensación de tener el oído tapado cuando habla por teléfono. Estos síntomas sugieren que usted podría estar perdiendo la audición. Trate de pasar menos de una hora al día en el teléfono celular. Utilice un teléfono fijo, si tiene uno, para hacer las llamadas más largas.

Acalle el zumbido en los oídos con tratamientos probados

El *tinnitus* es como un silbido, zumbido, siseo o rugido constante en los oídos y puede robarle cada momento de tranquilidad en la vida. Los siguientes tratamientos pueden ayudar a silenciarlo.

Preste atención a la ATM. Los trastornos de la articulación temporomandibular (ATM) afectan la articulación principal en la mandíbula y a menudo van de la mano con el *tinnitus*. Los nervios y músculos de la mandíbula están estrechamente conectados a los músculos del oído, de modo que los problemas de la ATM pueden interferir con el proceso de audición y causar el *tinnitus*.

El tratamiento de una dolencia puede calmar la otra. Los dolores de cabeza, las dificultades al morder, el bloqueo de la mandíbula y el dolor de oído son síntomas de un trastorno de la ATM. Su tratamiento tiene más probabilidades de ayudar con el zumbido en los oídos:

■ Si ambos problemas comenzaron al mismo tiempo.

■ Si tienden a manifestarse al mismo tiempo.

■ Si las dos afecciones empeoran bajo estrés.

Cálmelo con terapia de sonido. El ruido de fondo puede cubrir o enmascarar el *tinnitus*, haciéndolo menos notorio, fuerte y molesto. Crear sonidos relajantes puede ser tan sencillo como encender un ventilador de mesa por la noche, o tan de alta tecnología como usar un dispositivo en la oreja similar a un audífono. Los sonidos de fondo que ofrecen las máquinas de sonido van desde las olas del océano hasta el ruido blanco, y también pueden ser útiles. Sin embargo, no recurra sólo al sonido. Este remedio funciona mejor si se combina con una terapia de asesoría especializada.

Consulte a un profesional. La terapia de asesoría puede ser de mucha ayuda para mantener la cordura cuando se vive con *tinnitus*. La terapia cognitiva es un tipo de terapia que trata de cambiar la forma en que se reacciona emocionalmente al ruido, en lugar de curar el zumbido mismo. El terapeuta debe adaptar el programa para las necesidades específicas de cada paciente. La terapia por lo general funciona mejor junto con otros tratamientos para el *tinnitus*, como la terapia de sonido o los medicamentos.

Rompa el círculo del estrés. Las técnicas de relajación como la biorretroalimentación pueden ayudarle a aprender a controlar las reacciones físicas que de otra manera son automáticas, entre ellas el pulso, la tensión muscular y la temperatura de la piel. La idea es poder manejar mejor la tensión y modificar la forma en la que el cuerpo reacciona ante una situación estresante.

Haga que le pinchen. Varios estudios sugieren que la acupuntura puede aliviar e incluso curar el *tinnitus*. Los puntos de acupuntura más importantes están en la cabeza a 1.75 pulgadas (4.45 cm) por encima de cada oreja. Los expertos creen que esta técnica ancestral puede silenciar las señales nerviosas desquiciantes que viajan desde el oído al cerebro y ayudar a que el oído vuelva a funcionar normalmente.

Destierre a los desencadenantes. Intente evitar las situaciones de estrés, el alcohol, la nicotina y la cafeína, que pueden agravar el zumbido en sus oídos.

Alternativas médicas

Cuándo es posible curar la pérdida de audición

No toda pérdida auditiva es permanente. La pérdida conductiva de la audición, por ejemplo, puede a menudo ser revertida. En este tipo de pérdida auditiva las ondas sonoras no pueden llegar al oído interno debido a la presencia de líquido en el oído, la acumulación de cerumen o la perforación del tímpano.

Los medicamentos también pueden causar problemas. La aspirina y otros salicilatos en dosis altas pueden provocar *tinnitus* y pérdida auditiva. Lo mismo vale para los fármacos antiinflamatorios no esteroideos (AINES), como el ibuprofeno y el naproxeno, en dosis altas o con un uso a largo plazo. Por fortuna, la audición generalmente vuelve a la normalidad cuando se dejan de tomar.

Ése no es el caso con todos los medicamentos. Hay algunos que pueden causar una pérdida permanente de la audición. Por ejemplo:

- La clase de antibióticos conocida como aminoglucósidos, que incluye la gentamicina, la estreptomicina y la kanamicina, especialmente cuando se administran por vía intravenosa.

- En adultos mayores de 53 años, las altas dosis de vancomicina, un antibiótico utilizado para tratar las infecciones por SARM.

- Las terapias de reemplazo hormonal de combinación que contienen estrógeno y progestina pueden acelerar la pérdida de la audición asociada a la edad.

- Los diuréticos, como la bumetanida (*Bumex*), el ácido etacrínico (*Edecrin*), la furosemida (*Lasix*) y la torsemida (*Demadex*).

- Los fármacos contra el cáncer conocidos como antineoplásicos, como el cisplatino y el carboplatino.

Consulte a su médico de inmediato si experimenta problemas de audición mientras toma uno estos medicamentos, pero no deje de tomarlos por cuenta propia.

Guía para seleccionar un auxiliar auditivo seguro

Lo barato sale caro y ahorrar en unos audífonos baratos podría incluso acelerar la pérdida de la audición. Estos dispositivos se venden para la cacería o para escuchar el canto de los pájaros, conversaciones en voz baja y voces distantes. Pero hay algo que no debe pasar por alto: no son audífonos para la pérdida de audición.

Un nuevo estudio examinó ocho dispositivos para la audición de venta libre de menos de $100, y otros tres entre $100 y $500. La conclusión fue que no sólo los dispositivos baratos funcionaban mal, especialmente en ambientes ruidosos como los restaurantes, sino que además podían dañar lo que quedaba de audición en las personas que lo usaban.

Todos los dispositivos baratos amplificaban demasiado los sonidos de frecuencia baja y no suficientemente los sonidos de frecuencia alta. Esto los hace inútiles como audífonos, puesto que la mayor pérdida de la audición sucede en el rango de frecuencias altas. Además de eso, amplificaban algunos sonidos a tal punto que podían llegar a dañar la audición.

"Aparte de ser de pésima calidad, los audífonos muy baratos, por debajo de los $100, tienen el potencial de dañar el oído, porque amplifican demasiado los sonidos que transmiten hacia el oído", dice Susanna Love Callaway, investigadora de la Universidad de Copenhague. Los dispositivos de precio medio utilizados en el estudio dieron mejores resultados. "Eran de mejor calidad y se determinó que no representaban un peligro para la salud del usuario", señala.

Antes de comprar un audífono usted necesita ver a un audiólogo o experto en audición. La pérdida de audición no es igual para todos, y distintos dispositivos funcionan mejor para diferentes tipos de pérdida. Un audiólogo puede examinar su audición, ayudarle a elegir el mejor dispositivo para su tipo de afección y adaptarlo a su medida.

Por supuesto, las personas suelen recurrir a audífonos baratos en parte porque Medicare no cubre su costo. Pero algunos planes de Medicare Advantage sí lo hacen. Averigüe cuál de ellos puede cubrir el costo de sus audífonos.

El peligro ignorado de los auxiliares auditivos

Una resonancia magnética podría producir un cortocircuito en su audición si lleva un implante coclear (IC). Las resonancias magnéticas producen campos magnéticos fuertes que pueden desmagnetizar el imán de un IC.

Informe al técnico de la resonancia si lleva un IC con un imán fijo. No ingrese en una máquina de resonancia magnética 3.0T configurada para exploraciones de rutina. En vez de eso, haga que el técnico ajuste el escáner, de modo que el ángulo entre el imán de la máquina de resonancia y el imán de su IC sea inferior a 80 grados. Esto ayudará a protegerlos a usted y al implante.

Nueva esperanza para el zumbido en los oídos

Se suele decir que no hay nada que pueda aliviar los acúfenos o zumbido en los oídos. En realidad, sí hay nuevos tratamientos que pueden ayudar a mejorar e incluso curar esta dolencia.

Silencie el sonido con audífonos. Si usted sufre de *tinnitus* o acúfenos, es probable que también tenga cierta pérdida de audición. Afortunadamente, el *tinnitus* mejora en tres de cada cinco personas que usan un audífono y uno de cada cinco obtiene un alivio importante. Estos dispositivos ofrecen dos grandes beneficios:

- Escuchar los sonidos externos ayuda a no prestar tanta atención al zumbido en los oídos. El acto mismo de escuchar algo distinto a su *tinnitus* de hecho ejercita la parte auditiva del cerebro del paciente. Los expertos dicen que esto, a su vez, puede bloquear la capacidad del cerebro para oír el zumbido. Con el tiempo, el cerebro lo relega a un ruido de fondo y lo cancela.

- Aumentar la capacidad auditiva puede reducir el estrés y mejorar la capacidad para comunicarse. Como resultado, el *tinnitus* se hace más llevadero.

En un estudio, los audífonos digitales programables ofrecieron más ventajas para el *tinnitus* que los modelos analógicos más antiguos.

Hágale cosquillas al cerebro. Tiene un nombre largo y extraño, pero las investigaciones sugieren que la estimulación magnética transcraneana (EMT) puede aliviar los síntomas de *tinnitus* en algunas personas.

Este trastorno no afecta sólo a los oídos. Está vinculado a cambios físicos reales en el cerebro y en el sistema nervioso. La EMT envía una estimulación magnética de baja frecuencia a la parte del cerebro que procesa el sonido. Esto crea un pequeño campo magnético que silencia a algunas de estas células del cerebro, reduciendo o eliminando el ruido. El *tinnitus* tiende a reaparecer en una semana o dos, pero una dosis de mantenimiento de EMT puede prolongar el silencio. Aproximadamente la mitad de las personas con este trastorno responde a ese tratamiento y consigue alivio.

Pregunte acerca de los medicamentos. En la actualidad, no existen medicamentos que puedan tratar el *tinnitus*, pero eso podría cambiar pronto. Un nuevo medicamento en período de prueba puede curar el *tinnitus* causado por fármacos o ruidos fuertes que dañan el oído.

Los científicos creen que el *tinnitus* ocurre cuando algo va mal con los receptores en las células del oído haciendo que el cerebro "escuche" sonidos que no existen. El nuevo fármaco AM-101 inhibe la acción de estos receptores, para que dejen de enviar señales falsas de ruido al cerebro. En teoría, el zumbido en los oídos también se detiene.

El médico primero insensibiliza el tímpano con anestesia local y luego inyecta el fármaco directamente a través del tímpano en el oído medio. De momento, los científicos sólo han probado AM-101 en personas con *tinnitus* reciente. Aún no se sabe si este fármaco ayudará a las personas que han vivido con *tinnitus* durante mucho tiempo.

Consejos para encontrar un teléfono sin complicaciones

Encontrar un teléfono celular que funcione bien con un dispositivo para la audición es ahora mucho más fácil. La Comisión Federal de Comunicaciones ha dispuesto que los teléfonos celulares deben funcionar mejor con los auxiliares auditivos e implantes cocleares, para evitar la estática, disminuir la interferencia y mejorar las conexiones de telebobina.

No todos los teléfonos son "compatibles con auxiliares auditivos" o HAC, por sus siglas en inglés. Para encontrar uno que lo sea, busque la etiqueta HAC en la caja del teléfono, en el manual de usuario o en la información de la tarjeta al lado del teléfono de muestra en la tienda. Si no encuentra la etiqueta HAC, entonces no es compatible. Para los teléfonos celulares que sí son HAC, busque uno que:

- Tenga una clasificación T3 o T4, si usted usa un implante coclear o un audífono con telebobina.

- Tenga una clasificación M3 o M4, si su auxiliar auditivo tiene un micrófono.

- Le permita controlar la iluminación del teclado y la pantalla, ya que la iluminación puede interferir con la telebobina.

- Vibre o tenga una pantalla parpadeante para alertar cuando entra una llamada.

- Tenga una opción de llamada por altavoz, de modo que pueda mantener el teléfono alejado para reducir la interferencia con el audífono.

- Tenga algún dispositivo de asistencia en las conexiones, como la opción "TTY".

Pruebe varios teléfonos antes de comprar uno y pregunte sobre las políticas de cancelación y devolución antes de firmar el contrato.

Pruebas que detectan problemas oculares más temprano

Los exámenes para detectar enfermedades oculares que provocan ceguera, como la degeneración macular y el glaucoma, son decisivos para mantener la visión en buen estado. Nuevas pruebas pueden diagnosticar estas enfermedades más temprano que nunca y con un mínimo de incomodidad.

Detecte la DMAE. Los exámenes para detectar la degeneración macular asociada a la edad (DMAE) son hoy más sencillos y precisos. Un solo gen aumenta el riesgo de esta enfermedad en un increíble 700 por ciento y un simple examen de sangre puede detectarlo. Las personas que descubren que tienen el gen asociado a la DMAE pueden actuar antes de que desarrollen la enfermedad para reducir su riesgo a través de cambios en la dieta y el estilo de vida. Los expertos instan a las personas con antecedentes familiares de DMAE a que soliciten esta prueba. Otro examen ayuda a los médicos a determinar qué pacientes con DMAE seca van a perder la visión. No todos la pierden, pero hasta hace poco no se podía predecir quién lo haría.

Gánele al glaucoma. Si un hermano o hermana tiene glaucoma, hágase un examen de los ojos cada dos años, incluso si el primer examen resulta normal. Familiares de primer grado de personas con esta afección tienen probabilidades más altas que el promedio de desarrollar esta enfermedad. Para los hermanos de alguien con glaucoma el riesgo es aún más alto, es cuatro veces mayor que el de la población normal.

Una nueva herramienta de evaluación llamada Perimetría Virtual (VIP, en inglés) puede hacer la prueba de glaucoma más fácil y los resultados más precisos. Investigadores de la Universidad de Tel Aviv aún están perfeccionando el dispositivo, pero espere verlo pronto en Estados Unidos.

Evite la retinopatía diabética. Un nuevo examen sin dolor puede reemplazar a la antigua e incómoda prueba estándar para la retinopatía diabética, la angiografía con fluoresceína. Esta prueba consiste en inyectar un tinte en el paciente, para luego tomar una serie de imágenes de sus ojos. Son muchas las personas que posponen la prueba para evitar la inyección. El nuevo examen, sin embargo, no utiliza inyecciones ni depende de un tinte, ya que utiliza un láser para "mapear" la retina. Puede que algún día también reemplace a la angiografía con fluoresceína en el diagnóstico de la DMAE y de otras enfermedades vasculares oculares.

Sorprendente fuente de problemas de visión

Puede que su medicamento para el colesterol sea el culpable de algunos problemas de visión. Son poco frecuentes, pero las investigaciones asocian el uso de estatinas con la visión doble, la caída del párpado superior y la pérdida del rango de movimiento en los ojos, incluso cuando se usan dosis normales.

Llame a su médico si tiene cualquiera de estos síntomas. Le podrá recetar otro fármaco para el colesterol, lo que debería hacer que estos trastornos oculares desaparezcan.

Tres cosas que debe saber antes de operarse de cataratas

Conozca los nuevos tipos de lentes intraoculares que pueden implantarse en el ojo en una cirugía de cataratas.

Considere sus opciones. Las lentes intraoculares convencionales son monofocales, lo que significa que el ojo afectado sólo podrá enfocar a una distancia, ya sea cercana o lejana, y que es probable que tenga que seguir usando anteojos para compensar este hecho.

Las nuevas lentes intraoculares multifocales ofrecen más opciones. Son mejores en la corrección de la visión cercana que las monofocales, y nueve de cada 10 personas no necesitan usar anteojos después. Las lentes tóricas especiales, por otro lado, pueden corregir el astigmatismo. Las personas que eligen lentes multifocales obtienen los mejores resultados si se implantan en ambos ojos. Las marcas *AcrySof ReSTOR* y *ReZoom* parecen tener menos efectos secundarios, como resplandor nocturno y halos.

Medicare por lo general no paga un adicional por lentes especiales, aunque sí cubrirá el costo de lentes convencionales. Usted tendrá que pagar la diferencia de su bolsillo.

Sopese con detenimiento el reemplazo de las lentes. Tómese su tiempo para decidir si debe someterse a una cirugía. Anteojos nuevos, iluminación más brillante, gafas de sol antirreflejo o una lupa pueden ser de gran ayuda para superar los primeros síntomas de cataratas. Según los expertos, las cataratas sólo necesitan operarse si interfieren con actividades cotidianas como conducir, leer o ver televisión. En la mayoría de los casos, aplazar la cirugía no causa daño al ojo a largo plazo ni hace más difícil la operación.

Evite las complicaciones. Informe a su oftalmólogo si usted está tomando un bloqueador alfa, como la tamsulosina (*Flomax*). Estos fármacos se suelen utilizar para tratar la próstata agrandada, pero pueden complicar la cirugía de cataratas si el médico no sabe que los está tomando. No deje de tomarlos por cuenta propia.

Cuide sus ojos con exámenes de la vista gratuitos

No hay por qué descuidar la vista cuando se puede acceder a un examen gratuito a través de EyeCare America, un programa de servicio público de la Academia Estadounidense de Oftalmología.

En todo el país, oftalmólogos voluntarios donan su tiempo para ofrecer exámenes gratuitos, y en algunos casos tratamiento, a personas necesitadas. A través de EyeCare America, usted puede examinarse para glaucoma, degeneración macular asociada a la edad (DMAE) y enfermedades oculares causadas por la diabetes como la retinopatía diabética, entre otros problemas de visión.

Los requisitos varían según el tipo de examen que necesita, pero generalmente usted debe:

- Ser residente legal o ciudadano de Estados Unidos.
- No haber tenido recientemente un examen de la vista.
- No tener cobertura de una HMO o de la Administración de Veteranos (VA).

Para los exámenes oculares de diabetes o DMAE, debe tener más de 65 años. Para un examen de glaucoma, debe tener un factor de riesgo para esta enfermedad, en base a su historia familiar, edad o raza.

EyeCare América acepta Medicare o reembolsos del seguro como pago, sin costo adicional para usted. Los exámenes son gratuitos, incluso si usted no tiene ninguna cobertura de seguro. Llame al 800-222-EYES (3937) para averiguar si califica.

Despídase de las irritantes gotas para ojos

Los lentes de contacto de alta tecnología podrían hacer que las gotas y los fármacos se conviertan en cosa del pasado. Los investigadores han encontrado una manera de incorporar los medicamentos directamente en los lentes de contacto, liberando el medicamento directamente en los ojos durante más de cuatro semanas por vez. Los nuevos lentes se encuentran aún en periodo de prueba, pero manténgase atento a su aparición en el futuro.

Dientes y encías saludables para sonreírle a la vida

Excelentes infusiones para la salud dental

No hay necesidad de tirar la cafetera o renunciar al té para salvar los dientes. Sus bebidas preferidas pueden de hecho ayudar a prevenir las caries, la enfermedad de las encías, la sequedad bucal y el cáncer oral, tanto de la boca como de la garganta.

Luche contra las caries. El café, así como el té negro, el té verde y el *oolong*, están repletos de unos antioxidantes que combaten las caries llamados polifenoles. Estos compuestos químicos naturales de la planta actúan como agentes antibacterianos y evitan que las bacterias causantes de las caries se adhieran a los dientes.

A diferencia de las sodas y del jugo de naranja, el café y el té no dañan el esmalte de los dientes. Lo que sí hacen, sin embargo, es que tienden a manchar los dientes. Para evitar que se manchen, beba el té frío a través de una pajilla. Para las otras bebidas, enjuáguese la boca con agua después de beber y luego cepíllese los dientes 30 minutos más tarde.

Combata la enfermedad de las encías. Un estudio realizado en Japón encontró que los hombres que bebían más té verde tenían las encías más saludables y un riesgo menor de la enfermedad periodontal que ataca a las encías y a los huesos de soporte.

Los polifenoles del té verde impiden que los organismos causantes de enfermedades se asienten en la boca y, además, combaten la inflamación.

Calme el síndrome de Sjögren. Esta enfermedad autoinmune se caracteriza por una inflamación sin control en las glándulas lacrimales y salivales. Con el tiempo, estas glándulas dejan de funcionar, lo que puede causar problemas en los ojos y la boca. No existe cura conocida, pero los polifenoles del té verde pueden ayudar.

Ratones con síntomas parecidos a los del síndrome de Sjögren bebieron agua mezclada con un polifenol del té verde. Al cabo de cuatro meses, los ratones que tomaron este brebaje tenían menos inflamación y daño a las glándulas salivales que los ratones con Sjögren que bebieron sólo agua. Los investigadores sospechan que la infusión también podría ayudar a prevenir o controlar esta enfermedad en los humanos.

Evite el cáncer oral. El consumo de café podría ayudar a evitar los cánceres orales. En un estudio que se llevó a cabo en Japón con casi 40 000 personas, las que bebían al menos una taza de café al día resultaron tener la mitad del riesgo de desarrollar cáncer oral, faríngeo y esofágico que las que no lo hacían. Incluso las personas normalmente propensas a estos tipos de cáncer, como las que fuman o beben alcohol, se beneficiaron de la protección del café.

Tratamiento cremoso que salva dientes

Una cucharada de yogur cremoso al día puede ofrecer protección contra la periodontitis. Esta dolencia puede causar aflojamiento de los dientes, retracción de las encías, inflamación y, por último, deterioro de las encías, los dientes y los huesos que los sostienen. En un estudio, las personas que consumían por lo menos un cuarto de taza de yogur al día tenían la boca más sana y su riesgo de contraer periodontitis era entre un 50 y un 60 por ciento menor.

Sonríale a las frutas pequeñas y rojas

Expulse a las caries, la enfermedad periodontal y la gingivitis de la boca con una "tarjeta roja" hecha de arándanos rojos y granadas.

Arándano rojo al rescate. La placa que se forma en los dientes alberga bacterias, las que a su vez "alimentan" las caries, la gingivitis y las enfermedades de las encías. Los compuestos del arándano rojo podrían poner fin a estos problemas de la boca ya que previenen:

- Que las bacterias perjudiciales se adhieran a los dientes.
- Que las bacterias que causan la enfermedad de las encías se congreguen y asienten en la boca.
- Que el cuerpo reaccione exageradamente a la invasión bacteriana y bombee compuestos inflamatorios, que tienden a empeorar la situación y preparar el terreno para la enfermedad de las encías.

No salga corriendo para abastecerse de jugo de arándano rojo ya que suele contener demasiado azúcar y ácido. En su lugar, busque un enjuague bucal o una crema dental con extracto de arándano rojo.

Gloria a la granada. En un estudio de laboratorio, el jugo cien por ciento puro de granada mató a las bacterias comunes causantes de las caries *Streptococcus mutans*. En el futuro, los investigadores quieren agregar compuestos de granada a las cremas dentales y los enjuagues bucales para así aumentar su poder antibacteriano.

Evite los alimentos que erosionan el esmalte

Usted ya sabe que los refrescos y los caramelos azucarados pueden corroer los dientes, pero lo mismo ocurre con su té favorito en lata y las bebidas para después del ejercicio. Se tiende a señalar a los ácidos de estas bebidas como los culpables, sin embargo los aditivos saborizante que éstas contienen también contribuyen al daño.

Bebidas para deportistas. El consumo de estas populares bebidas puede, a largo plazo, erosionar el esmalte de los dientes y hacerlos más sensibles. Esto se debe a que el ácido cítrico que contienen corroe el esmalte que protege los dientes, y luego debilita y ablanda el tejido duro parecido al hueso que se encuentra debajo del esmalte. Esto puede causar daños graves y, con el tiempo, la pérdida de dientes. Y como si eso no fuera suficiente, un estudio concluyó que las bebidas *Gatorade* y *Powerade* también manchan los dientes.

Caramelos ácidos. No es sólo el azúcar el que causa los problemas. Los caramelos ácidos también contienen ácido cítrico, la clase más erosiva de ácido en la dieta. Se ha constatado que la mayoría de estos caramelos son más ácidos que las sodas. Por ejemplo, los caramelos *Altoids Citrus Sours* son casi tan fuertes como el ácido de batería. Las golosinas ácidas con sabor de limón, cereza o uva son las más nocivas para los dientes. Tenga particular cuidado con los caramelos gomosos masticables, los caramelos en polvo o en aerosol, las gomas cubiertas en polvo y los geles pegajosos.

Té y refrescos en lata. Además de ácidos, estas bebidas contienen saborizantes que se adhieren a los dientes y agresivamente corroen el esmalte. Sin embargo, usted no tiene que renunciar a todas sus bebidas y golosinas favoritas. Estos consejos pueden ayudarle a disfrutar de ellas y al mismo tiempo proteger sus dientes.

- Entre los refrigerios que pueden causar erosión de los dientes están los refrescos y los caramelos ácidos, así como las galletas dulces y las papas fritas cargadas de carbohidratos. Disfrútelos con las comidas en lugar de entre comidas. La saliva adicional neutralizará su ácido y lo eliminará más rápido de la boca.

- Termine la comida con un alimento neutro o ligeramente alcalino, como el queso o la leche. También puede hacerlo con un chicle sin azúcar o antiácidos masticables sin azúcar.

- No se cepille los dientes inmediatamente después de beber o comer un alimento con efecto erosivo. Los ácidos suavizan el esmalte de los dientes y las cremas dentales pueden empeorar la erosión. En su lugar, enjuáguese la boca con agua. Espere 30 minutos antes de cepillarse para dejar que el esmalte vuelva a endurecerse.

- Beba té sin azúcar o agua en vez de bebidas gaseosas y té enlatado. El té naturalmente contiene flúor, lo que ayuda a fortalecer el esmalte de los dientes. El agua puede ayudar a eliminar las partículas de comida de la boca y diluir los ácidos y los azúcares.

- Utilice pastas dentales menos abrasivas elaboradas para dientes sensibles, en lugar de los dentífricos blanqueadores más abrasivos. Si usted consume regularmente bebidas para deportistas, pregunte a su dentista si debería utilizar una pasta dental especial que sea neutralizante de ácidos y remineralizante.

Un edulcorante que combate las caries

No todos los caramelos gomosos son malos para los dientes. Agregar el edulcorante xilitol a gomas y caramelos puede proteger los dientes contra las caries. En el ejército de Estados Unidos se ha comenzado a incluir una goma de mascar endulzada con xilitol en las raciones de los soldados para mejorar la salud oral de las tropas movilizadas.

¿No puede mascar chicle? Busque caramelos gomosos endulzados con xilitol. Un estudio en niños demostró que comer ositos de goma endulzados con xilitol tres veces al día reducía la cantidad de bacterias causantes de caries.

El queso, el pollo y los frutos secos también ayudan a proteger el esmalte de los dientes, al neutralizar los ácidos en la boca y aportar calcio y fósforo para remineralizar los dientes.

Sabia manera de combatir el cáncer

"Eres lo que comes", dice el refrán. De casi medio millón de personas, aquéllas que comían una mayor cantidad de estas frutas y verduras tenían menos probabilidades de tener cáncer de cabeza y cuello, que incluye los cánceres de boca, nariz, senos paranasales, glándulas salivales, garganta y ganglios linfáticos en el cuello.

- Las manzanas, los melocotones, las nectarinas, las ciruelas, las peras y las fresas disminuyeron el riesgo en un 40 por ciento.
- Las zanahorias en un 27 por ciento.

- Los frijoles secos, las habichuelas verdes y los chícharos en un 20 por ciento.

- Los pimientos morrones y los tomates en un 18 por ciento.

En las personas con cáncer de boca o de garganta, el consumo de grandes cantidades de verduras antes y después del diagnóstico fue asociado a una menor tasa de recurrencia del cáncer y a un mayor tiempo de supervivencia después del diagnóstico.

Vida saludable

El mejor cepillo para limpiar sus dientes

Un estudio encontró que el cepillo eléctrico limpiaba la placa de los dientes un 45 por ciento mejor que el cepillo de dientes manual. No sólo los dientes estaban más limpios después del cepillado, sino que también tenían menos acumulación de placa a lo largo del día. Pero atención, hay más de un tipo de cepillo eléctrico, y cada uno limpia los dientes de forma diferente.

- Los cepillos de oscilación contraria utilizan grupos de cerdas que giran en direcciones opuestas.

- Los cepillos de rotación oscilante giran el cabezal del cepillo en una dirección y luego en otra.

- Los cepillos ultrasónicos utilizan cerdas que vibran a frecuencias ultrasónicas.

- Los cepillos iónicos emiten una carga eléctrica a la superficie de los dientes para evitar que la placa se pegue.

Un cepillo eléctrico parece destacar por encima de los demás. En una revisión de 42 estudios, sólo los cepillos eléctricos de rotación oscilante limpiaron mejor que los cepillos de dientes manuales. De manera consistente, fueron mejores en eliminar la placa y prevenir la gingivitis y, además, redujeron el sangrado de las encías.

No es necesario tener un cepillo de lujo para prevenir el deterioro dental. Lo importante es cepillarse regularmente con una pasta dental con fluoruro para eliminar la placa. La placa es la principal causa de gingivitis y contribuye al desarrollo de la periodontitis, una enfermedad de las encías que se caracteriza por la inflamación y el deterioro de las encías, los dientes y los huesos de soporte.

Elija un cepillo con el sello de aprobación de la Asociación Dental Estadounidense (ADA, en inglés) y, si es un cepillo eléctrico, uno certificado por Underwriters Laboratories (UL).

Evite el peligro oculto del enjuague bucal

Las personas que usan enjuague bucal pueden ser más susceptibles a padecer de cáncer oral, según un nuevo estudio. Los expertos saben que beber alcohol y fumar aumenta el riesgo de cáncer oral, pero algunos estudios sugieren que enjuagarse con un enjuague bucal que contenga alcohol conlleva el mismo riesgo.

El alcohol en las bebidas hace que las células de la boca sean más susceptibles a los carcinógenos, o compuestos que provocan cáncer. Pero el etanol utilizado en los enjuagues bucales no es igual al alcohol de las bebidas. A diferencia del alcohol común, el etanol no es un carcinógeno conocido.

Aun así, nuevas investigaciones encontraron que los enjuagues bucales que contienen alcohol pueden tener un efecto similar. El riesgo parece bajo, pero la Asociación Dental Estadounidense (ADA) recomienda ir a lo seguro. La ADA sugiere que las personas con un riesgo más alto que el promedio para los cánceres orales, debido a que fuman, al consumo excesivo de alcohol o a factores genéticos, eviten el uso de enjuagues bucales que contengan alcohol.

No abandone del todo los enjuagues bucales, simplemente busque un enjuague bucal antibacteriano sin alcohol. Cada vez más estudios establecen un vínculo entre la inflamación oral, ya sea de las encías, los dientes y los huesos de soporte, y la diabetes, la aterosclerosis, las enfermedades del corazón, los ataques cerebrales y las afecciones pulmonares, como la neumonía y posiblemente incluso la osteoporosis, la artritis y el alzhéimer. El enjuague bucal, el cepillarse los dientes y el uso de hilo dental son la clave de una buena salud bucal.

Mantenga el cepillo libre de gérmenes

Es cierto, los cepillos de dientes pueden propagar los gérmenes y remojarlos en peróxido puede no ser efectivo. "Desinfectar" el cepillo en la lavavajillas o el microondas, puede dañar las cerdas.

Si desea comprar un esterilizador de cepillos, busque uno aprobado por la Administración de Alimentos y Medicamentos (FDA, en inglés), lo que significa que el fabricante ha demostrado a la FDA que el producto hace lo que ofrece. Pero antes pruebe estos consejos sin costo alguno para mantener su cepillo de dientes libre de gérmenes:

- Enjuague las cerdas con agua después del cepillado.
- Guarde el cepillo en posición vertical para que se seque al aire, no en un contenedor cerrado.
- Coloque los cepillos de dientes de otras personas de modo que las cabezas y las cerdas no se toquen para evitar la transferencia de bacterias.
- Reemplace su cepillo cada tres meses o antes si las cerdas están notablemente raídas o desgastadas.

Alternativas médicas

Vaya a lo seguro a la hora de las radiografías dentales

Durante las radiografías dentales, la exposición a la radiación es mínima, pero se va sumando. Según la Academia Nacional de

Ciencias, no existen los llamados niveles "seguros" de radiación. En dosis bajas, el riesgo de cáncer es bajo, pero la exposición se va acumulando. Y el riesgo va aumentando a lo largo de toda una vida.

Protéjase durante los rayos X. Asegúrese de que el dentista o higienista dental le proporcione un delantal de plomo con collar tiroideo, como recomienda la Asociación Dental Estadounidense (ADA). Considere la posibilidad de buscar un dentista que trabaje con rayos X digitales. Las radiografías digitales pueden reducir la exposición a la radiación entre un 70 y un 80 por ciento en comparación con las radiografías estándar.

Usted puede necesitar radiografías interproximales y panorámicas cuando vea a un dentista por primera vez. Si no tiene caries o un alto riesgo de contraerlas, sólo necesitará una nueva radiografía interproximal en dos o tres años después de esa primera cita. Sin embargo, si usted tiende a tener caries, las necesitará más a menudo, cada seis o 18 meses. Una razón más para cuidar bien de sus dientes.

Lo bueno y lo malo del blanqueamiento dental

Puede que esté de moda tener dientes más blancos, pero los productos químicos que se encuentran en los blanqueadores caseros pueden hacer más daño que bien, ya que ablandan el esmalte de los dientes.

El color natural del esmalte de los dientes no es un blanco puro. Los productos blanqueadores utilizan peróxido de hidrógeno o de carbamida para hacer que los dientes luzcan más blancos, pero un estudio reciente encontró que tanto las tiras como las bandejas de gel ablandan el esmalte duro que protege los dientes.

Sin embargo, funcionan. Una revisión de varios estudios mostró que las tiras de blanqueamiento con peróxido de hidrógeno al 5.5 o 6.5 por ciento blanqueaban mejor que las bandejas de gel con peróxido de carbamida al 10 por ciento. Estos productos pueden irritar las encías y causar mayor sensibilidad en los dientes, como efecto secundario.

La ADA dice que las caries, los dientes sensibles o agrietados, las infecciones bucales y las enfermedades de las encías deben tratarse primero, porque el blanqueamiento puede agravar estos problemas. Y recuerde, el blanqueamiento sólo funciona en el esmalte de los dientes naturales, no en las coronas, los revestimientos, los materiales de unión ni en el color de los empastes dentales.

El secreto para una sonrisa más brillante

Los dientes sensibles necesitan amor y cuidado, no productos químicos abrasivos. Los productos decolorantes, como las tiras y las bandejas de gel para blanquear los dientes no son las únicas maneras para aclarar su color. Los dentífricos blanqueadores lo logran de forma más suave. Algunos trabajan puliendo el diente a través de una reacción química u otro método no decolorante, y sólo quitan las manchas superficiales. Los productos blanqueadores, en cambio, eliminan tanto las manchas superficiales como las profundas. No importa qué producto elija para abrillantar sus dientes, siempre busque el sello de aprobación de la ADA.

Cirugía de encías sin dolor

Una nueva técnica podría eliminar la agonía de los procedimientos tradicionales para tratar las encías retraídas. Estos tratamientos consisten en tomar tejido blando del paladar e injertarlo sobre las raíces expuestas de los dientes. La peor parte es la extracción del tejido del paladar, por no mencionar los puntos de sutura.

El nuevo tratamiento utiliza parches de colágeno de alta tecnología tratados con las propias plaquetas sanguíneas del paciente. El cirujano coloca estos parches alrededor de las encías, como si se tratara de un injerto normal. Es menos invasivo y doloroso, y tiene un tiempo de recuperación más corto, aunque también es más caro y la intervención tarda más.

Recursos rejuvenecedores para la piel

Cómo proteger la piel del daño solar

El té verde puede ayudar a combatir el envejecimiento y, lo que es más importante aún, a alejar la amenaza del cáncer de piel.

Gánele la guerra a las arrugas. La causa de cerca del 90 por ciento de los signos visibles del envejecimiento cutáneo puede ser atribuida a los rayos ultravioleta (UV) de la luz solar. El té verde proporciona los nutrientes que la piel necesita para detener la aparición de arrugas. Aquí le explicamos cómo funciona.

La piel joven cuenta con sus propios compuestos "antiarrugas" y "antiflacidez": el colágeno y la elastina. El colágeno ayuda a mantener la firmeza de la piel, mientras que la elastina es responsable de la elasticidad y asegura que la piel pueda volver a tensarse después de ser estirada, jalada y frotada. Estos dos compuestos forman una estructura de soporte de la piel que funciona como las estructuras de soporte que sostienen las paredes de una casa. Lamentablemente, la integridad de este soporte estructural empieza a peligrar cuando la piel pasa demasiado tiempo expuesta al sol.

Los rayos UV de la luz solar estimulan la producción en exceso de moléculas de radicales libres, un problema que se ha relacionado con el envejecimiento de la piel y el cáncer. Este exceso de radicales libres hace que la piel produzca las llamadas metaloproteinasas (MMP), unas enzimas que degradan el colágeno y la elastina. Sin cantidades suficientes de colágeno y elastina, la piel pierde elasticidad y se vuelve más propensa a las arrugas y la flacidez.

Afortunadamente, el té verde contiene polifenoles poderosos que también tienen un efecto antioxidante. Estos antioxidantes naturales actúan como un escuadrón antiexplosivos contra los radicales libres, neutralizándolos antes de que puedan causar mucho daño. Como resultado, el colágeno, la elastina y la piel se benefician de esta protección antiarrugas adicional. Los estudios sugieren que tanto el consumo de esta bebida como la aplicación sobre la piel de productos elaborados a partir del té verde pueden ser efectivos. Sólo asegúrese de también seguir usando un protector solar durante el día.

Defiéndase del cáncer. Alrededor del 90 por ciento de todos los casos de cáncer de piel del tipo no melanoma están vinculados a la exposición solar. Lo que es peor, uno de cada cinco estadounidenses desarrollará cáncer de piel en algún momento de su vida.

Un estudio realizado por la Escuela de Medicina de Dartmouth, encontró que las personas que beben dos o más tazas de té negro o té verde al día son menos propensas a padecer cáncer de piel. Los investigadores creen que esta protección proviene de los poderosos antioxidantes en el té. Los polifenoles, al igual que el EGCG en el té verde, pueden ser especialmente eficaces. Es más, estudios en animales sugieren que el té verde y sus polifenoles protegerían contra el cáncer de cuatro maneras:

- Pueden reducir considerablemente la producción de metaloproteinasas (MMP) causadas por la exposición a la luz solar. Algunas de estas MMP estimulan el crecimiento tumoral.

- Pueden proteger la piel del daño de los radicales libres.

- Disminuyen los niveles de varias sustancias que ayudan a que las células tumorales puedan crecer y desarrollar sus propios vasos sanguíneos.

- Provocan el "suicidio" de las células cancerosas.

Cómo deshacerse de las superbacterias

Los antibióticos normalmente ponen fin a las infecciones, pero aquéllas causadas por bacterias resistentes a los antibióticos —o "superbacterias"— son más difíciles de curar con la mayoría de fármacos. Pero una nueva y asombrosa investigación revela que, así como una lata de *Raid* acaba con los insectos, el té verde y la miel de manuka podrían ayudar a acabar con las superbacterias:

- De 11 personas hospitalizadas con infecciones de garganta resistentes a los antibióticos, ocho se deshicieron de las bacterias peligrosas, a menudo en 36 días o menos, bebiendo té verde todos los días mientras continuaban recibiendo su tratamiento médico normal.

- En Egipto, cuando los científicos atacaron las superbacterias con antibióticos y té verde, el 20 por ciento de las superbacterias se volvieron repentinamente receptivas a los antibióticos. Se cree que el té reforzó el efecto de los antibióticos, por lo que tomar los antibióticos con té verde podría ser buena idea.

- Para defenderse de los antibióticos, las bacterias infecciosas a veces se unen en colonias formando una biopelícula (o *biofilm*). Pero un estudio reciente encontró que los compuestos "matabacterias" de la miel de manuka pueden penetrar estas películas bacterianas y así combatir las superbacterias.

Elimine las arrugas con productos naturales

¿Arrugas, manchas de la edad, imperfecciones de la piel? Olvídese de las cremas y los cosméticos costosos. Estos poderosos nutrientes mantienen la piel lozana y libre de arrugas. No sólo eso, también protegen contra el cáncer y las afecciones cardíacas, entre otras enfermedades. Es decir, aportan beneficios por partida doble.

Coseche los frutos de la vitamina C. Hay una cantidad infinita de ingredientes exóticos y costosos que prometen rejuvenecer la piel, pero ninguno brinda tanta lozanía como la humilde vitamina que previene la formación de las arrugas causadas por el daño solar. Por improbable que parezca, la vitamina C puede mejorar visiblemente la piel. En un estudio británico realizado con más de 4000 mujeres, se comprobó que las mujeres que obtenían la menor cantidad de vitamina C eran las más propensas a tener arrugas y piel reseca. Al parecer, la vitamina C combate las arrugas de dos maneras:

- Ayuda al cuerpo a producir colágeno, un compuesto que mantiene la piel firme y flexible y que ayuda a reparar la piel cuando es necesario.

- Protege las células de la piel de los radicales libres perjudiciales y de los daños que puedan causar.

Eso no es todo. Un mayor consumo de vitamina C no sólo ayuda a la piel. Las investigaciones han comprobado que este poderoso antioxidante también tiene un efecto protector contra el cáncer y las enfermedades cardíacas. Estos ejemplos lo demuestran:

- Un estudio de seguimiento de 10 años de duración encontró que las personas con los niveles más altos de vitamina C en la sangre tenían 42 por ciento menos probabilidades de sufrir un accidente cerebrovascular que las personas con los niveles más bajos.

- Un análisis de nueve estudios a gran escala, sugiere que 700 mg de vitamina C al día pueden reducir el riesgo cardíaco hasta en un 25 por ciento.

- Otras investigaciones parecen indicar que consumir más vitamina C puede reducir el riesgo de desarrollar al menos cinco tipos de cáncer.

Para disfrutar de este tipo de beneficios, obtenga la mayor cantidad posible de vitamina C de los alimentos. También hable con su médico acerca de si los suplementos son adecuados para usted. Buenas fuentes de vitamina C son las fresas, los pimientos morrones, la papaya, el jugo de arándano rojo, la guayaba, la naranja y la piña.

Descubra el poder del ácido linoleico. El mismo estudio británico que reveló el poder antiarrugas de la vitamina C también descubrió otro nutriente rejuvenecedor: el ácido linoleico. Este ácido graso esencial se encuentra en los frutos secos, en el aceite de soya y en las verduras de hoja verde.

Los científicos británicos observaron que las personas que consumen más ácido linoleico son menos propensas a la sequedad y el adelgazamiento de la piel. El ácido linoleico se convierte en EPA y DHA en el cuerpo, los mismos aceites omega-3 que se encuentran en el pescado graso. Estos aceites ayudarían a proteger la piel de los dañinos rayos UV del sol. Y eso significaría, a su vez, que la piel puede mantenerse lozana por más tiempo.

Alise la piel con agua. Cuando la piel no recibe suficiente humedad, no sólo se reseca y se vuelve quebradiza, sino que también tiende a arrugarse. Los dermatólogos dicen que la piel depende del agua que se consume para obtener parte de la humedad que necesita. Lo cierto es que muchos adultos mayores no consumen suficiente agua.

Las investigaciones muestran que los adultos mayores suelen no sentir sed cuando están deshidratados. De hecho, muchos de ellos están efectivamente deshidratados y ni siquiera lo saben. Esto explicaría por qué los ingresos hospitalarios por deshidratación han aumentado en un 40 por ciento en los últimos 10 años.

Cuando se bebe agua de manera regular, las células de la piel absorben el agua y aumentan su volumen. Esto contribuye a alisar las arrugas y los pliegues causados por la deshidratación, rejuveneciendo la piel. Es como someterse a un estiramiento facial natural, sin recurrir a cremas costosas ni cirugías peligrosas.

Guerreros contra el cáncer que también protegen la piel

El protector solar puede ser la primera medida en la guerra contra el cáncer de piel, pero no se detenga ahí. Ármese con estos nutrientes de alta potencia para hacer que la piel se vuelva aún más resistente.

Sálvese con selenio. Según un estudio realizado recientemente, las personas que tienen los niveles más altos de selenio en la sangre corren menos riesgo de desarrollar cáncer de piel. Una de las causas de este tipo de cáncer son las peligrosas moléculas de radicales libres que se generan en la piel cuando se expone al sol. La acción antioxidante del selenio neutraliza los radicales libres, haciéndolos inofensivos. Es más, el selenio es un oligoelemento que también puede estimular las células inmunitarias y frenar el crecimiento tumoral. Buenas fuentes incluyen los coquitos de Brasil, el atún claro enlatado, el bacalao y la carne clara de pavo.

Cuídese con carotenoides. La palabra "carotenoides" no se refiere a seres de otro planeta, sino a los pigmentos que confieren su color amarillo, anaranjado y rojo a alimentos como el maíz, la zanahoria y el tomate. Los carotenoides son, además, compuestos antioxidantes que se sienten muy a gusto en la piel. De modo que cuando la exposición excesiva al sol produce radicales libres dañinos, los carotenoides salen en defensa de la piel y los neutralizan en el acto.

Los carotenoides también pueden elevar la cantidad de sangre que circula por la piel. Debido a que el flujo sanguíneo suministra nutrientes adicionales, los carotenoides pueden mejorar la capacidad de la piel para defenderse de la sequedad, la aspereza y otros efectos del proceso de envejecimiento.

El efecto protector del licopeno, el carotenoide presente en el tomate, es una muestra de lo bien que funcionan los carotenoides. Científicos británicos comprobaron que las personas que comían cinco cucharadas de pasta de tomate mezclada con aceite de oliva todos los días durante tres meses tenían un 33 por ciento más protección contra las quemaduras solares que las personas que sólo consumían aceite de oliva. Estas personas también tenían niveles más altos de una molécula que ayuda a mantener la piel firme y con un aspecto joven.

El licopeno se encuentra en los productos de tomate cocido, como la pasta de tomate, la sopa de tomate, el kétchup y la salsa para las pastas. También se pueden obtener otros tipos de carotenoides de las zanahorias y las granadas.

Rejuvenezca la piel con resveratrol. Las uvas son una refrescante y jugosa delicia para disfrutar en los días de calor. Pero no sólo eso. También son la principal fuente de un potente compuesto llamado resveratrol, que ayuda a prevenir el cáncer de varias maneras:

- Un estudio concluyó que el equivalente a 45 uvas al día puede proteger las importantes grasas de la piel del daño solar.

- El resveratrol puede inducir apoptosis, un proceso en el que las células cancerosas "se suicidan".

- Los estudios en animales parecen indicar que una dosis diaria de resveratrol ayudaría a impedir la formación de tumores.

Éstos son los tipos de protección que contribuyen a bloquear el cáncer de piel. Obtenga su dosis de resveratrol disfrutando de las uvas, los cacahuates, el vino y el jugo de uva.

Opte por los omega-3. Un estudio realizado en Australia encontró que las personas que comen más pescado graso son menos propensas a desarrollar queratosis actínica, una enfermedad precancerosa de la piel. Los científicos sospechan que los ácidos grasos omega-3 que se encuentran en este tipo de pescado protegen la piel contra los daños de la inflamación, especialmente contra los daños provocados por el sol. Menos daños suelen significar menos posibilidades de que aparezcan las manchas precancerosas. Así que incluya en su dieta hasta 12 onzas semanales de pescado graso, como el arenque, las sardinas o la trucha.

Neutralice los rayos con niacina. El sistema inmunitario trabaja sin respiro para proteger la piel y evitar la aparición del cáncer. Pero la radiación ultravioleta del sol puede inhibir dicho sistema inmunitario y elevar el riesgo de la enfermedad. Un estudio realizado recientemente en Australia concluyó que una dosis diaria de entre 500 y 1500 mg de vitamina B3 (niacina) puede ayudar a combatir los efectos negativos sobre la inmunidad producidos por la radiación UV y, de ese modo, proteger la piel. Lo mejor de todo es que usted probablemente puede conseguir esa cantidad de vitamina B3 únicamente incluyendo los alimentos adecuados en su dieta. Entre las fuentes ricas de vitamina B3 están los cereales fortificados para desayuno, el atún enlatado, el pollo, la carne de res y la salsa marinara.

Otros remedios naturales

Protección natural contra el envejecimiento de la piel

Las cremas y lociones rejuvenecedoras son sólo parte del secreto para una piel tersa y lozana. Con la ayuda de los suplementos naturales se logran resultados aun mejores, porque permiten nutrir y cuidar la piel de adentro hacia afuera.

Retroceda el reloj. Las glándulas sudoríparas y las glándulas sebáceas normalmente suministran el agua y las grasas necesarias para mantener la piel suave y tersa. Pero con la edad, estas glándulas se debilitan, lo que afecta su función hidratante y trae como resultado que la piel se vuelva reseca y escamosa. Pero según un informe científico elaborado en Alemania, las mujeres que tomaron media cucharadita diaria de aceite de borraja o bien de aceite de linaza durante 12 semanas lucían una piel más suave y mejor hidratada.

Cuente con un aliado contra el sol. El paso de los años no es lo único que envejece la piel. La luz solar también tiene un efecto negativo. La exposición a los rayos ultravioleta (UV) del sol puede producir una cantidad excesiva de moléculas de radicales libres en la piel. Estas moléculas provocan la degradación de la elastina y el colágeno, que componen el tejido conectivo que mantiene la piel elástica y libre de arrugas. En otras palabras, dejan a la piel desprovista de un sistema de defensa contra las arrugas.

Afortunadamente, los aceites de pescado con alto contenido de omega-3 pueden acudir al rescate. Un estudio británico encontró que la piel de las personas que tomaron 10 gramos —un poco más de dos cucharaditas— de aceite de pescado todos los días durante seis meses se volvió más resistente al eritema o enrojecimiento de la piel causado por la exposición solar. Según los investigadores, esto significaría que, gracias a su acción antioxidante, los omega-3 pueden reducir los efectos perjudiciales de la luz solar. Es decir, pueden neutralizar los radicales libres, prevenir la degradación del colágeno en la piel y ayudar a evitar las arrugas.

Conozca a los dos guardianes de la piel. La luteína y la zeaxantina son pigmentos presentes en ciertos alimentos como las verduras de hoja verde y el maíz. A pesar de ser más conocidos por su capacidad para combatir la degeneración macular y la ceguera, estos nutrientes también pueden ayudar a proteger la piel contra el envejecimiento.

La exposición a los rayos UV del sol contribuye a la sequedad de la piel y a la pérdida de su barrera protectora de agua y grasas. Pero un estudio realizado por la Universidad de Nápoles, en Italia, descubrió que las mujeres que tomaron 5 mg de luteína y zeaxantina dos veces al día conservaron más grasas protectoras de la piel que las mujeres que no lo hicieron. Estos suplementos también mejoraron la hidratación y la elasticidad de la piel, manteniéndola más suave y más flexible. La luteína y la zeaxantina pueden ofrecer estos beneficios para la piel por dos razones:

- Son antioxidantes, lo que significa que protegen la piel contra el daño solar de la misma manera en que lo hace el aceite de pescado, es decir, neutralizando a los radicales libres.

- Son nutrientes que van directamente a la piel, por lo que pueden defenderla a la primera señal de algún daño provocado por la luz solar.

Pruebe una solución articular. Es posible que haya oído hablar de la glucosamina para tratar el dolor de las articulaciones y de la artritis. Lo cierto es que también puede ayudar a la piel. La glucosamina puede alisar las arrugas y mantener la piel hidratada gracias a su capacidad para estimular el cuerpo a producir un lubricador natural llamado ácido hialurónico.

Hable con su médico o farmacéutico antes de probar este tipo de suplementos. Muchos suplementos pueden no ser seguros para las personas con ciertos problemas de salud e incluso pueden interactuar con ciertos medicamentos. Si aprueban su uso, asegúrese de preguntar por las marcas que ellos recomiendan.

Gane la batalla contra la psoriasis

Incluso la psoriasis aguda puede mejorar si se toma el suplemento adecuado. Un estudio pequeño encontró que las personas con casos agudos de psoriasis eritrodérmica o artropática que tomaron un suplemento diario además de su tratamiento médico regular, mejoraron más que las personas que no tomaron el suplemento. El suplemento utilizado fue una combinación de 50 mg de coenzima Q10, 50 mg de vitamina E (alfa tocoferol) y 48 mcg de selenio. Hable primero con su médico y averigüe si este tipo de suplemento es adecuado para usted.

Vida saludable

Secretos de cocina para una piel radiante

Entérese de cómo hacer una mascarilla facial de huevo para afirmar el cutis y descubra otros siete consejos rejuvenecedores. La próxima vez que vaya a una reunión, tal vez alguien le diga: *"Qué joven te ves. No puedo creer que ya cumpliste 70. Pero si pareces de 50"*.

Huevo. Algunos expertos en el cuidado de la piel sostienen que la clara de huevo tiene propiedades reafirmantes para la piel. Prepare una mascarilla facial de clara de huevo y compruébelo hoy mismo. Es muy sencillo: bata la clara de un huevo hasta que quede espumosa y apliquésela sobre la cara limpia. Sentirá como la piel se tensa a medida que la mascarilla se seca. Una vez seca, enjuáguese la cara suavemente con agua tibia.

Miel. El uso de la miel para suavizar la piel fue uno de los secretos de belleza de Cleopatra, reina del Antiguo Egipto. Según el Consejo Nacional de la Miel, la miel ayuda a atraer y retener la humedad por lo que sería un remedio ideal para la piel reseca. Aplíquesela sobre la cara limpia y espere 10 o 15 minutos antes de enjuagarse.

La miel también puede aliviar otros dos problemas de la piel. Las conclusiones de un pequeño estudio sugieren que la miel puede mejorar la dermatitis atópica y la psoriasis común. Los participantes del estudio obtuvieron los mejores resultados con una mascarilla facial de partes iguales de miel, cera de abeja y aceite de oliva.

Aceite de oliva. Este ingrediente esencial en la cocina no sólo es una maravilla rejuvenecedora cuando se aplica sobre la piel, sino que también es un gran protector de la salud cuando se ingiere.

■ Los expertos en belleza recomiendan dos usos del aceite de oliva. Como exfoliante, combine seis gotas de aceite de oliva con una cucharada de azúcar. Humedezca la cara, aplíquese la mezcla masajeando ligeramente y enjuague con agua tibia. Y como hidratante, utilice aceite de oliva para limpiarse la cara.

■ Siga una dieta mediterránea rica en aceite de oliva para protegerse contra las enfermedades cardíacas y el cáncer de colon. A diferencia de la dieta estadounidense estándar, la mediterránea incluye muchas frutas, verduras, granos enteros, frutos secos, semillas y legumbres. Las carnes rojas, los lácteos, las aves de corral y otras fuentes de grasas saturadas a menudo son sustituidas por el aceite de oliva y otras grasas saludables. El aceite de oliva ayuda a mejorar la presión arterial alta, los triglicéridos y varios otros factores que aumentan el riesgo de sufrir una enfermedad del corazón. Es más, los fenoles y las grasas monoinsaturadas del aceite de oliva ayudan a proteger contra los cambios celulares y otros procesos que pueden llevar al cáncer de colon.

Avena. Este cereal protege la piel de la pérdida de humedad, actúa como un exfoliante y calma la piel irritada. Precisamente las tres propiedades que se buscan en un remedio contra la sequedad de la piel. Combine un cuarto de taza de avena con media taza de agua, cocine durante dos minutos y deje enfriar hasta que esté tibia. Añada un cuarto de taza de miel revolviendo constantemente y aplique la mezcla sobre la cara. Deje reposar durante 12 minutos y enjuague con agua fría.

Yogur. Según los expertos en belleza, el yogur puede exfoliar la piel e incluso ayudar a que el cuerpo produzca más colágeno gracias al ácido láctico que contiene. Para preparar una crema nocturna, exprima medio limón amarillo en una taza de yogur. Mezcle bien y refrigere. Cada noche, poco antes de acostarse, frótese la cara con una cucharada de la crema. En tan sólo unas cuantas semanas observará que su piel está más suave y lozana.

Harina de maíz. Para un exfoliante más suave, mezcle un poco de harina de maíz con suficiente agua para formar una pasta. Aplique esta mezcla con cuidado en la cara. Deje secar y masajee suavemente la piel. Este tratamiento facial ayuda a eliminar la piel reseca y escamosa y deja el rostro satinado y radiante.

Limón. El jugo de limón puede aclarar las manchas de la edad. Exprima medio limón en un recipiente. Aplique el jugo sobre las manchas de la edad con la ayuda de una bola de algodón. Espere 20 minutos y enjuague. Hágalo tres veces al día durante un mes y las manchas de la edad podrían empezar a desaparecer.

Fresas. Luzca una piel resplandeciente con esta fragante mascarilla facial. Triture unas cuantas fresas y cúbrase la cara con esta papilla. Disfrute del aroma celestial durante unos minutos y luego enjuague suavemente. Quedará encantada con los resultados.

Cinco secretos para protegerse del sol

Gánele la guerra al daño solar, las arrugas y el cáncer de piel. Estos consejos harán que sus medidas de protección solar sean más efectivas, más sencillas e incluso hasta más divertidas.

La piel necesita dos tipos de protección. Existen dos tipos de radiación ultravioleta (UV) que tienen efectos dañinos en la piel: los rayos UVA y los UVB. Sin embargo, el factor de protección solar (FPS) sólo se refiere al nivel de protección contra los rayos UVB. Usted también necesita protegerse contra los rayos UVA, que son suficientemente fuertes para atravesar el parabrisas de los autos y las ventanas de vidrio. Estos rayos perjudiciales para la piel son de dos tipos: de onda corta y de onda larga. En la etiqueta de su protector solar, revise la lista de ingredientes y compruebe si contiene "oxibenzona", que protege contra los rayos UVA de onda corta. Luego vea si contiene "avobenzona", "óxido de zinc", "dióxido de titanio" o *"Mexoryl SX"*, que protegen contra los rayos UVA de onda larga.

Un protector solar no es lo mismo que un bloqueador solar. Los bloqueadores solares contienen óxido de zinc o dióxido de titanio, compuestos que reflejan o "bloquean" los rayos del sol para que nunca lleguen a la piel. Los protectores solares, en cambio, sólo filtran o absorben los rayos UV, es decir, se limitan a reducir la cantidad de luz solar que llega a la piel. No sólo eso. Los protectores solares dejan de funcionar después de permanecer unas horas bajo el sol. Eso significa que para asegurar una protección continua de la piel contra el cáncer y el envejecimiento es necesario aplicarlos cada par de horas.

Maquillajes con protector solar. El protector solar y el maquillaje con FPS deben volver a aplicarse después de unas cuantas horas, debido al sudor, el viento o la lluvia. Aun si no va a pasar todo el tiempo en el sol, debe volver a aplicarse protector solar. Volver a aplicarse el maquillaje, sin embargo, demandaría mucho tiempo y saldría muy caro. Afortunadamente, el maquillaje mineral ya contiene filtros solares, como el dióxido de titanio y el óxido de zinc. Si no puede volver a aplicarse protector solar, retóquese la cara con polvos minerales a lo largo del día.

El brillo labial puede elevar el riesgo de cáncer. Cuando están expuestos al sol, los labios pueden quemarse rápidamente, lo que aumenta el riesgo de desarrollar cáncer de labio. Asegúrese de que su bálsamo labial y lápiz de labios tengan un FPS de por lo menos 15 (referiblemente 30) y retóquese de manera regular durante el día. Y no use un brillo labial u otro producto para dar brillo a los labios a menos que se aplique previamente un protector labial con FPS.

Cuidado con la combinación de protector más repelente. Evite los productos que combinan un protector solar con un repelente de insectos. El repelente sólo se debe aplicar una vez y muy ligeramente, pero el protector debe aplicarse generosamente cada dos horas.

Aun si ya usa protector solar todo el tiempo, no se detenga ahí. Reforzar esta protección no sólo es una manera de mantener la piel joven y libre de cáncer, también puede ser divertido.

- Adopte el estilo de las estrellas de Hollywood y consígase unas enormes gafas de sol, para proteger la delicada piel alrededor de los ojos.

- Cambie de *look* y lleve vestidos largos o *leggings*, para proteger las piernas de los rayos del sol.

- Use sombreros de ala ancha, pero fíjese antes que el tejido del ala del sombrero no deje pasar la luz.

Y por último, busque la sombra. Asegúrese de permanecer a la sombra en las horas de pleno sol, cuando la sombra que usted proyecta es la más corta y los rayos UV son más perjudiciales.

Consejos para el uso seguro de las bombillas CFL

Sentarse demasiado cerca de una bombilla fluorescente compacta (CFL, en inglés) puede ser peligroso para algunas personas. Una nueva investigación realizada por la Agencia de Protección de la Salud, del Reino Unido, encontró que algunas bombillas CFL emiten radiación ultravioleta, como la radiación de la luz solar, pero en cantidades que no afectan a la mayoría de las personas. Sin embargo, algunas personas son sumamente sensibles a la radiación ultravioleta, sobre todo las que tienen lupus, eczema, porfiria, dermatitis actínica crónica o alguna afección parecida. Si éste es su caso, ciertos tipos de lámparas CFL pueden ser una fuente de radiación UV que sería dañina para usted.

Sin embargo, este peligro sólo se presentaría si la luz proviene de una bombilla CFL "abierta" y en forma de espiral y si la persona permanece por lo menos una hora a una distancia de un pie (30 cm) de la bombilla desnuda. Es decir, si utiliza la bombilla sin pantalla, ya sea como lámpara de lectura, lámpara de escritorio o como iluminación directa en áreas donde trabaja.

Afortunadamente, protegerse es relativamente sencillo. Los expertos dicen que en estos casos no es necesario cambiar las bombillas CFL de envoltura simple si permanece a más de un pie de distancia. Si esta medida no fuera práctica, usted podría sustituirlas por bombillas CFL "encapsuladas" o de "doble envoltura", que se parecen más a las bombillas incandescentes convencionales. Las "envolturas" de estas bombillas ofrecen una mejor protección de la radiación ultravioleta.

Ahora bien, no hay nada de qué preocuparse por esos tubos fluorescentes largos que han existido desde hace años. Esos tubos siguen siendo seguros como lámparas de techo.

Secretos para desestresar la piel

El estrés puede, literalmente, meterse bajo la piel. Según la Academia Estadounidense de Dermatología el estrés es un enemigo de la piel en al menos cuatro maneras:

- Estimula la liberación de hormonas y otras sustancias químicas que promueven la inflamación y alteran el aspecto de la piel.

- Empeora el acné, la psoriasis, la rosácea y otros problemas de la piel.

- Contribuye a deshidratar la piel.

- Durante situaciones estresantes, las personas tienden a frotarse, rascarse o jalarse la piel, empeorando las afecciones cutáneas. Durante períodos más largos de estrés, es posible que incluso olviden seguir los hábitos y tratamientos diarios para el cuidado de la piel.

Así que empiece a controlar la tensión. Infórmese sobre las estrategias de relajación. Escuche música relajante. Haga actividades físicas, como caminar o trabajar en el jardín. O escriba en un diario. No sólo se sentirá mejor, sino que muy pronto también empezará a verse mejor.

Cómo lucir una piel más luminosa por menos

Lo caro no siempre resulta mejor cuando se trata de las cremas antiarrugas de venta sin receta médica. Lo dicen las encuestas independientes de consumidores. Es más, muchas de estas cremas apenas lograron disimular las arrugas. Así que, ¿por qué no mejorar la salud de la piel antes de gastar un dineral en cremas antiarrugas? Puede empezar siguiendo estos consejos económicos de los expertos.

Cuidado con el jabón. No use jabones comunes o jabones desodorantes para lavarse la cara. A medida que la piel envejece tiende a producir menos aceites naturales y a retener menos humedad. Los jabones comunes y desodorantes normalmente eliminan estos aceites y reducen la humedad, dejando la piel seca y áspera. Así que lávese la cara con un jabón suave que contenga humectantes o cámbiese a un limpiador facial suave.

Ponga un alto a las arrugas. El daño solar tiene un efecto mucho más negativo sobre la piel que el simple paso de los años. A eso se debe que las arrugas aparezcan generalmente en lugares que han recibido la mayor exposición al sol, como la cara. Los resultados de un estudio realizado en una residencia para adultos de edad avanzada sugieren que nunca es demasiado tarde para empezar a protegerse del daño solar. He aquí cómo lograrlo:

- No se exponga al sol entre las 10 am y las 2 pm, que es cuando la radiación UV es más intensa.

- Use una crema hidratante o una base con protector solar.

- Aplíquese el protector solar cada dos horas si está en exteriores por un tiempo prolongado, incluso en los días nublados.

En la página 298 encontrará otros consejos para protegerse del sol y combatir las arrugas.

Trate su piel con delicadeza. Después de lavarse la cara, utilice una toalla para secarse la piel dando toques suaves, sin frotarse, y aplíquese inmediatamente después una crema hidratante. La crema no borrará las arrugas, pero, según los científicos, las hará menos visibles.

Cómo elegir un buen hidratante. Según los expertos, las cremas hidratantes económicas pueden ser tan efectivas como las cremas de lujo que se venden en los grandes almacenes. Sólo recuerde lo siguiente al momento de elegir una:

- Ingredientes como la glicerina y el propilenglicol atraen la humedad, mientras que la lanolina, la silicona, la vaselina y el aceite mineral retienen la humedad. La glicerina tal vez sea la más adecuada para la piel grasa.

- Algunas cremas hidratantes también contienen monolaurina. Este compuesto ayuda a restaurar la barrera protectora natural que detiene la pérdida de humedad.

- Para una mayor protección contra el envejecimiento de la piel, elija una crema hidratante que contenga protección solar.

Utilice exfoliantes para revitalizar la piel. A los 20 años, la piel se regenera automáticamente desechando las células más viejas y reemplazándolas por nuevas. Pero la piel va perdiendo esa capacidad para regenerarse de manera natural a medida que envejece. Para eliminar las células muertas de la piel, es entonces necesario recurrir a la exfoliación.

Usted puede comprar un producto solamente exfoliante o un producto facial que además contenga un buen exfoliante, como, por ejemplo, las cremas hidratantes y exfoliantes. Los mejores exfoliantes son los alfa hidroxiácidos (AHA) y los beta hidroxiácidos (BHA). Hay varios tipos de AHA, como el ácido láctico de la leche, el ácido málico de la manzana, el ácido cítrico de la naranja y del limón, y el ácido tartárico de la uva.

El AHA más común, sin embargo, es el ácido glicólico de la caña de azúcar. Busque un producto con entre 8 y 10 por ciento de AHA. Si la etiqueta no indica el porcentaje, revise la lista de ingredientes. El AHA debe ser uno de los primeros ingredientes de la lista.

Un beneficio adicional de los AHA es que pueden estimular la producción de colágeno y elastina, lo que ayuda a mantener la piel suave y elástica, reforzando sus defensas contra las arrugas.

Para la piel seca la mejor opción son los AHA. Sin embargo, para la piel grasa, los BHA, como el ácido salicílico, son mejores ya que pueden ser menos irritantes. Los BHA funcionan mejor en una concentración de entre 1 y 2 por ciento. Tenga en cuenta que estos dos ácidos pueden irritar la piel y hacerla más sensible al sol. Si decide utilizar un producto que contenga AHA o BHA, deberá aplicarse protector solar durante todo el día, todos los días.

Lo que debe buscar en una crema antiarrugas

Las cremas contra las arrugas de venta libre puede que no le dejen el cutis liso como el de una quinceañera, pero sí le ayudarán a mantener la piel saludable. Sólo asegúrese de leer la lista de ingredientes antes de elegir una crema.

En varios estudios se han corroborado los beneficios del retinol, así que busque este ingrediente en las etiquetas de las cremas antiarrugas. Desafortunadamente, dado que las cremas antiarrugas de venta libre no están reguladas por las autoridades, le será difícil saber si un producto en particular tiene suficiente retinol para ser efectivo. Llame al fabricante del producto o hable con un dermatólogo. Una concentración de 0.2 es suficiente, pero puede irritar la piel y hacerla más sensible a la luz del sol.

Los ingredientes antioxidantes también son prometedores. La vitamina C puede ser la mejor opción, ya que cuenta con el mayor número de estudios que respaldan su eficacia. Búsquela cuando revise las etiquetas.

Otros compuestos, como el té verde, la luteína, la zeaxantina, el ácido alfa-lipoico y las proantocianidinas oligoméricas, también han mostrado ser beneficiosos en estudios iniciales.

Medidas superinteligentes contra las "superbacterias"

Las peligrosas infecciones resistentes a los antibióticos ya no sólo se contraen dentro de los hospitales. Hoy en día, el 12 por ciento de casos con este tipo de infecciones son de personas que no han estado ni siquiera cerca de un hospital. Es más, según un estudio, el 59 por ciento de las infecciones de piel diagnosticadas en las salas de emergencia en todo el país mostraron ser resistentes a los antibióticos utilizados para tratarlas. Pero no se rinda aún. Estas infecciones son a menudo curables, y ahora es posible tomar medidas para protegerse.

Conozca al enemigo. Muchas personas pueden estar perfectamente sanas y, al mismo tiempo, ser portadoras de la bacteria denominada *Staphylococcus aureus*, o estafilococo, ya sea en la nariz o en la piel.

El estafilococo es uno de los principales causantes de las infecciones de piel en Estados Unidos. Pero los estafilococos no son todos iguales. Algunas cepas son resistentes a los antibióticos, como el *Staphylococcus aureus* resistente a la meticilina o SARM. Eso quiere decir que ciertos antibióticos, como la penicilina o la amoxicilina, no pueden matar estas bacterias.

A las infecciones por estafilococos contraídas por personas que no han estado en un hospital o infecciones extrahospitalarias se les ha dado el nombre de infecciones AC (adquiridas en la comunidad o asociadas a la comunidad). Estas infecciones pueden ser causadas por el estafilococo común o por SARM. En las personas sanas, las infecciones AC se presentan por lo general como granos o forúnculos rojos y abultados, que incluso pueden tener pus y tejido muerto.

Los médicos pueden tratar la mayoría de casos de infecciones por estafilococos o SARM. El índice de mortalidad por las infecciones por SARM-AC es de sólo una persona por cada 200 000. Y entre las personas mayores de 65 años, el índice es de dos por cada 100 000 personas. Con todo, es mejor ir a lo seguro.

Maneras de evitar las infecciones por SARM. Tome las siguientes precauciones sencillas para mantenerse a salvo de las infecciones por SARM-AC:

- Lávese las manos con frecuencia. Evite el contacto directo con la piel de una persona contaminada. Cubra los cortes, las heridas y las abrasiones con un vendaje limpio y seco. Siga con el tratamiento y con los cuidados adecuados hasta que las heridas estén totalmente sanas.

- No comparta. Se puede contraer una infección por SARM al tocar objetos contaminados. Así que no utilice el jabón, las toallas, la máquina de afeitar o cualquier objeto que haya estado en contacto con la piel de otra persona. Lávese las manos o utilice un gel desinfectante de manos a base de alcohol, sobre todo cuando entra y sale de un consultorio médico, una clínica o un hospital.

- Practique hábitos seguros a la hora de estornudar. Los estudios sugieren que el estornudo puede diseminar el SARM a través del aire. Si no tiene un pañuelo desechable, tosa o estornude cubriéndose la nariz y la boca sobre un brazo doblado. Anime a los demás a hacer lo mismo.

Protéjase protegiendo a sus mascotas. Un estudio reciente encontró que usted no sólo podría contraer una infección por SARM de sus mascotas, sino que también podría infectarlas. Tome estas precauciones si tiene animales:

- Asegúrese de que sus mascotas reciban atención veterinaria adecuada, incluidas las vacunas y el control de parásitos.

- Mantenga limpias a sus mascotas y lávese las manos después de tocarlas o limpiar el lugar donde han hecho sus necesidades.

- Al elegir una mascota, evite los animales exóticos o silvestres que pueden ser más propensos a ser portadores de SARM u otras enfermedades contagiosas.

- No deje que las mascotas le laman y no las bese.

- Cubra cualquier llaga o herida abierta que usted o su mascota tengan, mientras están juntos.

Si usted debe recibir tratamiento por una infección por SARM, pregunte a su veterinario si su mascota también necesita ser tratada.

Elija juiciosamente su jabón

Evite los jabones antibacterianos, sobre todo los que contienen triclosán. A diferencia del jabón y los limpiadores a base de alcohol, el triclosán no elimina todas las bacterias. Según algunos estudios, el triclosán elimina la mayor parte de las bacterias, pero les deja el campo libre a las bacterias resistentes al triclosán. Algunos estudios incluso sugieren que las bacterias que resisten el triclosán podrían también ser más propensas a resistirse a los antibióticos.

Algunos estudios han encontrado que los jabones y limpiadores de manos que se proclaman "antibacterianos" no son más efectivos que los limpiadores comunes para prevenir infecciones como la gripe y los resfriados, simplemente porque la causa de muchas infecciones son los virus y no las bacterias. En un estudio en el que se cubrió las manos de un grupo de trabajadores de la salud con el virus de la gripe, los investigadores encontraron que los siguientes dos métodos fueron los más efectivos para acabar con el virus:

- Lavarse las manos con agua y jabón. Enjabónese las manos durante al menos 15 segundos y enjuágueselas bien.

- Utilizar un gel desinfectante de manos a base de alcohol con al menos un 60 por ciento de alcohol. Asegúrese de utilizar una cantidad suficiente, de modo que sus manos tarden por lo menos 20 segundos en secarse. Ése es el tiempo que le toma al alcohol matar las bacterias.

Si una mujer embarazada o una persona con un sistema inmunitario comprometido vive con usted, debe consultar con su médico antes de cambiar los productos de limpieza que utiliza en la casa.

Duplique sus defensas contra el herpes zóster

Aproximadamente uno de cada tres adultos en Estados Unidos contraerá herpes zóster, una afección dolorosa de la piel conocida también como culebrilla (*shingles*, en inglés). Y más de un tercio de ellos desarrollará graves complicaciones, como la neuralgia postherpética (NPH), un dolor intenso que puede durar meses o años. La vacuna para combatir esta enfermedad sólo previene el 50 por ciento de los casos de herpes zóster y el 67 por ciento de los casos de NPH. La buena noticia es que usted ahora puede duplicar sus defensas combinando esta vacuna con una solución no farmacológica que ayuda a fortalecer el sistema inmunitario.

El arma secreta es el *tai chi*. Un estudio reciente encontró que este tipo de arte marcial suave puede potenciar la inmunidad protectora contra el herpes zóster. En el estudio, dos grupos de adultos mayores tomaron clases tres veces a la semana durante cuatro meses. Un grupo recibió clases de *tai chi*, mientras que el otro recibió clases de educación para la salud. Todos los participantes fueron luego evaluados para medir su respuesta inmunitaria al herpes zóster.

Entre las personas que hicieron *tai chi*, la resistencia al herpes zóster mejoró tanto que casi coincidía con la inmunidad que habrían logrado de haber recibido la vacuna. Y cuando luego fueron vacunados contra el herpes zóster, su inmunidad mejoró hasta alcanzar niveles normalmente observados en adultos de mediana edad, a pesar de que muchos de los participantes del estudio eran de edad avanzada.

Al final del estudio, los integrantes del grupo de las clases de *tai chi* habían duplicado su inmunidad al herpes zóster, en comparación con los del grupo de las clases de educación para la salud. No sólo eso, los participantes que hicieron *tai chi* también mejoraron su salud mental y su capacidad para realizar las tareas cotidianas más fácilmente.

Soluciones aromáticas para revertir la pérdida de cabello

Todo lo que usted necesita saber para evitar la caída del cabello:

Identifique la causa de la caída del cabello. Los fármacos, una enfermedad reciente o la decoloración pueden ocasionar la pérdida temporal de cabello en algunas personas. Otras personas, incluidas las mujeres, heredan la calvicie de "patrón masculino" (alopecia androgenética) de sus padres u otros familiares. Pero si a usted se le cae el cabello sólo en pequeñas áreas redondas en el cuero cabelludo, la cara o el pecho, es posible que tenga alopecia areata, una enfermedad autoinmune en la cual el sistema inmunitario ataca los folículos pilosos. Para averiguar el tipo de pérdida de cabello que usted tiene, hable con su médico. Si le dice que se trata de alopecia areata, pruebe este remedio algo inusual, pero muy agradable.

Aromas que estimulan el crecimiento capilar. Los aromas de la lavanda, el romero, el tomillo y el cedro pueden ser la solución para detener la caída de cabello. Dentro del marco de un estudio escocés, se les pidió a dos grupos de personas con alopecia areata que se dieran masajes en el cuero cabelludo con una mezcla de aceites de aromaterapia durante al menos dos minutos cada noche. En un grupo se usaron aceites esenciales diluidos en una mezcla de aceites portadores o "vehículos" (aceites de semilla de uva y jojoba); mientras que en el otro se usaron sólo los aceites portadores.

La mezcla "mágica" incluía 2 gotas de aceite de tomillo (*Thyme vulgaris*), 3 gotas de aceite de lavanda (*Lavandula augustifolia*), 3 gotas de aceite de romero (*Rosmarinus officinalis*), 2 gotas de aceite de cedro (*Cedrus atlantica*), aproximadamente 4 1/4 cucharaditas de aceite de semilla de uva y casi 3/4 de cucharadita de aceite de jojoba.

Después de siete meses, el porcentaje de personas que mostraron una mejora fue tres veces mayor en el grupo que usó los aceites esenciales que en el otro grupo. El estudio incluso presentó fotografías de antes y después del tratamiento. De acuerdo con estas fotos, uno de los participantes que estaba casi calvo al inicio del estudio llegó a recuperar casi todo su cabello. Así que pruebe este estimulante natural para el crecimiento del cabello y tenga listo el peine.

Obtenga la aprobación de su médico. Si usted desea probar este tratamiento, consulte antes con su médico o dermatólogo. Los aceites vegetales pueden causar efectos secundarios o reacciones alérgicas en algunas personas, especialmente en aquéllas que están tomando medicamentos o tienen otros problemas de salud. Si su médico le da luz verde, asegúrese de incluir los aceites portadores de semilla de uva y de jojoba. Estos aceites diluyen la concentración de los aceites esenciales y hacen que su uso sea seguro.

Alternativas médicas

Ocho maneras de borrar las arrugas

¿Tiene el ánimo por los suelos por culpa de la piel flácida? Un "estiramiento facial no quirúrgico" podría ser la solución que buscaba. Las nuevas tecnologías ofrecen hoy varios caminos hacia una piel más suave y radiante, tales como las exfoliaciones químicas y los tratamientos de rejuvenecimiento de la piel.

"Me hice el tratamiento hace dos semanas y media", cuenta Margaret, de 48 años de edad, después de someterse a un estiramiento facial no quirúrgico. "Mi piel está sedosa. Las manchas marrones que tenía en la cara han desaparecido. Me veo mucho más joven. Y me siento tan bien cuando me miro en el espejo".

Las siguientes son algunas de las opciones de "estiramientos faciales" no quirúrgicos.

Procedimiento	En qué consiste	Ventajas	Desventajas	Seguimiento
Inyección de bótox	Se inyecta una toxina botulínica purificada para paralizar los músculos que causan las arrugas.	Se utiliza para las arrugas del entrecejo y la frente, el pliegue nasolabial y las patas de gallo. No se necesita tiempo de recuperación.	Puede causar malestar temporal, debilidad muscular o moretones. Existe riesgo de hinchazón y entumecimiento. Puede que sea difícil fruncir el ceño y entrecerrar los ojos.	Puede ser necesario repetir el tratamiento cada tres a seis meses.
Exfoliación química (o *peeling* químico)	Procedimiento que utiliza productos químicos para eliminar la capa superior de la piel. Tipos: superficial, media o profunda.	Se utiliza para las arrugas faciales, las manchas de la edad, las líneas de expresión y los poros dilatados.	Hinchazón y sensibilidad al sol temporales. Enrojecimiento y descamación que pueden durar varios días o semanas. Puede causar úlceras bucales, infecciones, cicatrices, alergias cutáneas y decoloración permanente.	La exfoliación media dura hasta dos años. Puede que tenga que repetirse cada año.
Restauración cutánea ablativa	Utiliza la luz del láser para eliminar capas de la piel. Puede estimular la producción de colágeno.	Se utiliza para tratar las arrugas alrededor de la boca y los ojos.	Dolor punzante temporal que puede requerir medicación. Puede causar quemaduras y aclaramiento de la piel. La recuperación puede ser de hasta 2 semanas. El enrojecimiento de la piel puede durar varios meses.	Puede durar 10 años, pero puede requerir más de un tratamiento.

Procedimiento	En qué consiste	Ventajas	Desventajas	Seguimiento
Restauración cutánea no ablativa (fraccionada)	Rejuvenecimiento de la piel (*skin resurfacing*, en inglés) que utiliza la nueva técnica del láser fraccionado para eliminar miles de columnas microscópicas de piel dañada, sin tocar el tejido sano que las rodea. Promueve la producción de colágeno.	Se utiliza para las arrugas, las cicatrices, el daño solar y más. Cada tratamiento dura una hora o menos.	Algunas personas pueden experimentar dolor, hinchazón, enrojecimiento y descamación. Se puede aplicar maquillaje para cubrir la piel enrojecida. El tiempo de recuperación es de hasta cinco días.	Puede requerir entre tres y seis tratamientos. Los resultados varían y sus efectos pueden durar desde un año hasta cinco años.
Microdermo-abrasión	Utiliza partículas microscópicas o puntas de diamante para "pulir" o eliminar parte de la capa más superficial de la piel y así estimular el crecimiento de nueva piel.	Se utiliza para las líneas de expresión, las manchas de la edad y las patas de gallo. Se puede hacer en sesiones breves y no se necesita tiempo de recuperación.	Enrojecimiento temporal. Riesgo de experimentar hinchazón y sensibilidad.	Se requieren cinco o seis sesiones, con un intervalo de dos semanas. Sus efectos pueden durar aproximadamente tres años.

Procedimiento	En qué consiste	Ventajas	Desventajas	Seguimiento
Inyección de colágeno	Inyección de colágeno de origen animal (bovino o porcino) o humano que reduce las arrugas faciales causadas por la pérdida de grasa o de colágeno.	Se utiliza para las cicatrices y las arrugas. Se realiza en menos de una hora y prácticamente no se necesita tiempo de recuperación.	Riesgo de reacción alérgica al colágeno de origen bovino. Puede requerir prueba de alergia previa.	De tres a seis meses de duración, dependiendo del tipo de colágeno elegido.
Inyección de ácido hialurónico	Inyección de ácido hialurónico que reduce las arrugas faciales causadas por la pérdida de grasa o de colágeno.	Se utiliza para las cicatrices y las arrugas. Toma menos de una hora y no se necesita tiempo de recuperación.	Mayor probabilidad de causar moretones, enrojecimiento, dolor e hinchazón que la inyección de colágeno.	Puede durar entre seis y 12 meses.
Relleno inyectable Artefill®	Inyección de polimetilmetacrilato (PMMA) con colágeno bovino que suaviza las arrugas.	Se utiliza para las arrugas de la frente, el pliegue nasolabial y las cicatrices. Menos doloroso que las inyecciones de ácido hialurónico.	Riesgo de inflamación, enrojecimiento y nódulos. Puede requerir prueba de alergia previa.	Una duración mínima de cinco años. Con frecuencia su efecto es permanente.

Nueva advertencia para el uso de bótox

El bótox puede causar efectos secundarios en algunas personas, como la dificultad para respirar o tragar, advierte la Administración de Alimentos y Medicamentos (FDA). Esto es lo que usted necesita saber.

Es más probable que estos efectos secundarios puedan ocurrir en personas que usan bótox para tratar la tensión muscular intensa y las contracciones musculares excesivas en el cuello. La FDA no ha determinado aún si estos efectos secundarios también ocurren con otros usos del bótox, como el tratamiento de las arrugas entre las cejas, el estrabismo (ojos desviados o cruzados), la sudoración excesiva de las axilas y el parpadeo anormal.

Si usted ha sido tratado con bótox en las últimas semanas y experimenta cualquiera de los siguientes síntomas, busque ayuda médica de inmediato: debilidad muscular inesperada, dificultad para hablar o decir palabras con claridad, visión borrosa, párpados caídos, visión doble, pérdida de control de la vejiga, problemas para respirar o dificultad para tragar.

Reduzca su riesgo de herpes zóster a la mitad

La varicela de cuando era niño puede volver en la edad adulta convertida en algo mucho más peligroso y doloroso: el herpes zóster, también conocido como culebrilla o *shingles* en inglés. Afortunadamente, una nueva vacuna puede ayudarle a evitar ese dolor insoportable y las complicaciones que puedan surgir.

El herpes zóster es una enfermedad provocada por el mismo virus que causa la varicela. A pesar de que el sistema inmunitario barre con la varicela, el virus de la varicela permanece latente en los nervios durante décadas. A medida que se envejece, la inmunidad al virus puede debilitarse y éste puede resurgir como una erupción de ampollas dolorosas distribuidas en forma de una "banda". Esta erupción puede ser tan sensible que la brisa o el peso de la ropa pueden resultar insoportables. Con el tiempo las ampollas drenan y se forman costras, y la mayoría de las personas se recuperan. Sin embargo, hay personas que desarrollan complicaciones como la neuralgia postherpética (NPH), que es un dolor intenso que puede durar meses o años. Algunas personas incluso pueden desarrollar problemas de visión o audición.

Protéjase. Los antivirales pueden ayudar a tratar los síntomas si se inicia el tratamiento a tiempo, pero es mejor evitar el herpes zóster por completo. Es ahí donde entra en juego la nueva vacuna.

La probabilidad de tener herpes zóster aumenta a medida que se envejece. Es por esa razón que los Centros para el Control y la Prevención de Enfermedades (CDC, en inglés) recomiendan la vacuna *Zostavax* a las personas mayores de 60 años, incluso si han tenido herpes zóster en el pasado. Las investigaciones sugieren que esta inyección reduce el riesgo de herpes zóster en un 50 por ciento, además de disminuir la gravedad de los síntomas si se llega a tener la enfermedad. Aún mejor, la vacuna logra reducir las probabilidades de desarrollar NPH en un 67 por ciento. Si bien esta vacuna puede volverse menos efectiva en prevenir el herpes zóster a medida que se envejece, seguirá siendo igualmente efectiva en impedir el desarrollo de la NPH tanto en las personas de 70 años como en las de 60 años.

Infórmese. La vacuna *Zostavax* es relativamente nueva, así que tenga en cuenta los siguientes consejos:

- Primero llame a su proveedor de seguros para averiguar si cubren parte del costo de la vacuna. El precio total puede ser de entre $165 y $300. El costo de un tratamiento de herpes zóster, sin embargo, puede ser significativamente más alto.

- Llame al consultorio de su médico y pregunte si ofrecen la vacuna. De lo contrario, vaya a una clínica ambulatoria, a un centro médico de atención sin cita previa o a su farmacia local.

- Es poco probable que alguien que reciba esta vacuna desarrolle herpes zóster, pero algunas personas pueden experimentar efectos secundarios, como dolor, hinchazón o sensibilidad en el lugar donde se aplicó la vacuna. Unos pocos pueden incluso tener comezón o dolores de cabeza.

Tenga cuidado. Esta vacuna no es para todos. Por ejemplo, no la deben recibir las personas que están tomando medicamentos inmunosupresores, las personas que alguna vez tuvieron una reacción alérgica grave a la neomicina o a la gelatina, y las personas que algunas vez tuvieron leucemia o cualquier enfermedad por inmunodeficiencia. Tampoco deben vacunarse las personas que en ese momento tienen herpes zóster o NPH. En su lugar, deben hacerle saber a su médico que tienen herpes zóster y deben hacerlo de inmediato para que puedan empezar un tratamiento con medicamentos antivirales lo antes posible.

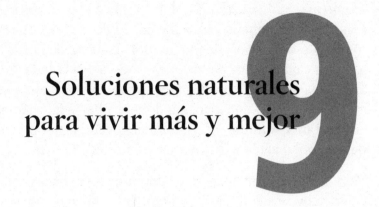

Soluciones naturales para vivir más y mejor

Sorprendente solución para el dolor crónico

Envejecer no significa resignarse a vivir con achaques y dolores. Tampoco tiene que depender de altas dosis de analgésicos para sentir alivio. Para vencer el malestar tal vez lo único que necesite sea aumentar el consumo de vitamina D.

Niveles bajos, riesgo elevado. Un estudio realizado recientemente por la Universidad de Delaware con adultos mayores en la región de Chianti, Italia, encontró que las mujeres mayores que no reciben suficiente vitamina D pueden estar en mayor riesgo de padecer dolor de espalda. Otros estudios han hallado vínculos similares.

Un análisis de 22 estudios clínicos concluyó que las personas con dolores crónicos en el cuerpo y en la espalda presentaban, por lo general, niveles bajos de vitamina D. Afortunadamente, una vez que obtenían suficiente vitamina, sus dolores solían disminuir o incluso desaparecer. En uno de estos estudios, por ejemplo, después de tomar suplementos de vitamina D durante tres meses, el 95 por ciento de las personas con dolor de espalda crónico dijeron sentirse mejor.

La vitamina D también puede ayudar a aliviar el dolor óseo, el dolor articular, la osteoartritis, la artritis reumatoide, la fibromialgia, la neuropatía diabética y el síndrome de fatiga crónica.

Cómo ayuda. El cuerpo necesita vitamina D para absorber el calcio. Cuando no se obtiene suficiente calcio de la dieta, el organismo lo tomará de los huesos, debilitándolos. Esto puede llevar a fracturas y a que la capa externa de los huesos se vuelva blanda y esponjosa. Esta capa esponjosa puede crecer y presionar el tejido sensible que cubre los huesos, una afección dolorosa llamada osteomalacia. Aumentar el consumo de vitamina D puede mejorar la absorción de calcio y mantener los huesos y músculos fuertes.

Pero la vitamina D no es una cura milagrosa. Esta vitamina trata la causa subyacente del dolor y no el dolor mismo, por lo que pueden pasar semanas o meses antes de que usted note alguna mejora. Aunque no pueda sustituir por completo su medicación para el dolor, la vitamina D sí puede aliviar el dolor y disminuir la necesidad de medicamentos.

Fuentes fabulosas. La piel produce vitamina D al exponerse a la luz solar. La vitamina D también se encuentra en algunos alimentos. Su mejor opción es el pescado graso, como el salmón, el arenque, la caballa, las sardinas y el atún. Los alimentos fortificados, como la leche, el queso y el cereal para desayuno, también proporcionan vitamina D. Incluso la yema del huevo aporta una pequeña cantidad.

Sin embargo, para obtener suficiente vitamina D, es probable que usted necesite tomar un suplemento. Los expertos recomiendan al menos 1000 unidades internacionales (UI) de vitamina D al día para las personas sanas, y hasta 2000 UI para las personas que padecen dolores. No se debe tomar una dosis más alta sin la supervisión de un médico. Los suplementos de vitamina D son económicos y fácilmente disponibles. Busque suplementos de vitamina D3, que es la forma producida naturalmente por el cuerpo. Consulte la página 82 para obtener más información acerca de esta vitamina.

Combata la pérdida muscular tomando leche con chocolate

En su cocina usted cuenta con un arsenal de armas poderosas para ganarle la guerra a la debilidad muscular relacionada con la edad.

La pérdida progresiva de masa y función muscular que ocurre con la vejez, conocida como sarcopenia, debilita los músculos, dificulta la movilidad y aumenta el riesgo de sufrir caídas. Por suerte, es posible revertir la sarcopenia parcialmente mediante el ejercicio, especialmente el entrenamiento de fuerza. Los siguientes alimentos también deben ser parte de un programa de fortalecimiento muscular:

Leche. ¿Puede un vaso de leche endulzada retardar el proceso de envejecimiento? Sí, si lo bebe inmediatamente después de hacer ejercicio. Aunque le parezca increíble, así lo sugiere un estudio.

En el marco de un pequeño estudio, beber leche endulzada inmediatamente después de una sesión de ejercicios de resistencia ayudó a un grupo de mujeres a desarrollar músculo esquelético. Esta observación condujo a algunos investigadores a especular que beber leche endulzada tal vez sería una buena manera de contrarrestar la pérdida de masa muscular que ocurre con la edad.

En un estudio anterior, la leche con chocolate ayudó a un grupo de ciclistas varones a recuperarse mejor y a pedalear durante más tiempo en la siguiente sesión, que las bebidas comerciales para deportistas. Una reciente revisión de estudios realizada en Canadá indica que la leche baja en grasa es tan efectiva como las bebidas para deportistas para la recuperación después de una sesión de entrenamiento de fuerza y resistencia. Beber leche después de hacer ejercicio ayuda a aumentar el tamaño y la fuerza de los músculos y, al mismo tiempo, promueve la pérdida de grasa corporal.

Cerezas. Beber jugo de cereza antes y después de una sesión de ejercicio físico puede disminuir el dolor y el daño muscular. Así lo indica un pequeño estudio realizado por la Universidad de Vermont. Los estudiantes universitarios que bebieron 12 onzas de jugo de cereza agria (*tart cherry*, en inglés) dos veces al día durante ocho días, tuvieron significativamente menos dolor y pérdida de fuerza después de realizar una serie de ejercicios de brazos que los estudiantes que recibieron una bebida placebo. La pérdida de fuerza muscular fue del 22 por ciento para los estudiantes del grupo de placebo, pero sólo del 4 por ciento para los que bebieron el jugo de cereza. Es probable que estos resultados se deban a las propiedades antioxidantes y antiinflamatorias de la cereza. Doce onzas de jugo de cereza equivalen a entre 50 y 60 cerezas agrias.

Frutas y verduras. En un estudio reciente se comprobó que un consumo mayor de alimentos ricos en potasio, como las frutas y las verduras, no sólo mantiene la presión arterial bajo control, sino que también ayuda a conservar la fuerza muscular y a prevenir discapacidades a medida que se envejece. Un consumo excesivo de proteínas y granos de cereales eleva el nivel de acidez de la sangre, lo que debilita el tejido muscular. El potasio en las frutas y verduras, en cambio, hace que la sangre se torne más alcalina y aumenta la masa muscular magra. No sólo eso, incluir más potasio en la dieta, y a la vez reducir el sodio, es una gran manera de prevenir o bajar la presión arterial alta y de reducir el riesgo de sufrir accidentes cerebrovasculares.

Además de servirse más frutas y verduras, usted también debe beber menos gaseosas. El consumo excesivo de los refrescos de cola puede llevar a la hipocalemia, una afección que se caracteriza por la caída de los niveles de potasio y que afecta las funciones vitales de los músculos. Los síntomas varían desde una debilidad leve hasta la parálisis. Por suerte, la recuperación es sencilla si se dejan de beber estos refrescos de cola y se toman suplementos de potasio. La glucosa, la fructosa y la cafeína en los refrescos de cola contribuyen a este problema.

Carne magra. Con la edad se necesita consumir menos calorías, pero la misma cantidad de proteínas. Lamentablemente, muchas personas de edad avanzada no obtienen suficientes proteínas. Cuando esto ocurre, el cuerpo se ve obligado a tomar de los músculos los aminoácidos que necesita para mantener el funcionamiento de los órganos. Con el tiempo, esta pérdida conduce a la debilidad muscular.

Razones económicas, la dificultad para masticar y la disminución del apetito son tres factores que explican por qué las personas mayores no obtienen suficientes proteínas. Hacer un esfuerzo por aumentar el consumo de proteínas podría ayudar a frenar el deterioro muscular. Un estudio encontró que consumir más proteínas incluso reduce las fracturas de muñeca y, en general, favorece la salud ósea.

Los expertos recomiendan consumir cada día un gramo de proteínas por kilogramo de peso corporal (su peso en kilogramos equivale aproximadamente a la mitad de su peso en libras). Esto significa que si usted pesa 160 libras debe comer 80 gramos de proteínas todos los días. La carne de res, de cerdo y de pollo, así como el pescado, los huevos, los productos lácteos y los frutos secos son buenas fuentes de proteínas.

Usted también puede probar las proteínas en polvo que prometen desarrollar músculo. La mayoría tienen entre 100 y 150 calorías por porción y aportan entre el 30 y el 60 por ciento de la ingesta diaria recomendada. Simplemente agregue una cucharada al yogur o a un batido. Una buena opción son las proteínas de suero (*whey proteins*, en inglés). Su alta concentración del aminoácido leucina puede ayudar a las personas mayores a conservar la masa muscular. Los estudios muestran que ayudan a minimizar la sarcopenia. También ayudan a controlar el apetito y, por lo tanto, a mantener un peso saludable.

Nutrientes que ayudan a prevenir las caídas

Más de la mitad de las caídas entre los adultos mayores resultan en lesiones. Si bien la mayoría de estas lesiones no ponen en riesgo la vida, nadie quiere correr el riesgo de sufrir una fractura o algo peor. Protéjase de las caídas consumiendo alimentos ricos en los siguientes nutrientes:

Vitamina D. Las investigaciones muestran que la llamada vitamina del sol tiene un efecto positivo sobre la fuerza muscular y el equilibrio. También ayuda a mantener la densidad ósea.

Un estudio de tres años de duración encontró que las mujeres mayores que tomaban vitamina D y calcio reducían su riesgo de sufrir caídas en un 46 por ciento. Entre las mujeres menos activas, los resultados fueron aún mejores, reduciendo este riesgo en un 65 por ciento. La deficiencia de vitamina D se ha relacionado con debilidad muscular. Además, con la edad las personas mayores pueden perder algunos receptores de vitamina D en los músculos.

En los Países Bajos, un estudio encontró que las personas mayores con deficiencia de vitamina D eran más propensas a sufrir varias caídas en un período de 12 meses que las personas que recibieron una cantidad adecuada de vitamina D. Y en un estudio realizado en Australia, los suplementos de vitamina D ayudaron a mujeres con niveles bajos de vitamina D en la sangre que tenían un historial de caídas. Los suplementos redujeron en un 19 por ciento su riesgo de tener al menos una caída. Estos suplementos también mostraron ser más beneficiosos durante el invierno, cuando los niveles de vitamina D en la sangre son más bajos debido a la menor exposición al sol.

Pasar entre 10 y 15 minutos expuestos al sol un par de veces a la semana, ayuda a aumentar los niveles de vitamina D. También se puede obtener esta vitamina del hígado, la yema de huevo y el pescado graso, como el salmón, la caballa, el atún y las sardinas. Entre los alimentos fortificados con vitamina D están la leche, el jugo de naranja y los cereales para desayuno. Los complejos multivitamínicos a menudo contienen vitamina D y también hay suplementos de esta vitamina.

Vitamina E. Un estudio conducido recientemente en Toscana, Italia, halló un vínculo entre los niveles bajos de vitamina E y el deterioro físico en las personas mayores. Para medir el deterioro físico se evaluaron la velocidad al caminar, la movilidad al levantarse repetidas veces de una silla y el equilibrio estando de pie. Las personas con niveles bajos de vitamina E eran un 62 por ciento más propensas a mostrar signos de deterioro físico durante los tres años que duró el seguimiento. La deficiencia de vitamina E también ha sido asociada a la aterosclerosis y a otras enfermedades cardiovasculares, así como a trastornos cerebrales.

Algunos expertos en salud recomiendan obtener entre 15 y 30 mg de vitamina E al día. Eso es fácil de lograr eligiendo alimentos como las almendras, la salsa de tomate y las semillas de girasol. El germen de trigo, las verduras de hoja verde oscuro, los aceites vegetales y otros frutos secos y semillas también aportan vitamina E.

Carotenoides. Un reciente estudio realizado en Italia reveló que altas concentraciones de carotenoides en la sangre pueden ayudar a mantener el equilibrio al estar de pie o caminar. Las personas con los niveles más altos de carotenoides tenían la mitad de probabilidades de tener problemas para caminar. Y durante los seis años que duró el seguimiento estas personas mostraron además una disminución menos pronunciada en la velocidad al caminar.

Los carotenoides se encuentran en las frutas y verduras de colores vivos, como el albaricoque, el brócoli, el melón, la zanahoria, la calabaza, la espinaca, el camote y el tomate.

Manténgase hidratado para no perder el equilibrio

La deshidratación puede provocar mareos y caídas potencialmente graves. También puede causar estreñimiento, confusión y fatiga. Lamentablemente, muchos adultos mayores no beben suficiente agua. Con la edad, el cuerpo se vuelve menos capaz de sentir la falta de líquidos y deja de enviar la señal de sed al cerebro.

Beber más agua puede ayudar. En Inglaterra, un hogar para adultos mayores alentó a sus residentes a beber 10 vasos de agua al día con resultados espectaculares: el número de caídas se redujo a la mitad y las llamadas médicas disminuyeron. Asimismo, se registraron menos casos de infecciones urinarias y se observó una reducción en el uso de laxantes, una mejora en la calidad del sueño y una disminución de las manifestaciones de agitación entre los residentes con demencia.

¿Cuánta agua se necesita? La recomendación generalizada es de ocho vasos de 8 onzas de agua al día. Sin embargo, algunos expertos han cuestionado dicha recomendación, ya que las personas obtienen gran parte de los líquidos que necesitan de los alimentos y otras bebidas. Algunas frutas y verduras, como la sandía y el tomate, contienen mucha agua. Lo mismo ocurre con la leche, el jugo de naranja e incuso con las bebidas con cafeína, como el café, el té y las gaseosas.

También está el peligro de beber demasiada agua, lo que puede diluir los electrolitos del cuerpo, un trastorno conocido como intoxicación por agua. Los casos graves pueden ser potencialmente mortales. En uno de los casos, una mujer de 45 años de edad desarrolló una intoxicación por agua tras beber grandes cantidades de agua para suprimir el apetito. El Ejército de Estados Unidos ha alertado a sus miembros contra beber más de seis vasos de 8 onzas de agua en una hora, o más de 48 vasos de 8 onzas en 12 horas, incluso cuando hacen un esfuerzo físico intenso en zonas con altas temperaturas.

Sin embargo, lo que preocupa a la mayoría de las personas no es beber agua en exceso, sino beber suficiente agua. Se debe prestar especial atención al consumo de agua cuando se hace ejercicio, durante una enfermedad y en días calurosos y húmedos. En circunstancias normales, trate de tomar un vaso de agua con cada comida y entre cada comida, y, por supuesto, cada vez que tenga sed.

Frene la fatiga con quercetina

Todos sabemos que debemos hacer ejercicio con regularidad, pero para muchas personas no es fácil mantener la motivación, sobre todo cuando sienten cansancio rápidamente. La quercetina puede ayudar. Este flavonoide polifenólico natural, que se encuentra en la cebolla, la manzana, la uva y las bayas, estimula los músculos y el cerebro.

La quercetina aumenta el número de mitocondrias en los músculos y el cerebro. Un incremento en el número de mitocondrias lleva a una mayor resistencia física, así como a una mayor disposición y motivación para hacer ejercicio. En un estudio, los ratones que solían correr en una rueda por su propia voluntad empezaron a correr más rápido y a cubrir una distancia un 35 por ciento mayor después de seis días de recibir un tratamiento de quercetina.

Hay un vínculo estrecho entre las mitocondrias y el ejercicio. Cuando éstas no funcionan adecuadamente, la tolerancia del cuerpo al ejercicio físico disminuye. A su vez, la falta de ejercicio es un factor de riesgo para la diabetes, el cáncer y las cardiopatías, entre otras enfermedades. El ejercicio físico duplica el número y el rendimiento de las mitocondrias en el músculo. Sin embargo, no siempre es fácil iniciar y mantener una rutina de ejercicios. Es ahí donde entra en juego la quercetina. Al estimular la producción de mitocondrias, la quercetina puede ayudar a superar dos grandes obstáculos para hacer ejercicio: el cansarse rápidamente y la falta de motivación. Eso se debe a que las mitocondrias influyen positivamente en el rendimiento físico. Una mejor función mitocondrial ayuda a las células a absorber más oxígeno, retrasando el agotamiento físico. Un estudio en humanos encontró que tomar una combinación de quercetina, cafeína y otros antioxidantes durante seis semanas mejora la resistencia al hacer ejercicio en bicicleta. Las mitocondrias también son un factor determinante en la motivación y el estado de ánimo, incluido el vigor, la fatiga, la ansiedad y la depresión.

Además de los alimentos, la quercetina también se encuentra en otras fuentes, como las bebidas energéticas, las mezclas para bebidas y las gomas masticables de FRS, o los masticables de *RealFX Q-Plus*.

Seis consejos de nutrición para dormir mejor

¿Tiene problemas para dormir? Los somníferos no son la solución. En su lugar, pruebe hacer algunos cambios sencillos en su dieta.

Los problemas con el sueño empeoran con la edad. Los cambios en el "reloj corporal", las enfermedades y los medicamentos utilizados para tratarlas son factores que contribuyen al insomnio. Y el insomnio puede aumentar el riesgo de desarrollar depresión, problemas de memoria, somnolencia diurna y caídas nocturnas. Los buenos hábitos para dormir ayudan, así como los siguientes consejos de nutrición:

Sírvase cerezas. Cargadas de una hormona natural que ayuda a "apagar" el cerebro despierto, esta fruta podría ser el bocadillo perfecto para antes de acostarse. Los estudios muestran que en las personas mayores con insomnio, la cereza mejora la calidad del sueño y reduce el tiempo necesario para quedarse dormido. Las cerezas son una buena fuente de melatonina, que es fácilmente absorbida por el cuerpo. Un puñado de cerezas al día debiera aportar toda la melatonina que usted necesita. Otra buena opción son los suplementos de melatonina. Los estudios sugieren que la mejor dosis es de 0.3 miligramos (mg) al día.

Incluya más magnesio. Las investigaciones muestran que niveles elevados de magnesio pueden ayudar a conciliar el sueño más rápido y a dormir más profundamente. Buenas fuentes de magnesio son los frutos secos, las legumbres, los granos integrales, las verduras de hojas verde oscuro, el pescado y los mariscos.

Cuente con los carbohidratos. Un estudio realizado en Australia reveló que consumir carbohidratos de almidón cuatro horas antes de acostarse ayudaría a conciliar el sueño más rápidamente. Este tipo de carbohidratos pueden aumentar los niveles de triptófano y serotonina, dos sustancias químicas del cerebro involucradas en el sueño. En el estudio se utilizó arroz jazmín, pero usted puede probar otros tipos de carbohidratos con un índice glucémico alto, que es una medida de la velocidad con la que los alimentos elevan el nivel de azúcar en la sangre. Entre las buenas opciones están el puré de papas, los *bagels* o roscas de pan, las galletas tipo saltinas o las galletas Graham, los caramelos de goma, el pan francés, los *pretzels* y las galletas de arroz.

Quítele la grasa. Un estudio realizado en China encontró que las personas que dormían menos de siete horas por noche consumían más grasa que las personas que dormían entre siete y nueve horas por noche. Y en Israel, un estudio en ratones comprobó que una dieta alta en grasas afecta el reloj corporal y, por lo tanto, altera el ciclo del sueño. Por último, en Brasil, un grupo de científicos descubrió que el consumo de grasas, ya sea total o a la hora de cenar, afecta negativamente los patrones de sueño.

Dígales NO a los bocadillos nocturnos. Según un estudio efectuado en Brasil, las personas que comen bocadillos con alto contenido calórico antes de acostarse pueden despertarse varias veces durante la noche. De hecho, consumir demasiadas calorías durante el día puede causar interrupciones en el sueño.

Elimine las bebidas energéticas. Después de una noche de sueño intermitente no se debe recurrir a las bebidas energéticas para cargarse de energía. Estos productos contienen gran cantidad de cafeína —hasta 141 mg por porción, más de una taza de 8 onzas de café— y el exceso de cafeína puede causar pérdida de sueño.

Respire mejor con estos alimentos para la salud pulmonar

La enfermedad pulmonar lo deja a uno, literalmente, sin aliento. La enfermedad pulmonar obstructiva crónica (EPOC), por ejemplo, puede causar sibilancias, tos y falta de aliento. Incluso comer puede resultar agotador. Sin embargo, los alimentos adecuados pueden ayudar a lidiar con esta afección e, incluso, prevenirla.

La EPOC se refiere a dos enfermedades del pulmón que a menudo van de la mano: el enfisema y la bronquitis crónica. En ambas se produce una obstrucción en el flujo de aire, lo que impide la respiración. El tabaquismo es una causa determinante de la EPOC, la cuarta causa principal de muerte en Estados Unidos. Otros factores de riesgo incluyen la exposición al aire contaminado, el humo de segunda mano y la exposición a polvos y vapores químicos en el lugar de trabajo. También se deben tener en cuenta el factor hereditario y un historial de infecciones respiratorias en la infancia.

La mitad de las personas con EPOC reconoce que esta enfermedad limita su capacidad de trabajo. También afecta las labores en el hogar, el sueño y las actividades sociales. Las personas que tienen EPOC suelen bajar de peso porque les es difícil comer y, además, porque queman más calorías por el esfuerzo que hacen para respirar.

Entre las opciones de tratamiento estándar están el dejar de fumar, los medicamentos, la administración de oxígeno suplementario y la cirugía. Pero la dieta también puede ser beneficiosa.

Somos lo que comemos. Los investigadores descubrieron que hay una gran diferencia entre lo que se considera un "patrón prudente" de alimentación y el típico patrón occidental. El patrón prudente favorece las frutas, las verduras, el pescado y los productos integrales; mientras que el patrón occidental es rico en granos refinados, carnes curadas o rojas, postres y papas fritas.

En un estudio, los hombres que siguieron el patrón prudente redujeron a la mitad su riesgo de padecer EPOC, mientras que los que siguieron la dieta occidental aumentaron su riesgo en más de cuatro veces. En otro estudio se obtuvieron resultados similares. Las mujeres que siguieron el patrón prudente redujeron su riesgo en un 25 por ciento y las que siguieron la dieta occidental aumentaron su riesgo en un 31 por ciento. Otros consejos de nutrición a tener en cuenta:

- El jugo de tomate impidió que ratones expuestos al humo del cigarrillo desarrollaran enfisema. Eso se debe a las propiedades antioxidantes del licopeno —el carotenoide que da al tomate su color rojo— y a otros compuestos presentes en el tomate.

- Cuanto mayor es el nivel de vitamina D en la sangre, mejor funcionan los pulmones. Se puede obtener vitamina D de alimentos como el pescado graso, el hígado y la yema de huevo, así como de la leche y los cereales para desayuno fortificados.

- Consumir más fibra mejora la función pulmonar y reduce el riesgo de desarrollar EPOC. En un estudio, la fibra de la fruta y de los cereales para desayuno mostró ser de gran beneficio. Los científicos sospechan que esto se debe a sus propiedades antiinflamatorias y antioxidantes.

Otros estudios muestran el peligro que representan las carnes curadas, como el tocino, las salchichas y los embutidos. Consumir este tipo de carnes con frecuencia puede reducir la función pulmonar y aumentar el riesgo de desarrollar EPOC. Un estudio encontró que las personas que consumían la mayor cantidad de carnes curadas tenían más del doble de probabilidades de desarrollar EPOC que las que comían la menor cantidad. Según otro estudio, el riesgo de desarrollar EPOC aumenta en un 2 por ciento por cada incremento de una porción en el consumo mensual de carne curada.

Comer con inteligencia. Si usted ya tiene EPOC, siga estos consejos:

- Coma cinco o seis comidas pequeñas al día, en lugar de tres grandes. Su estómago no se llenará tanto y sus pulmones tendrán más espacio para expandirse.

- Beba mucho líquido para evitar la deshidratación. Hágalo después de las comidas para no llenarse demasiado pronto.

- Para evitar la pérdida de peso, incluya un suplemento líquido de proteínas en su dieta.

- Coma despacio y mastique bien la comida. Evite los alimentos que son difíciles de masticar.

- Aléjese de los alimentos que producen gases o hinchazón.

- Limite su consumo de sal. Demasiada sal puede causar retención de líquidos, lo que a su vez puede interferir con la respiración.

- No pierda su energía tratando de comer alimentos con poco valor nutritivo, como las papas fritas, los caramelos o las gaseosas.

- Elija alimentos que sean fáciles de preparar, para emplear sus energías en comer y no en cocinar.

- Si necesita aumentar de peso, disfrute de bocadillos ricos en calorías, como los helados, las galletas dulces, los budines, el queso, las galletas con crema de cacahuate, los *bagels* con crema de queso, las frutas y verduras con salsas, y el yogur con granola.

Otros remedios naturales

Aminoácidos que nutren los músculos

No es necesario ser un atleta o un levantador de pesas para beneficiarse de los suplementos de aminoácidos. Las investigaciones parecen indicar que también podrían ayudar a las personas mayores a mantener la masa muscular.

La sarcopenia, o pérdida de masa muscular asociada a la edad, es un factor determinante en las caídas, la fragilidad, las fracturas y la pérdida de independencia. También aumenta el riesgo de enfermedad cardíaca y de síndrome metabólico, una combinación de factores de riesgo para la diabetes y las enfermedades del corazón. Los expertos creen que parte del problema reside en no llevar una vida activa a medida que se envejece, lo que sería agravado por el consumo insuficiente de proteínas.

Ahí es donde entran a tallar los aminoácidos, que son los componentes fundamentales de las proteínas. El cuerpo puede producir algunos tipos de aminoácidos, pero otros deben provenir de los alimentos. Los atletas, los fisicoculturistas y las personas que hacen dieta suelen tomar suplementos de aminoácidos, pero los estudios sugieren que estos suplementos también pueden beneficiar a los adultos mayores.

Evite las caídas. Los investigadores dieron 2.4 gramos (g) del aminoácido beta alanina a un grupo de 12 adultos mayores, mientras que otro grupo de 14 adultos recibieron un placebo (pastilla falsa). Después de 90 días, ocho personas del grupo de beta alanina mejoraron su estado físico, en cambio en el grupo de placebo sólo lo hicieron tres personas. Los resultados sugieren asimismo que el suplemento podría ayudar a prevenir las caídas en los adultos mayores y ayudarles a llevar una vida independiente durante más tiempo.

Manténgase en forma mientras guarda reposo en cama. En un estudio, un suplemento que combinaba aminoácidos y carbohidratos conservó la masa muscular en pacientes que debían mantener cuatro semanas de reposo en cama. Los carbohidratos hacen que el cuerpo libere insulina. Si el organismo cuenta además con un alto nivel de aminoácidos —lo que ocurre después de comer alimentos ricos en proteínas o de tomar un suplemento de aminoácidos—, entonces la insulina estimula a las células a absorber los aminoácidos y a empezar a sintetizar las proteínas.

Parece que estos nutrientes son más efectivos si se obtienen en forma combinada y no por separado. Los expertos creen que podrían hacer más lenta la pérdida muscular en las personas que no pueden moverse o que tienen problemas para hacer ejercicio. Sin embargo, este suplemento no logró conservar plenamente la fuerza muscular. Para ello probablemente se necesite hacer ejercicio.

Preste atención a la proteína de suero. Según una investigación nueva, un suplemento general de proteínas puede desarrollar más músculo en los adultos mayores que los suplementos individuales de aminoácidos. Una vez más, la insulina puede ser la clave. Un grupo de adultos mayores recibió 15 g de un suplemento de proteína de suero, y otro un suplemento puro de aminoácidos. La proteína de suero provocó un pico más alto en los niveles de insulina y un mayor desarrollo de masa muscular en el largo plazo. Los expertos dicen que este pico en los niveles de insulina en combinación con la cantidad adicional de aminoácidos presentes de forma natural en la proteína de suero estimuló el desarrollo de masa muscular.

Más proteína no siempre es mejor. Un consumo demasiado alto de proteínas o de aminoácidos puede dañar los riñones y potencialmente alimentar el crecimiento de tumores latentes en el intestino y el hígado. Además de eso, es probable que las proteínas por sí solas no puedan frenar la sarcopenia. También será necesario hacer ejercicio aeróbico, como caminar, y ejercicios de resistencia, como levantar pesas. Si le preocupa la pérdida de músculo pregunte a su médico si un régimen de suplementos y ejercicio sería adecuado para usted.

Forma segura para aliviar dolores y malestares

Los medicamentos antiinflamatorios no esteroideos (AINE), incluidos el ibuprofeno y el naproxeno, pueden ayudar a aliviar el dolor de cuello y el dolor de espalda, pero podrían hacerlo a expensas de su salud. Las investigaciones han encontrado un vínculo entre estos potentes medicamentos y las úlceras, las hemorragias, los ataques al corazón e, incluso, la muerte. Tal vez sea hora de dejar las pastillas y servirse un poco de aceite de pescado, una alternativa eficaz y segura.

Numerosos estudios revelan que los suplementos de aceite de pescado alivian el dolor y la sensibilidad articular, así como la rigidez matutina de la artritis reumatoide. Investigadores de la Universidad de Pittsburgh han encontrado recientemente que los ácidos grasos omega-3, el compuesto antiinflamatorio presente en el aceite de pescado, también pueden calmar el dolor de cuello y de espalda.

En dicho estudio, 125 personas con dolor no quirúrgico en el cuello o en la espalda recibieron un total de 1200 miligramos (mg) al día de suplementos de aceite de pescado, con un alto contenido de ácidos grasos omega-3. Después de dos meses y medio:

- Seis de cada 10 pacientes pudieron dejar de tomar un AINE para el dolor.

- Seis de cada 10 personas dijeron que tanto el dolor de las articulaciones como el dolor general habían mejorado.

- Casi nueve de cada 10 personas dijeron que seguirían tomando los suplementos.

El aceite de pescado cuenta con dos tipos de ácidos grasos omega-3: el EPA y el DHA, los cuales frenan la producción de compuestos inflamatorios. El aceite de pescado también tiende a diluir la sangre, así que hable con su médico antes de probarlo si usted tiene un trastorno hemorrágico o toma anticoagulantes, como *Coumadin* (warfarina) o heparina. Se recomienda dividir la dosis diaria total en dos o tres dosis pequeñas y tomarlas a lo largo del día con las comidas.

Alivio natural para las piernas inquietas

La valeriana, una hierba utilizada durante siglos como un auxiliar seguro para dormir, puede ser un tratamiento alternativo para el síndrome de las piernas inquietas (SPI). Los fármacos que hoy se recetan para el SPI pueden causar somnolencia diurna e insomnio de rebote, y pueden dejar de funcionar con el tiempo. Un estudio reciente mostró que tomar 800 mg de valeriana al día durante ocho semanas, mejoró los síntomas del SPI y redujo la somnolencia diurna.

Hierbas para calmar el dolor de espalda

Dos de cada tres adultos estadounidenses tendrá dolor de espalda alguna vez en su vida. Este problema es más común a medida que se envejece debido al "desgaste" de la columna vertebral. Para el dolor de espalda crónico, en lugar de un fármaco de riesgo pruebe uno de los remedios herbarios prometedores, como la garra del diablo o la corteza de sauce blanco.

Los medicamentos antiinflamatorios no esteroideos (AINE), como el ibuprofeno y *Celebrex*, son soluciones fáciles, pero sus potenciales efectos secundarios, entre ellos el sangrado estomacal, las úlceras y los problemas del corazón, implican un riesgo en el tratamiento del dolor a largo plazo. Estos dos remedios herbarios pueden acabar con el dolor de espalda con menos efectos secundarios.

Garra del diablo. No se asuste por el nombre. No hay nada de siniestro en esta planta cuyo nombre científico es *Harpagophytum procumbens* y que también se conoce como harpagófito (o *devil's claw*, en inglés). Los nativos de las estepas sudafricanas utilizan los tubérculos de la garra del diablo para tratar los problemas relacionados con los músculos y los huesos. De hecho, la Cooperativa Científica Europea de Fitoterapia recomienda su uso para aliviar el dolor de espalda y los malestares de la osteoartritis.

Se ha demostrado que esta planta herbácea tiene propiedades analgésicas y antiinflamatorias. En un estudio, tomar al menos 50 miligramos (mg) diarios de un suplemento de harpagósido pareció calmar el dolor de las articulaciones y la espalda. El harpagósido es un importante componente de la garra del diablo.

Hable con su médico antes de iniciar un tratamiento con garra del diablo. Las personas que toman anticoagulantes o que tienen antecedentes de sangrado, úlceras o accidente cerebrovascular deben tener especial cuidado con este remedio herbario. Deje de tomarlo dos semanas antes de someterse a una cirugía, a exámenes médicos o a cualquier procedimiento dental que podría implicar sangrado, y deje pasar tiempo suficiente antes de continuar con el tratamiento.

Corteza de sauce blanco. La corteza de sauce blanco, árbol también conocido como *Salix alba* (o *white willow*, en inglés), ha mostrado en estudios ser igual o más efectiva que los fármacos convencionales para el dolor de espalda, incluida una clase de AINE llamada inhibidores de la COX-2. La corteza de sauce es también más barata.

Un análisis de los estudios realizados hasta la fecha mostró que tomar 240 mg de *Salix alba* al día en la forma de salicina alivia el dolor tan bien como 12.5 mg de *Vioxx*, un inhibidor de la COX-2 cuyo uso ha sido prohibido. Al igual que la aspirina, este remedio herbario alivia el dolor e impide que las plaquetas sanguíneas se aglutinen. Evítelo si es alérgico a la aspirina, y tómelo con precaución si sufre de problemas digestivos, como las úlceras.

Los resultados de la mayoría de los estudios sobre estos analgésicos herbarios están basados en ensayos a corto plazo, de no más de seis semanas de duración, y alrededor de la mitad de los investigadores tenían algún tipo de interés personal en dichos resultados. Antes de recomendar estos remedios herbarios, los expertos necesitan ver más estudios y de mejor calidad. Si cree que son una opción para usted, hable con su médico antes de probarlos.

Cómo calmar las contracciones involuntarias en las piernas

Es difícil dormir bien cuando se sufre del síndrome de las piernas inquietas (SPI), ya sea por la imperiosa necesidad de mover las piernas o la desagradable sensación de hormigueo. Por suerte, encontrar alivio puede que no sea tan difícil como se cree. En algunos casos, se consigue con la ayuda de los suplementos adecuados.

Esas sensaciones de comezón, como si algo les jalara las piernas o de no poder parar de moverse, por lo general comienzan o empeoran cuando las personas se van a dormir en la noche o cuando se acuestan para descansar. El SPI tiende a presentarse en diferentes miembros del mismo grupo familiar, es más probable que afecte a las mujeres que a los hombres, y el riesgo de contraerlo aumenta con la edad.

Aparte de los factores de genética, género y edad, el SPI también está asociado a la anemia o deficiencia de hierro. De hecho, hasta el 30 por ciento de las personas que presentan niveles bajos de hierro pueden desarrollar SPI. Los estudios han demostrado que los suplementos de hierro pueden mejorar significativamente los síntomas del SPI en las personas que presentan esta deficiencia, pero no en las personas con niveles normales de hierro. Cuando los niveles de hierro son inferiores a 50 microgramos por litro, entonces aumentar la ingesta diaria de hierro puede ayudar.

Para ello, un médico puede sugerirle que empiece por incluir en la dieta más alimentos ricos en hierro y, si eso no fuera suficiente, entonces le recomendará tomar suplementos. Por lo general, las personas con anemia ferropénica deben tomar 200 miligramos (mg) de hierro elemental, divididos en dos o tres dosis al día, pero 65 mg de hierro al día pueden ser suficientes para aliviar el SPI.

No tome suplementos sin consultar antes con su médico y hacerse un análisis de sangre. Una sobredosis de hierro es un riesgo real y muy serio. Los suplementos pueden tener efectos secundarios como heces oscuras, náuseas, vómitos y diarrea. Si su médico lo aprueba, tome las pastillas entre comidas con un vaso lleno de agua. No las guarde en el botiquín del baño, sino en un lugar fresco, oscuro y seco.

Vida saludable

Terapias alternativas para aliviar el dolor crónico

El dolor crónico nos puede amargar la vida, pero también los fármacos y las cirugías riesgosas. El dolor de una distensión muscular desaparece con el tiempo, pero el dolor crónico nunca se va. Esto explica por qué, cada año, los médicos recetan tantos analgésicos para el dolor de espalda, el dolor de cuello, la artritis, la fibromialgia y otros problemas de salud similares. Sin embargo, los fármacos no siempre son la repuesta adecuada. Más de una docena de terapias alternativas pueden calmar el dolor crónico que los fármacos no pueden aliviar. Es más, muchos hospitales han empezado a ofrecer estas terapias. Antes de someterse a una cirugía, hable con su médico acerca de estas terapias alternativas seguras y efectivas.

Tratamiento quiropráctico. La columna vertebral está formada por 33 vértebras. Cientos de nervios se desprenden de la médula espinal y pasan a través de las aberturas en estas vértebras para distribuirse por todo el cuerpo. Según los quiroprácticos, las subluxaciones o ligeros desplazamientos de las vértebras pueden comprimir o "pellizcar" estos nervios. Al corregir la alineación de las vértebras, los quiroprácticos alivian la presión sobre los nervios y el cuerpo puede sanar.

Los estudios sugieren que el tratamiento quiropráctico podría aliviar de manera natural los dolores musculares en la espalda y el cuello, las migrañas y la osteoartritis sin los efectos secundarios de los fármacos. Si usted decide recibir tratamiento quiropráctico para la osteoartritis, recuerde que la manipulación quiropráctica de articulaciones débiles o lesionadas puede tener efectos adversos. Busque un quiropráctico que tenga experiencia en tratar a personas con artritis y asegúrese de decirle que usted tiene artritis.

Masaje. Varios estudios han llegado a la conclusión de que el masaje puede aliviar temporalmente el dolor en la parte baja de la espalda. Un análisis de estudios sugiere que el masaje puede ayudar a las personas diagnosticadas con dolor "no específico" de espalda baja, es decir, un dolor no causado por otro problema de salud y que puede durar hasta tres meses. El masaje puede ser especialmente beneficioso en estos casos cuando se combina con sesiones de ejercicio y de educación sobre salud. Para el dolor de cuello o de hombro, el masaje localizado puede ser más efectivo que un masaje corporal completo.

Antes de probar la terapia de masaje, compruebe las credenciales del terapeuta. Busque un terapeuta de masaje que tenga licencia y que esté inscrito o autorizado para ejercer en su estado. Éste es un requisito en la mayoría de los estados. Verifique si el terapeuta cuenta con la acreditación del Consejo Nacional de Certificación de Masaje Terapéutico y Manipulación Corporal (NCBTMB, en inglés).

Acupuntura. En un informe médico se presentó el caso de una mujer de 49 años de edad que tenía varios problemas graves de salud, pero que además padecía de insomnio y dolores de rodilla tan intensos que no podía aprovechar plenamente su tratamiento médico. Sus médicos le recetaron un tratamiento de acupuntura como complemento a la atención médica regular que recibía. La acupuntura no sólo mejoró sustancialmente su sueño y los dolores de rodilla, sino que este alivio duró al menos 15 semanas después de la sesión de acupuntura.

Para aliviar el dolor, el acupunturista inserta temporalmente unas agujas muy finas en puntos específicos del cuerpo. Se cree que este tratamiento mejora el flujo de energía a través del cuerpo, lo que ayuda a sanar. Las investigaciones sugieren que la acupuntura puede ayudar a aliviar el dolor en la parte baja de la espalda tan bien o mejor que los tratamientos estándar. Y un estudio realizado por la Clínica Mayo encontró que la acupuntura reduce significativamente el dolor, la fatiga y la ansiedad en pacientes con fibromialgia leve a moderada.

Técnica Alexander. La técnica Alexander es un método diseñado para mover el cuerpo mejorando la coordinación, el equilibrio y la salud. Investigadores británicos dicen que esta técnica puede aliviar el dolor de espalda al reducir los espasmos musculares, liberar la tensión en la columna vertebral, fortalecer los músculos posturales y aumentar la flexibilidad. De hecho, un estudio encontró que la técnica Alexander era más efectiva para aligerar el dolor de espalda que la terapia de masaje o el ejercicio físico por sí solos. Y si desea ahorrar, tenga en cuenta que en ese mismo estudio se comprobó que asistir a seis clases de esta técnica y además hacer ejercicio es casi tan efectivo como asistir a 24 clases sin hacer ejercicio.

Manejo del estrés. Pruebe estas técnicas para mejorar la conexión entre el cuerpo y la mente:

- Meditación: técnica para calmar las tensiones mediante la concentración en la respiración o en una sola palabra.

- Visualización guiada: técnica que ayuda a crear imágenes de lugares o situaciones relajantes.

- Terapia de relajación: alivia la tensión y el estrés a través de la respiración controlada y otras técnicas de relajación.

No todos los casos de dolor crónico, especialmente el dolor de espalda y de cuello, son candidatos para estas terapias alternativas. Hable con su médico para averiguar la causa de su dolor y evitar seguir una terapia que le hará más daño que bien. Busque ayuda médica de inmediato si experimenta dolores de espalda súbitos y sin causa aparente, debilidad en las piernas, problemas repentinos con la vejiga o la actividad intestinal, o entumecimiento en la zona anal o genital.

Pequeños cambios contra el dolor de espalda y cuello

Estos pequeños cambios en su rutina diaria pueden ser grandes medidas de prevención contra el dolor de espalda y de cuello.

Aprenda a sentarse bien. Sentarse derecho no es lo mejor para la espalda. Tampoco lo es encorvarse sobre el escritorio. Un nuevo estudio realizado en Escocia sugiere que reclinarse en el asiento es más natural y pone menos presión sobre la columna lumbar. Procure sentarse en un sillón reclinable cómodo o incline el respaldar de su silla de oficina hacia atrás, a medio camino entre 90 y 180 grados. Cuando tenga que incorporarse para trabajar en el escritorio, levante el asiento de modo que los muslos estén un tanto en diagonal cuando la columna está recta.

Acabe con el dolor del bolso. Los bolsos de gran tamaño serán muy elegantes, pero pueden causar dolor de espalda, dolores de cabeza y rigidez en los hombros o en el cuello. Para aliviar la presión, aligere el peso de su bolso cada semana. Sólo deje los objetos esenciales y reorganícelos en los distintos compartimentos del bolso, para distribuir el peso de manera más uniforme. También aligere la billetera y lleve consigo sólo el dinero en efectivo y las tarjetas de crédito que necesita. Por último, no cargue el bolso siempre sobre el mismo hombro.

Use un auricular manos libres. No sostenga el teléfono o el celular entre la oreja y el hombro. Haga uso de los altavoces o auriculares manos libres si necesita hablar cuando está ocupado.

Apóyese en el asiento al conducir. Si el asiento de su auto no le proporciona suficiente apoyo para la espalda, enrolle una manta o algunas toallas como soporte para la parte baja de la espalda. Para mayor comodidad, utilice el piloto automático siempre que sea posible y cada cierto tiempo desplace el peso del cuerpo de un lado a otro.

Cuidado con la ciática de billetera. Una billetera demasiado abultada puede causar dolor en una nalga, la espalda, una pierna y la cadera, debido a la presión que ejerce sobre el nervio ciático. Sólo lleve lo esencial y cámbiese a una billetera ultradelgada. Es más, llévela en el bolsillo lateral o delantero del pantalón o en el maletín.

Use la computadora con comodidad. Las personas que usan computadoras portátiles suelen encorvarse porque el monitor está demasiado bajo, o mantienen una postura extraña de hombros y manos porque el teclado está demasiado alto. Esto puede causar dolores en el cuello, los hombros y la espalda. Para tener el monitor al nivel de los ojos y el teclado al nivel de los codos adopte una o más de las siguientes ideas: un soporte para computadoras portátiles, un teclado externo, una bandeja para el teclado o un "ratón" externo.

Rodéese de amigos para sentirse mejor

¿Sufre de dolor crónico? Salga adelante con un poco de ayuda de sus amigos. Un estudio español descubrió que una fuerte red de apoyo social puede ayudar a aliviar el dolor y la depresión que suelen acompañar el dolor crónico. Se cree que ese mismo apoyo anima a las personas a lidiar con el dolor de manera más activa, lo que a su vez proporciona un mayor alivio.

Ejercicios que se adaptan a cada tipo de dolor

Un análisis de 20 estudios concluyó que el ejercicio es efectivo para prevenir el dolor de espalda, mientras que otras tácticas —como el uso de plantillas para el calzado, el uso de soportes lumbares y levantar menos peso— no fueron efectivas. Los expertos creen que ciertas actividades físicas realizadas con regularidad, como caminar o andar en bicicleta, pueden ayudar a prevenir el dolor de espalda porque fortalecen la espalda y los músculos abdominales.

Si usted ya padece dolores de espalda o de cuello, levantar pesas podría ser incluso mejor. En Canadá, un estudio encontró que levantar pesas durante 16 semanas mejoró el dolor de espalda mucho más que 16 semanas de ejercicios aeróbicos. Los aeróbicos fortalecen únicamente la parte inferior del cuerpo. El levantamiento de pesas, en cambio, fortalece todo el cuerpo y puede reducir la fatiga causada por las actividades diarias. El *tai chi* y la meditación también pueden aliviar el dolor de espalda.

Un estudio entre trabajadores de oficina encontró que el dolor de cuello se puede aliviar ya sea mediante ejercicios para el cuello contra la gravedad o ejercicios de fortalecimiento muscular utilizando bandas de resistencia. Si su médico determina que su dolor de cuello se debe simplemente al exceso de trabajo de escritorio, pruebe esta rutina sencilla de estiramiento. Relaje los brazos a los lados. Levante los hombros hacia las orejas, llévelos hacia atrás mientras permanecen levantados, sostenga esa posición durante unos minutos y deje caer los hombros a la posición inicial. Haga 10 estiramientos dos veces al día.

Si su dolor crónico se debe a la fibromialgia, entonces procure hacer ejercicios aeróbicos. En Londres, un grupo de investigadores encontró que el ejercicio aeróbico ayuda a reducir el dolor de fibromialgia en sólo tres meses. Los expertos recomiendan el ejercicio progresivo, esto es, aumentar gradualmente el tiempo dedicado al ejercicio. Pruebe nadar, usar una caminadora o una bicicleta estacionaria, o simplemente caminar.

Cómo sentirse más joven que su edad real

A medida que se envejece se vuelve cada vez más difícil cargar las bolsas del mercado o incluso levantarse de la silla. Pero las personas que levantan pesas pueden revertir la pérdida de masa muscular que ocurre con la edad.

La sarcopenia es la pérdida gradual de la fuerza y la masa musculares a medida que se envejece. Esta enfermedad afecta a casi el 45 por ciento de los estadounidenses a partir de los 60 años. Las personas con casos graves de sarcopenia no pueden levantarse de una silla o de la cama sin ayuda. Algunas personas incluso pueden tener dificultad para caminar, subir escaleras o ir al baño, de modo que ya no pueden llevar una vida independiente.

Y como si esto fuera poco, la sarcopenia también contribuye a las caídas, la obesidad, la diabetes tipo 2 y, tal vez, la insuficiencia cardíaca y la enfermedad pulmonar obstructiva crónica. Por suerte, es posible retrasar el avance de la sarcopenia haciendo ejercicios sencillos de levantamiento de pesas.

Combata el envejecimiento corporal. Según los estudios, a partir de los 40 años hombres y mujeres pierden cada 10 años alrededor del 10 por ciento de su fuerza y masa muscular. Comience a levantar pesas desde ahora para recuperar fuerzas y prevenir la pérdida de músculo.

Según un estudio realizado por la Universidad de Alabama, las mujeres de entre 60 y 70 años que levantaron pesas durante cuatro meses mejoraron su resistencia hasta en un 50 por ciento. También aumentaron su velocidad al caminar y mejoraron su capacidad para llevar a cabo tareas cotidianas como cargar las compras del mercado. Los científicos creen que estos resultados se deben a los cambios que el levantamiento de pesas produce al interior de las células musculares.

Rejuvenezca los músculos. Las mitocondrias son los generadores de energía que se encuentran al interior de las células. Con el paso de los años, su funcionamiento empieza a decaer. Los científicos sospechan que esto puede afectar los músculos y contribuir al desarrollo de la sarcopenia. De hecho, cuando compararon la fortaleza de adultos mayores sanos con la de adultos más jóvenes, descubrieron que la fuerza muscular de los adultos mayores era 59 por ciento menor. Después de seis meses de seguir una rutina de levantamiento de pesas dos veces a la semana, la fuerza muscular de los adultos mayores se incrementó en un 50 por ciento, revirtiendo parcialmente años de pérdida progresiva de la fuerza muscular.

También se compararon muestras de fibra muscular tanto de los adultos jóvenes como de los mayores. Las muestras tomadas antes de una rutina de levantamiento de pesas sugerían que las mitocondrias de los adultos mayores contaban con menos genes en pleno funcionamiento que las mitocondrias de los adultos más jóvenes. Después de los ejercicios con pesas, muchos de los genes de los adultos mayores volvieron a funcionar, y sus mitocondrias y músculos empezaron a parecerse más a los de los adultos más jóvenes. Lo que sucedió fue como un rejuvenecimiento del tejido muscular de los adultos mayores. Si ése es el beneficio que se logra con tan sólo seis meses de levantar pesas, imagínese el beneficio que obtendrá si lo hace de por vida. Quién sabe, quizá usted podría llegar a tener la fuerza muscular de alguien con la mitad de su edad.

Aproveche todos los beneficios. Hable con su médico antes de empezar a levantar pesas. Los expertos recomiendan que los principiantes dediquen sólo una hora a la semana al levantamiento de pesas. Con el tiempo, pueden pasar a dos o tres horas semanales y así podrán no sólo recuperar la fuerza y la musculatura, sino también obtener los siguientes beneficios adicionales:

- Combata la diabetes. Un estudio australiano encontró que levantar pesas y perder peso a un ritmo moderado, contribuye a que personas mayores con diabetes tipo 2 mejoren sus niveles de azúcar en la sangre, incrementen su fuerza muscular y aumenten su masa corporal magra. La clave está en que el levantamiento de pesas debe ser de alta intensidad y progresivo. De "alta intensidad" porque el peso que usted levante debe ser el 70 por ciento del peso máximo que puede levantar. Y "progresivo" porque usted deberá aumentar el peso poco a poco y a medida que se haga más fuerte.

- Una revisión de estudios sugiere que levantar pesas durante cuatro semanas o más puede ayudar a bajar la presión arterial.

- Alivie el dolor de la artritis. Las investigaciones muestran que levantar pesas fortalece los músculos. Y los músculos ayudan a proteger las articulaciones contra mayores daños.

- Mejore la memoria. Las actividades físicas, como caminar y levantar pesas, ayudan a mejorar la memoria y las destrezas mentales en los adultos mayores con problemas de memoria.

- Detenga la osteoporosis. Levantar pesas pone tensión en los músculos y huesos, aumentando la densidad y la fuerza óseas.

- Mejore la postura. Los ejercicios de fortalecimiento muscular también mejoran la postura, la coordinación y el equilibrio.

Mejore su rendimiento físico con cafeína

Tome café antes de hacer ejercicio para cargarse de energía y rendir mejor. Disfrute de otra taza después del ejercicio para acumular una reserva de combustible para su próxima actividad física. Cualquiera sea el caso, la cafeína parece mejorar el rendimiento físico. La cafeína reduce el dolor que se siente al hacer ejercicio y por eso, cuando se consume antes, permite hacer rutinas más intensas y durante más tiempo.

La cafeína también ayuda a los músculos a recuperarse después de una sesión de ejercicios vigorosos. El glucógeno es un compuesto que los músculos usan como combustible durante las actividades físicas intensas. Un estudio realizado en Australia reveló que ciclistas de élite que consumieron carbohidratos y cafeína después de un entrenamiento agotador presentaban niveles 66 por ciento más altos de glucógeno cuatro horas después de hacer ejercicio.

Al parecer, la cafeína ayuda a transportar la glucosa de los alimentos hacia los músculos para reponer las reservas de glucógeno. Cuando los músculos agotan sus reservas de glucógeno, uno se siente cansado y adolorido.

Póngase en forma sin salir de casa

Usted puede quedarse en casa y utilizar objetos que tenga a mano para diseñar un programa de ejercicios que pueda incorporar en su rutina diaria.

■ Tonifique los músculos con la ayuda de botellas pequeñas, latas de refrescos o latas de sopas o verduras. Úselas como pesas de mano cuando haga los ejercicios de brazos. Cuando necesite aumentar el peso, coloque dos o más latas o botellas en un par de medias o calcetines y átelos en un extremo. Los libros y las herramientas también pueden ser buenas pesas.

- Fortalezca la mano y aumente su fuerza de agarre apretando una pelotita de tenis.

- Haga sus propias pesas para los tobillos. Llene dos medias o calcetines con arena o arroz seco. Amarre el lado abierto de cada media, pero deje suficiente espacio en las puntas para poder atar las "pesas" alrededor de sus tobillos.

- Llene dos cubetas medianas con agua o arena. Utilícelas para el *curl* o flexión de bíceps y para los ejercicios de hombros. Tenga cuidado de no derramar el agua o la arena.

- Las escaleras en su casa o edificio también pueden ser útiles. Puede hacer levantamientos de pantorrillas o simplemente subir y bajar las escaleras.

- Utilice las bolsas de azúcar o de papa de 5 o 10 libras para hacer los ejercicios de pecho, como el *press* o prensa de pecho.

- Para las elevaciones laterales utilice pequeñas botellas de agua o gaseosa en lugar de mancuernas.

- Para los ejercicios abdominales, apoye las pantorrillas sobre el sofá o una silla de cocina. Para las flexiones puede apoyar los brazos sobre el sofá, la barra de la cocina o incluso la mesita de la sala.

Ya sea que se quede en casa o se matricule en un gimnasio, tenga en cuenta los siguientes consejos a la hora de hacer ejercicio:

- Si hace aeróbicos, levantamiento de pesas y estiramientos en un mismo día, haga primero los aeróbicos, ya que levantar pesas puede cansar los músculos. Luego levante pesas. Y deje el estiramiento para el final cuando los músculos ya han sido calentados.

- Si usted tiene más de 60 años, levante pesas sólo dos veces a la semana, con al menos un día de descanso entre cada sesión. Sus músculos necesitan por lo menos un día para recuperarse.

- Haga ejercicios de estiramiento para cada grupo de músculos por lo menos dos o tres veces a la semana.

La verdad sobre las aguas mejoradas

Es importante mantenerse hidratado durante el ejercicio, pero no espere que una botella de agua mejorada le proporcione además un estímulo nutricional.

Estas aguas son caras porque han sido "mejoradas" con vitaminas, hierbas, antioxidantes y fibra. Sin embargo, al menos un experto dice que no contienen suficientes nutrientes para aportar algún beneficio adicional. Es más, estas aguas también pueden contener edulcorantes artificiales, cafeína oculta y grandes cantidades de azúcar, lo que aumenta considerablemente su contenido de calorías.

Algunas aguas mejoradas tienen hasta 130 calorías por botella, casi tanto como algunas sodas o refrescos. Al menos una de estas aguas vitaminadas contiene 8 cucharaditas de azúcar, tanto como algunas barras de chocolate. Así que evite las aguas enriquecidas. En su lugar, beba té verde o agua del grifo, y obtenga los nutrientes de los alimentos.

Nueve maneras de prevenir las caídas

El miedo a las caídas impide que muchas personas mayores se animen a participar en actividades fuera de la casa. Sin embargo, el peligro también acecha en sus propios hogares. Siga estos consejos para que su hogar sea más seguro.

- No se apoye en la puerta de la ducha o en la barra de la toalla al entrar o salir de la ducha o de la bañera, o al levantarse del inodoro. Estas puertas y barras no han sido diseñadas para soportar su peso. En su lugar, instale barras de apoyo fijas y resistentes.

- Otro peligro son los peldaños resbaladizos y las escaleras mal iluminadas. Coloque tiras antideslizantes en los peldaños y asegúrese de que la escalera esté bien iluminada.

- Pisar sobre una alfombra o un tapete suelto es casi como pisar sobre una cáscara de banana. Si tiene que utilizarlas, entonces elija alfombras antideslizantes. O asegúrelas en el piso con cinta adhesiva o tachuelas.

- Los pisos mojados o recién encerados son otro peligro. Coloque una alfombrilla de goma cerca del fregadero o use zapatos con suela de goma cuando esté en la cocina.

- Encienda la luz o utilice luces nocturnas para iluminar los lugares por donde camina si se levanta durante la noche.

Según los Centros para el Control y Prevención de Enfermedades (CDC, en inglés), las salas de emergencia de los hospitales atienden a más de 21 000 adultos mayores cada año por caídas relacionadas con sus mascotas, especialmente con sus perros. Estas caídas suelen ocurrir al perseguir o pasear a las mascotas, y al tropezarse con sus juguetes o su plato de comida. Eso no significa que los adultos mayores deban renunciar a sus mascotas, sino que deben tomar algunas precauciones como las que siguen:

- Lleve a su perro a un curso de adiestramiento en obediencia para que aprenda a autocontrolarse cuando salga a pasear con la correa puesta.

- Mantenga el piso despejado. Recoja regularmente los juguetes de su mascota y cualquier otro objeto que esté en el piso.

- Mantenga a su mascota fuera de la casa o en otra habitación mientras hace la limpieza o trae las compras del mercado.

- No permita que sus mascotas se acuesten o duerman cerca de las camas o de las sillas.

Dele un giro positivo a los mareos

Los mareos pueden ser signo de un problema de salud, pero también pueden ser causados por determinadas situaciones cotidianas. De cualquier manera, los siguientes pasos sencillos pueden prevenir que un mareo perturbe su equilibrio y pueda provocar una caída.

Duerma más horas. Un estudio encontró que en las mujeres mayores el riesgo de sufrir una caída aumenta cuando duermen cinco horas o menos. Procure tener al menos siete horas de sueño cada noche.

Controle la presión arterial baja. Las mismas condiciones que provocan una caída temporal en la presión arterial también pueden causar mareos o desmayos. Por ejemplo, cuando una persona con hipotensión postural (u ortostática) se pone de pie después de haber estado sentada o acostada, su presión arterial cae en picada, lo que puede provocar mareos, visión borrosa, aturdimiento y desmayos. Entre las causas de la hipotensión postural están la diabetes, el reposo en cama prolongado, la deshidratación o los problemas del corazón. También se puede experimentar una baja de la presión arterial cuando el cuerpo se calienta demasiado, ya sea por trabajar al aire libre en el verano o por tomar un baño caliente sin suficiente ventilación.

Si usted padece hipotensión postural beba líquidos con regularidad para mantenerse hidratado y evite el calor. Si la presión arterial baja se debe a un problema de salud, hable con su médico.

Tenga cuidado con la sobredosis de zinc. Un informe reciente reveló que varias personas que utilizaron cada semana dos o más tubos de crema para dentaduras postizas desarrollaron problemas cerebrales y nerviosos debido a una sobredosis de zinc a través de la crema. Los síntomas incluían problemas de equilibrio y debilidad en los brazos y piernas. Estos síntomas pueden aumentar el riesgo de sufrir caídas. Si utiliza más de un tubo de crema para dentaduras postizas cada tres semanas, usted puede llegar a experimentar los mismos problemas que tuvieron las personas mencionadas en el informe. En ese caso, hable inmediatamente con su médico y su dentista.

Otros problemas médicos también pueden causar mareos. El vértigo postural paroxístico benigno (VPPB), por ejemplo, es un problema del oído interno y la forma más común de vértigo. El vértigo es el tipo de mareo en el que se tiene la sensación de que uno está girando o que todo alrededor suyo da vueltas. El VPPB es causado por el desprendimiento en el oído interno de unos pequeños cristales de carbonato de calcio.

Un médico puede tratar el VPPB con un procedimiento rápido y sin dolor llamado maniobra de Epley, que reposiciona los cristales desprendidos. Si usted necesita tratamientos frecuentes, pregunte a su médico acerca de *DizzyFIX*. Se trata de un producto de venta con receta médica recientemente aprobado por la FDA para guiar a los pacientes que desean realizar la maniobra de Epley en casa.

Los mareos también pueden ser un signo de un problema más grave. Si duran minutos u horas, vienen acompañados de latidos fuertes o acelerados y tiene dificultad para respirar, pueden ser síntoma de arritmia (o ritmo cardíaco irregular). Busque atención médica de inmediato.

Los problemas de la visión como las cataratas, la cera en el oído, los problemas de audición, los trastornos del oído interno como el síndrome de Ménière, los accidentes cerebrovasculares y los efectos secundarios de ciertos fármacos también pueden provocar mareos. Hable con su médico para averiguar cuál es la causa de sus mareos y cómo solucionarlos. Entretanto, tome precauciones adicionales para evitar las caídas.

■ Siéntese en el borde de la cama unos minutos antes de levantarse por las mañanas.

■ Guarde los objetos de uso frecuente en lugares de fácil acceso y al nivel de la cintura o los ojos. Utilice un dispositivo para recoger objetos del piso y evitar inclinarse hacia adelante.

■ Pruebe usar medias de compresión hasta la cintura si los mareos ocurren cuando se levanta demasiado rápido.

Una forma sencilla de mejorar el equilibrio

La mitad de los adultos mayores creen que las probabilidades de sufrir una caída serán menores si realizan menos actividades físicas. Pero los expertos recomiendan precisamente lo contrario. Muchos ejercicios físicos ayudan a mejorar la estabilidad y el equilibrio a medida que envejecemos.

Tai chi. Cualquiera, sin importar la edad, puede beneficiarse de este ejercicio que consiste en una serie de movimientos fluidos a través de distintas poses y posturas. Los movimientos son relajados y elegantes, y para realizarlos no se necesita tener músculos fuertes ni gran flexibilidad. Pero eso no significa que no sean efectivos.

Se ha demostrado que el *tai chi* mejora el equilibrio, previene las caídas y aumenta el rendimiento físico. En Australia, un estudio encontró que para los adultos mayores, obesos y con diabetes tipo 2, el *tai chi* era igual de efectivo en mejorar el equilibrio y la movilidad que las rutinas de estiramientos suaves y los ejercicios de calistenia.

De acuerdo con una investigación realizada en Harvard con mujeres mayores, para mejorar el equilibrio, la flexibilidad y la fuerza de las rodillas, hacer una hora de *tai chi* tres veces a la semana es tan efectivo como caminar a paso ligero. El *tai chi* también ayudó a las mujeres a mejorar en dos medidas su capacidad aeróbica y su salud cardíaca. Es por esa razón que el *tai chi* también puede que sea un ejercicio tan beneficioso para el corazón como caminar a paso ligero.

Yoga. Al igual que el *tai chi*, el yoga es un ejercicio de bajo impacto que mejora el equilibrio y la fortaleza física. Es por esa razón que los estudios sugieren que tanto el *tai chi* como el yoga pueden reducir en casi un 50 por ciento el riesgo de sufrir una caída.

El Yoga Iyengar es un tipo de yoga que permite el uso de soportes para realizar las posturas. Un estudio preliminar realizado por la Universidad de Temple con mujeres de más de 65 años indica que el Yoga Iyengar puede mejorar la estabilidad y el equilibrio. Después de tan sólo nueve semanas de clases de yoga, las participantes del estudio empezaron a caminar con mayor rapidez y longitud de paso, y tenían mayor flexibilidad en las piernas y más equilibrio y seguridad al caminar. Los investigadores dicen que mejorar el equilibrio y la estabilidad puede ayudar a reducir el peligro de sufrir una caída.

Estiramientos. Pero si siente que las clases de yoga o de *tai chi* no son para usted, también puede trabajar en el jardín, tomar un curso de baile sincronizado en línea o simplemente hacer estiramientos en casa. Si decide quedarse en casa, puede comenzar con estos ejercicios:

- Estiramientos para la flexión plantar. Apóyese en una silla o en una mesa para mantener el equilibrio. Lentamente párese de puntillas, cuente hasta dos y baje los talones. Repita 15 veces, descanse un minuto y luego repita entre 8 y 15 veces más.

- Estiramientos para la flexión de la rodilla. Apóyese en una silla o en una mesa para mantener el equilibrio. Flexione una rodilla y lentamente levante el pie hacia atrás, cuente hasta dos y lentamente baje el pie. Descanse durante unos segundos y repita con la otra pierna. Repita el ejercicio alternando las piernas, hasta hacer 15 repeticiones con cada una.

- Estiramientos para la flexión de la cadera. Mientras se apoya en una silla o en una mesa para mantener el equilibrio, lentamente levante una rodilla hasta la altura de la cadera. Cuente hasta dos y lentamente baje el pie al piso. Repita con la otra pierna y continúe alternando las piernas hasta hacer 15 repeticiones con cada una.

Estrategias inteligentes para dormir bien

El insomnio afecta a unos 60 millones de estadounidenses cada año. Asegúrese todas las horas de sueño que necesita con sólo hacer algunos cambios sencillos en su estilo de vida.

A veces el peor enemigo del sueño es una mente ocupada. Afortunadamente, la terapia cognitivo conductual (TCC) puede ayudar a aplacar las preocupaciones que lo mantienen despierto en la noche. En una TCC formal, un profesional trabaja con usted para modificar las conductas que impiden que duerma, empezando por cambiar las creencias y conceptos erróneos y poco saludables que usted tiene acerca del sueño. Un estudio realizado en Canadá constató que las personas que recibieron la TCC o una combinación de TCC con el somnífero zolpidem, necesitaron menos tiempo para conciliar el sueño y, por lo general, durmieron mejor. Entre los participantes del estudio que tomaron zolpidem y siguieron la TCC, los que dejaron de tomar el somnífero después de seis semanas vieron mejores resultados que los que continuaron tomándolo.

Si su aseguradora no cubre estas sesiones de terapia cognitivo conductual, usted podría llegar a pagar hasta $150 por cada una de las cinco sesiones necesarias para aliviar el insomnio. Para encontrar un terapeuta cognitivo conductual obtenga una recomendación de un especialista en medicina del sueño o vaya a la página de la Academia de Terapia Cognitiva en *www.academyofct.org* (en inglés).

Sin embargo, puede que usted no necesite ayuda profesional si analiza su dormitorio y sus hábitos de sueño, e identifica y mejora los factores que le impiden dormir bien.

- **El reloj.** ¿Le ayuda a mantener un horario regular de sueño o se angustia mirando las horas pasar? Coloque el reloj en un lugar que sea difícil de ver desde la cama. Preocuparse por la hora lo mantendrá despierto más tiempo.

- **El televisor.** ¿Justo antes de acostarse ve programas que le provocan tensión y emociones fuertes? Grabe sus programas favoritos y disfrútelos temprano en la tarde.

- **La lámpara.** ¿Es la luz en su dormitorio tenue y relajante o intensa y brillante? La luz brillante en la noche es como una señal que le dice al cuerpo que debe permanecer despierto. Utilice luces nocturnas en los pasillos y cuartos de baño, y una lámpara de baja intensidad en su dormitorio.

- **La computadora.** ¿La utiliza para escuchar música reconfortante o para actividades que le provocan tensión, como sus finanzas personales o los juegos de video? Un estudio indica que utilizar la computadora antes de acostarse puede hacerle sentir menos descansado al día siguiente, aun si durmió lo suficiente. Las investigaciones muestran que escuchar música suave y relajante antes de acostarse ayuda a conciliar el sueño.

- **La cama.** ¿Es un lugar cómodo y acogedor para dormir o es el lugar donde hace siestas al final del día, ve televisión y donde realiza otras actividades que podrían sabotear su sueño? Utilice la cama sólo para dormir y para el sexo. Las siestas deben ser cortas y nunca después de las 3 de la tarde.

- El cuarto de baño. ¿Es éste el lugar donde toma un baño caliente antes de acostarse o donde va varias veces durante la noche? Tomar un baño justo antes de acostarse puede ponerlo en estado de alerta. Es mejor tomar ese baño caliente una hora y media o dos horas antes de irse a la cama. Esto hará que sea más fácil conciliar el sueño y dormir plácidamente la noche entera. También, evite tomar líquidos antes de acostarse para no tener que ir varias veces al baño durante la noche.

- El termostato y el ventilador. ¿Necesita ajustar los controles para mantener una temperatura agradable en el dormitorio durante la noche? Usted podrá dormir mejor si mantiene la habitación fresca, y evita que esté demasiado caliente y mal ventilada.

- Las pesas y el equipo para ejercicios. ¿Los utiliza para hacer ejercicio durante el día o recién cuando se acerca la hora de acostarse? Hacer ejercicio físico justo antes de irse a la cama puede llenarlo de energía, así que sería mejor si programa estos ejercicios para justo antes de la cena.

Ahora que ya ha identificado a los saboteadores del sueño y sabe cómo detenerlos, tenga en cuenta los siguientes consejos para que le sea aun más fácil quedarse dormido y pasar una buena noche de sueño:

- Acuéstese y levántese a la misma hora todos los días.

- Únicamente haga actividades relajantes durante la media hora antes de dormirse.

- Opte por una cena ligera cuatro a cinco horas antes de irse a la cama. Una cena abundante puede interferir con el sueño.

- Pase media hora al sol en las horas tempranas del día.

- Relájese con sonidos tranquilizantes para poder dormir profundamente. Un estudio sugiere que el "ruido blanco", como el sonido de un ventilador o de un humidificador, puede ayudar a dormir mejor.

Secreto para llegar a la tierra de los sueños

Vea la luz y ponga fin a su dependencia de las pastillas para dormir. El "NightWave Sleep Assistant" es un auxiliar para el sueño, seguro y natural, que puede acabar con los problemas para dormir.

El dispositivo NightWave proyecta una luz tenue y azul cuya intensidad aumenta y disminuye en forma alterna. Uno debe inhalar cuando la luz se hace más brillante y exhalar cuando se oscurece. Este ejercicio guiado de respiraciones profundas ayuda gradualmente a relajar el cuerpo y la mente, y a conciliar el sueño. Se pueden ajustar los controles del NightWave para que se apague automáticamente después de 7 o 25 minutos.

El equipo estándar de NightWave cuesta alrededor de $60 y la versión para viajes $70. Para obtener más información, visite *www.nightwave.com* (en inglés) o llame al número gratuito 866-260-7021.

Aléjese corriendo de las piernas inquietas

Las distracciones o los malos hábitos de sueño no son los únicos factores que le mantienen despierto en la noche. El síndrome de las piernas inquietas (SPI), que afecta hasta un 15 por ciento de los adultos en Estados Unidos, también puede interferir con el sueño. Las personas con SPI tienen una sensación de hormigueo en las piernas y la necesidad irresistible de moverlas. Irónicamente, la solución puede ser mover las piernas aun más durante el día. El ejercicio puede ayudar a tratar —e incluso prevenir— el SPI.

Muchas personas que tienen SPI también sufren del trastorno de movimiento periódico de las extremidades (TMPE), que hace que las piernas se sacudan involuntariamente mientras se duerme. El TMPE puede ser un factor determinante del sueño de mala calidad, la somnolencia diurna y el deterioro del estado de alerta. Un estudio realizado en Brasil reveló que el ejercicio puede ayudar a disminuir estos movimientos involuntarios de las piernas durante la noche. El estudio comparó dos grupos de adultos sedentarios con TMPE. Los adultos del primer grupo realizaron una sola sesión de ejercicios intensos (el grupo agudo), mientras que los adultos del segundo grupo tuvieron que hacer 72 sesiones de ejercicios (grupo crónico).

Los participantes de los dos grupos experimentaron un número menor de movimientos involuntarios de las piernas durante la noche. Sin embargo, los adultos del grupo agudo también mostraron ser menos propensos a despertarse durante la noche, pasaron más horas de la noche durmiendo y prolongaron su fase de movimiento ocular rápido (MOR), también conocida como fase de sueño REM por sus siglas en inglés, que es clave en los procesos de aprendizaje. Por otro lado, los adultos del grupo crónico se quedaron dormidos más rápido y pasaron más horas de la noche durmiendo de lo que habían dormido antes de empezar a hacer ejercicio.

Incluso para las personas que no tienen TMPE o SPI, el ejercicio ayuda a bajar de peso y a reducir la cintura, lo que a su vez ayuda a prevenir el SPI. Un nuevo estudio encontró que las personas con un índice de masa corporal (IMC) de más de 30 eran casi 1.5 veces más propensas a padecer SPI que las que tenían un IMC inferior a 23. Es más, las personas con las medidas de cintura más grandes eran 1.5 veces más propensas a desarrollar SPI que las personas que tenían las cinturas más pequeñas. Son necesarios más estudios para confirmar si mantener un índice de masa corporal bajo y una cintura pequeña podría ayudar a prevenir el SPI.

Tres pasos para una mejor respiración

Cerca de 12 millones de estadounidenses han sido diagnosticados con enfermedad pulmonar obstructiva crónica (EPOC), que incluye enfisema y bronquitis crónica. Si usted es uno de ellos, puede controlar sus síntomas y vivir más cómodamente con estos consejos.

Aprenda a tocar la armónica. Podría ser la forma más divertida de mejorar su respiración. Para tocar la armónica, hay que fruncir los labios para no tocar demasiadas notas a la vez, es decir, para no dejar que el aire pase por demasiados agujeros a la vez. Esta respiración con los labios fruncidos ejercita los músculos en el diafragma, lo que mejora la respiración. Los expertos dicen que tocar la armónica puede ayudar a las personas con enfisema, bronquitis crónica y asma. Si desea aprender a mejorar su respiración tocando la armónica, busque un curso a través de los grupos de apoyo a pacientes o en un hospital cercano. O vaya a *www.harmonicamasterclass.com* y solicite el libro y el programa en CD *"Harmonica for Fun & Health"* (en inglés).

Si tocar la armónica no es lo suyo, pruebe hacer por su cuenta estos ejercicios de respiración con los labios fruncidos. Cuando tenga dificultades para respirar, siéntese e inhale por la nariz. Luego exhale por la boca. En cuanto pueda hacerlo, trate de exhalar durante más tiempo del que inhala. Es mejor si frunce los labios cada vez que exhala, a la vez que contrae los músculos abdominales para dejar escapar todo el aire más lentamente. A medida que se sienta mejor, empiece a respirar por la nariz y trate de hacerlo lentamente desde el diafragma, un músculo ubicado entre la cavidad torácica y la abdominal. Al inhalar el diafragma se contrae y se mueve hacia abajo para permitir que los pulmones se expandan, y al exhalar se relaja.

Observe su cintura. Un vientre voluminoso puede ejercer demasiada presión contra el diafragma, el principal músculo de la respiración. Estudios realizados en Escocia, Canadá y Francia han revelado que cuanto más grande es la cintura peor es la función pulmonar. El estudio francés incluso sugiere que una circunferencia de cintura de 35 pulgadas en las mujeres y de 40 pulgadas en los hombres sería suficiente para afectar la respiración. Si usted ha ido aumentando de peso con la edad, adelgazar sería una medida para respirar mejor.

Vacúnese. La capacidad pulmonar reducida no sólo aumenta el riesgo de desarrollar neumonía, sino también el riesgo de sufrir complicaciones derivadas de la gripe y la neumonía. Hable con su médico para recibir una vacuna contra la gripe y pregunte si también debe vacunarse contra la neumonía.

Alternativas médicas

Encuentre alivio y disminuya los inconvenientes

La realidad pura y dura es que le duele. Usted lo ha probado todo: ejercicios, estiramientos, descanso, masajes, compresas de calor, visualizaciones guiadas. Y llegó a sentirse algo mejor. Pero ahora le duele y no le queda más opción que tomar un medicamento para aliviar ese dolor. No hay nada malo en ello, siempre que se informe antes acerca de los efectos que podría provocarle ese medicamento.

Entienda los conceptos básicos del cuerpo humano. A medida que se envejece, el cuerpo cambia y también cambia su capacidad para absorber, distribuir, descomponer y eliminar los medicamentos. Los cambios que ocurren en el peso corporal, el aparato digestivo, el sistema circulatorio, el hígado y los riñones influyen en la acción de los medicamentos y en la dosis necesaria para lograr el efecto deseado. Por ejemplo, el funcionamiento del hígado y los riñones se hace más lento con el paso de los años, de modo que los medicamentos permanecen en el organismo durante más tiempo. En ese caso, la dosis tendría que ser menor para lograr el mismo efecto. Si por otro lado, el problema es la dificultad para absorber un medicamento, entonces, la dosis tendría que ser mayor.

Estos cambios corporales aumentan el riesgo de interacciones medicamentosas peligrosas. Un medicamento puede influir en la acción de otro medicamento y hacerlo menos efectivo o más fuerte de lo que debería ser. Para ir a lo seguro, pida a su médico empezar con la dosis más baja y vaya aumentándola según sea necesario.

Describa el dolor. Cuanto mejor pueda usted describir su dolor, más fácil será para su médico tomar una decisión acertada. Mantenga un diario del dolor, anotando cuándo siente el dolor y cómo lo siente. ¿Le arde? ¿El dolor es punzante, agudo o sordo? Sea específico. Utilice una escala de valoración del dolor del 1 al 10. ¿Cuándo se siente peor? ¿Cuándo siente alivio? ¿Cómo afecta el dolor el estado de ánimo, el sueño y otras actividades?

Conozca sus opciones. Para los dolores osteomusculares leves a moderados su mejor opción es el acetaminofeno. Lo dice la Sociedad Estadounidense de Geriatría. Sin embargo, su efecto analgésico es bastante débil. Aunque es seguro y efectivo para la mayoría de las personas, el exceso de acetaminofeno puede causar daños en el hígado y la muerte. Tenga cuidado de no combinar medicamentos que contengan acetaminofeno, como los analgésicos y los remedios para el resfriado y la tos. No tome acetaminofeno si bebe en exceso o padece un trastorno hepático.

Los medicamentos antiinflamatorios no esteroideos (AINE), incluida la aspirina, el naproxeno y el ibuprofeno, si bien alivian el dolor y combaten la inflamación, no están exentos de riesgos para las personas mayores con dolor crónico. Los AINE pueden causar úlceras y sangrado estomacal que ponen la vida en peligro, también pueden aumentar el riesgo de sufrir un ataque al corazón o un accidente cerebrovascular, empeorar la presión arterial alta, dañar los riñones e interactuar con otros medicamentos. Tómelos sólo por un corto período de tiempo y bajo la supervisión de un médico.

Sopese las ventajas y las desventajas. Los opioides, incluida la morfina, la oxicodona, la codeína y la hidrocodona, son fármacos muy potentes derivados del opio que cambian la manera en que se percibe el dolor. Los opioides pueden provocar somnolencia y estreñimiento, y no deben ser mezclados con alcohol, antihistamínicos, barbitúricos o benzodiacepinas. También pueden ser adictivos. Sin embargo, para las personas mayores puede que sean más seguros que los AINE.

Algunos medicamentos combinan un opioide con el acetaminofeno, la aspirina o el ibuprofeno. Estos dos compuestos alivian el dolor de manera distinta y al utilizarse dosis más pequeñas de cada uno se reduce el riesgo de efectos secundarios. Los antidepresivos se recetan frecuentemente para el dolor de la parte baja de la espalda, pero pruebas recientes sugieren que tal vez no sean efectivos. Estos son otros puntos a tener en cuenta:

- Nunca varíe la dosis de un medicamento para el dolor sin consultar con su médico.

- No comparta sus pastillas para el dolor con nadie.

- Evite tomar múltiples medicamentos con el mismo ingrediente al mismo tiempo.

- Informe a su médico sobre los medicamentos que toma y sobre su consumo de alcohol.

- Guarde sus medicamentos en un lugar seguro para evitar que se los roben.

Un poco de quietud para las piernas inquietas

Le convendría evitar aquellos medicamentos contra las alergias que inducen el sueño si padece del síndrome de las piernas inquietas (SPI). Estos medicamentos podrían empeorar sus síntomas entre tres y cuatro veces. Investigadores de Johns Hopkins identificaron el problema: la difenhidramina, el ingrediente activo en muchos medicamentos contra las alergias que no sólo calma la histamina —que es la sustancia que provoca los estornudos y la comezón— sino que también produce somnolencia.

Resulta que las personas con SPI tienen un mayor número de receptores de histamina en el zona del cerebro relacionada con dicha enfermedad. Al activarse, estos receptores aumentan el estado de alerta o vigilia. Este prometedor descubrimiento podría conducir a nuevos tratamientos para el SPI.

Venza el dolor con la proloterapia

La inyección de una solución irritante (como la dextrosa, un tipo de azúcar) puede ayudar a aliviar el dolor crónico. Ésa es la idea detrás de la proloterapia.

La causa del dolor crónico puede ser el debilitamiento de los ligamentos y los tendones. Los ligamentos conectan los huesos entre sí, mientras que los tendones conectan los músculos a los huesos. Los ligamentos y los tendones "sueltos" obligan a los músculos a trabajar mucho más para estabilizar las articulaciones, lo que causa dolor y espasmos musculares. Las inestabilidad de las articulaciones puede afectar el movimiento y provocar dolor.

La proloterapia, o terapia de proliferación, consiste en aplicar inyecciones cerca de las zonas de dolor para fortalecer el tejido que mantiene a los huesos y músculos en su lugar. Funciona de manera contraria a los medicamentos antiinflamatorios. Si bien estos medicamentos mitigan el dolor, también hacen más lento el proceso de sanación. La proloterapia, en cambio, estimula la respuesta inflamatoria natural del organismo, promoviendo el crecimiento y engrosamiento de los ligamentos y tendones.

Inventada por el Dr. George Hackett en 1939, la proloterapia ha sido utilizada para tratar diversas afecciones, tales como el dolor de espalda, la osteoartritis, la fibromialgia, la fascitis plantar, la ciática, el trastorno de la articulación temporomandibular, el síndrome del túnel carpiano, las lesiones deportivas, la tendinitis y las cefaleas tensionales.

Las inyecciones pueden ser una solución simple de glucosa (dextrosa) o de alguna otra solución química irritante. Para un mejor resultado se requiere una serie de inyecciones cada pocas semanas. La proloterapia es administrada generalmente por médicos especializados en ortopedia o en medicina física y rehabilitación, quiroprácticos y médicos osteópatas. El costo varía dependiendo del diagnóstico y el tratamiento podría no estar cubierto por el seguro. No se han observado efectos secundarios de gravedad con la proloterapia, pero después del tratamiento se puede experimentar cierta sensibilidad o rigidez cerca del sitio donde fue colocada la inyección.

Hasta la fecha, los estudios clínicos sobre la proloterapia han tenido resultados mixtos. Un estudio realizado en Canadá utilizó una versión modificada de la proloterapia que mostró ser efectiva en 32 de las 36 personas con tendinitis aquílea, una lesión por uso excesivo.

Otros estudios indican que la proloterapia podría funcionar mejor para tratar la osteoartritis. Una revisión de estudios determinó que la proloterapia por sí misma no era efectiva para tratar el dolor lumbar crónico, pero que si se combinaba con una terapia de manipulación de la columna, ejercicios y otros tratamientos podía reducir el dolor y la discapacidad.

Con todo, la proloterapia sí cuenta con varios casos de éxito. Por ejemplo, un ciclista se recuperó de una dolorosa lesión en la rodilla después de tres inyecciones en el curso de dos meses. Algunas artistas de cine y jugadores profesionales de fútbol también se han beneficiado de esta terapia. A pesar de que los resultados de los estudios no son concluyentes, bien podría valer la pena probarla. La proloterapia podría aliviar su dolor y de ese modo le ayudaría a evitar los fármacos y la cirugía.

Ataque el dolor crónico con electricidad

La electricidad también puede ayudar a aliviar el dolor crónico.

TENS. La neuroestimulación eléctrica transcutánea (TENS, en inglés) es un tratamiento que envía impulsos eléctricos de bajo voltaje a electrodos colocados en la piel del paciente. La estimulación eléctrica bloquea la transmisión de las señales de dolor hacia el cerebro y puede aumentar el nivel de las endorfinas, que son las hormonas que hacen que se sienta bien.

La TENS puede ser una buena solución a corto plazo para el dolor de espalda. También puede aliviar el dolor de artritis, el dolor de las articulaciones y la fibromialgia. Lo único que tiene que hacer es llevar este dispositivo de tamaño bolsillo colgado en el cinturón o sujetado en la ropa, y colocar los electrodos en la espalda. Tendrá que aprender a colocar los electrodos, a ajustar la frecuencia y la tensión, y a determinar la duración y la intensidad de la estimulación.

Por lo general este estimulador sólo se consigue con receta médica, pero la FDA ha aprobado la venta libre de algunas marcas, como *Medisana*, *BlueWave* y *Well Life*, que son muy fáciles de usar. Su costo, que oscila entre $100 y $750, está cubierto por muchos planes de seguro. También se puede alquilar y eso tal vez sea aconsejable, ya que el tratamiento no funciona para todos.

La TENS puede volverse menos efectiva cuando el cuerpo se acostumbra a recibir estos impulsos eléctricos. Evite su uso si tiene un marcapasos o un desfibrilador cardíaco implantado.

Estimulación de la médula espinal. Este tratamiento para el dolor crónico consiste en implantar quirúrgicamente un pequeño dispositivo que de manera continua suministra corriente eléctrica de bajo voltaje a la médula espinal. Estos impulsos eléctricos desbaratan o bloquean las señales de dolor antes de que lleguen al cerebro.

En Polonia, una revisión de estudios encontró que la estimulación de la médula espinal redujo el dolor en las personas afectadas por el "síndrome de cirugía de espalda fallida". También mejoró su calidad de vida. Otro estudio reveló que en una encuesta realizada uno o dos años después de haberse sometido a este procedimiento, cerca del 60 por ciento de los encuestados dijeron haber experimentado una reducción o alivio del dolor.

Comparada con los tratamientos habituales, la estimulación de la médula espinal es más efectiva y menos costosa en el largo plazo. Pero su costo inicial es alto: los implantes cuestan alrededor de $20 000 y los costos de hospitalización y seguimiento podrían duplicar ese monto. Es más, este procedimiento no funciona para todo el mundo, rara vez brinda un alivio total y está asociado a una serie de riesgos, entre ellos, reacciones alérgicas, sangrado, infecciones, parálisis o debilidad, filtración del líquido cefalorraquídeo y aumento del dolor, así como complicaciones técnicas con el dispositivo.

Antes de proceder a implantarse el estimulador de la médula espinal, es posible solicitar un procedimiento de prueba para comprobar si esta técnica funciona en su caso. Al elegir un estimulador, opte por un sistema recargable, que dura más que los sistemas convencionales y requiere menos cirugías para sustituir la batería.

Electroacupuntura. Ésta sería la versión de alta tecnología de la acupuntura tradicional. A través de unos cables conectados a las agujas se suministra corriente eléctrica de bajo voltaje para estimular la circulación y la producción de endorfinas, serotonina, acetilcolina y otros compuestos químicos que "adormecen el dolor".

Esta técnica podría ser un componente de un plan integral para tratar el dolor de la parte baja de la espalda, la fibromialgia y varias otras dolencias, incluidas aquéllas que afectan la cabeza y el cuello, los hombros, los codos, el torso, las caderas y los muslos. Las sesiones suelen durar entre 15 y 30 minutos. En la mayoría de los casos, es necesario programar una serie de tratamientos. El número de tratamientos depende del tipo y la gravedad de la lesión. Evite la electroacupuntura si usted tiene arritmia, presión arterial alta o lleva un marcapasos.

El riesgo de los inhaladores

El uso de un inhalador para tratar una afección respiratoria crónica podría ponerlo en riesgo de tener neumonía, un ataque al corazón o un accidente cerebrovascular (ACV).

Para las personas con enfermedad pulmonar obstructiva crónica (EPOC), los corticosteroides inhalados, que sirven para aliviar síntomas como la dificultad para respirar y las sibilancias, aumentan en un tercio el riesgo de desarrollar neumonía. Este peligro se da mayormente entre las personas que toman dosis altas, las que tienen una baja función pulmonar y las que además utilizan un broncodilatador para abrir las vías respiratorias. Eso no es todo. Las personas con EPOC que inhalaron anticolinérgicos durante más de un mes aumentaron en 58 por ciento su riesgo de sufrir un ataque al corazón o un ACV, o de morir por enfermedad cardíaca.

¿Qué puede hacer usted? Según los expertos usted debería utilizar la dosis de esteroides más baja posible y ponerse una vacuna contra la neumonía cada cinco años. Y asegúrese de hablar con su médico acerca de los beneficios y riesgos de estos medicamentos inhalados.

Tres maneras de mejorar la calidad de su sueño

El insomnio afecta a más de la mitad de todos los adultos mayores. Antes de recurrir a tratamientos que pueden ser costosos —y potencialmente riesgosos—, tenga en cuenta los siguientes consejos:

Protéjase de los peligros de las pastillas. Las pastillas para dormir puede que ayuden a pasar una noche de sueño no interrumpido, pero podrían tener graves consecuencias al día siguiente.

Investigadores de la Universidad de Toronto concluyeron que las personas mayores de 60 años son cinco veces más propensas a presentar problemas de memoria y tener dificultades para pensar después de tomar pastillas para dormir. También tienen una probabilidad tres veces mayor de sufrir una caída y cuatro veces mayor de sentir cansancio durante el día.

A medida que se envejece, el metabolismo se hace más lento y el organismo procesa los fármacos con mayor lentitud. Una pastilla para dormir que sólo debería durar el curso de una noche, acaba permaneciendo mucho más tiempo en el organismo. La somnolencia y el aturdimiento que eso provoca al día siguiente puede causar una caída, lo que a su vez puede resultar en una fractura de hueso.

Mientras que los somníferos tradicionales pueden producir dependencia y síntomas de abstinencia, los fármacos más nuevos llamados "no benzodiacepinas" —como el zolpidem (*Ambien*) y la eszopiclona (*Lunesta*)— pueden provocar extraños efectos secundarios, como conducir, cocinar o comer dormido.

Eso no es todo. Asegúrese de que los fármacos que está tomando para tratar otras afecciones no sean la causa de su insomnio. Su falta de sueño puede estar provocada por los estimulantes, los diuréticos, los corticosteroides, los anticonvulsivos y algunos fármacos para bajar la presión arterial. Si usted tiene que tomar estos medicamentos, hágalo por las mañanas.

Los antihistamínicos de venta libre, entre ellos la difenhidramina y la doxilamina, pueden ayudar a conciliar el sueño, pero su uso no es aconsejable para las personas mayores debido a su prolongado efecto sedante. Lea las etiquetas cuidadosamente. Podría estar tomando un antihistamínico sin saberlo. Productos como *Tylenol PM* y *Simply Sleep* contienen 25 miligramos de difenhidramina en cada tableta.

Si usted decide tomar pastillas para dormir, extreme las precauciones. Acuéstese de inmediato, ya que las pastillas pueden empezar a tener efecto 15 minutos después. No exceda la dosis máxima recomendada, no mezcle las pastillas para dormir con alcohol y no conduzca mientras esté tomando pastillas para dormir.

Cambie sus hábitos de sueño. Eluda los peligros de las pastillas para dormir modificando sus hábitos de sueño. Si pasa demasiado tiempo en la cama esperando quedarse dormido, acostarse un poco más tarde puede ayudar. Si se despierta durante la noche, levántese y lea o vea televisión en otra habitación hasta que vuelva a tener sueño. Recuerde, las pastillas para dormir deberían ser el último recurso. Practicar buenos hábitos de sueño puede resolver sus problemas para dormir sin necesidad de una receta médica.

Haga su propio estudio del sueño. Pasar mucho tiempo en la cama no es garantía de una buena calidad de sueño. El cuerpo necesita tanto de la fase de sueño de movimientos oculares rápidos (MOR), como de la fase de sueño profundo. La fase de sueño MOR (también conocida como fase de sueño REM, por sus siglas en inglés), ayuda a consolidar los recuerdos y es clave para el aprendizaje, la creatividad y la resolución de problemas. La fase de sueño profundo ayuda a reparar el cuerpo. Estas dos fases de sueño pueden ser interrumpidas durante la noche, lo que resulta en dificultad para despertarse por la mañana y somnolencia diurna.

El problema está en que es difícil saber lo que realmente sucede mientras se duerme. Una opción es pasar la noche conectado a una serie de cables y monitores en un laboratorio profesional del sueño. Pero un estudio profesional de este tipo puede costar $1800 sin seguro.

Un nuevo monitor del sueño de uso casero llamado Zeo Personal Sleep Coach puede ser una opción más barata. Este producto, que cuesta entre $250 y $350, le permite hacer un seguimiento de sus patrones de sueño en su propio dormitorio. El usuario debe llevar puesta una especie de cinta para el pelo, hecha de un material suave y ligero, que tiene sensores que monitorean sus ondas cerebrales y envían las señales de manera inalámbrica a una pantalla al lado de su cama. Este dispositivo, que se parece a una radio con reloj despertador, registra durante toda la noche si la persona está despierta o si su sueño es ligero, profundo o MOR. La información es almacenada en una tarjeta de memoria para que usted pueda estudiar sus patrones de sueño.

Causa sorprendente de las caídas peligrosas

La depresión puede derribar a una persona, literalmente. Un amplio estudio llevado a cabo en Australia descubrió que las personas mayores con depresión y las personas que toman antidepresivos son más propensas a caer que otras personas mayores.

Tenga cuidado con los antidepresivos comunes. El estudio se hizo con más de 20 000 personas de 60 años o más. En él se compararon a las personas que habían tenido una caída con las que no se habían caído.

El estudio concluyó que las caídas son más frecuentes entre los adultos mayores con depresión que toman una clase de antidepresivos llamados inhibidores selectivos de la recaptación de serotonina o ISRS. Entre los ISRS más comunes están la fluoxetina (*Prozac*) y la sertralina (*Zoloft*). Estos adultos mayores tenían un riesgo 50 por ciento mayor que los demás adultos de sufrir una caída.

Los expertos dicen que en las personas deprimidas a menudo se observan anomalías en la marcha y posturas atípicas al estar de pie. Y se sabe que algunas personas que siguen un tratamiento con ISRS experimentan efectos secundarios, como mareos, fatiga y somnolencia. Peor aún, algunos ISRS pueden debilitar los huesos, aumentando el riesgo de sufrir una fractura al caer. Sin embargo, también podría ocurrir todo lo contrario: los mareos, las caídas y las posibles fracturas podrían contribuir a la depresión.

Esté atento a los efectos de los fármacos múltiples. Las personas que tienen más de 65 años de edad y que toman cuatro medicamentos o más de forma regular, siempre deben mirar donde pisan. Según los investigadores de la Universidad de Carolina del Norte, estas personas serían entre dos y tres veces más propensas a sufrir una caída que otras personas mayores. El estudio elaboró una lista de los medicamentos problemáticos que incluía muchos antidepresivos de venta con receta médica, anticonvulsivos y analgésicos, entre otros. Lo que estos medicamentos tienen en común es que su acción deprime el sistema nervioso central. Esto, a su vez, puede disminuir el estado de alerta y hacer más lentas las reacciones.

Incluso algunos medicamentos para tratar las alergias, algunos auxiliares para dormir y algunos remedios para la tos y el resfriado de venta libre pueden tener efectos similares. Básicamente, cualquier compuesto que pueda causar somnolencia puede ser un factor de riesgo de caída. Así que siempre informe a su médico sobre los medicamentos de venta libre que esté tomando, y asegúrese de leer las etiquetas. Pregúntele a su médico acerca de posibles remedios alternativos. Y no deje de tomar un medicamento recetado por su médico, sin antes consultar con él.

Mantenga el equilibrio. Más de un tercio de las personas mayores sufren una caída al año, y entre las personas que las han sufrido dos tercios resultan lesionadas. Ésa es una buena razón para querer saber cómo reducir el riesgo de caídas.

Los expertos dicen que las personas deprimidas, sobre todo si toman antidepresivos, deben aprender algunas estrategias para prevenir las caídas, como los ejercicios de equilibrio y ejercicios de fortalecimiento de las piernas. También recomiendan que reorganicen sus hogares para reducir los peligros al mínimo, como aumentar la iluminación, eliminar los obstáculos en los pasillos e instalar barandas y pasamanos.

AARP. Asociación estadounidense de jubilados. En inglés: *American Association of Retired Persons*. Información en español: *www.aarp.org/espanol*

Acidez. Acedía, acidez estomacal, agruras. En inglés: *heartburn*

Aguacate. Palta. En inglés: *avocado*

Albaricoque. Chabacano, damasco. En inglés: *apricot*

Arándano azul. Mora azul. En inglés: *blueberry*

Arándano rojo. Arándano agrio. En inglés: *cranberry*

Bagel. Rosca de pan.

Bagre de canal. En inglés: *channel catfish*

Banana. Banano, cambur, guineo, plátano. En inglés: *banana*

Báscula. Balanza. En inglés: *scale*

Berza. En inglés: *collard greens*

Betarraga. Betabel, beterraga, remolacha. En inglés: *beet*

Blanquillo. En inglés: *tilefish*

Bulgur. Un tipo de trigo que ha sido precocido, secado y triturado, y que se utiliza en la cocina de Medio Oriente.

Caballa. Macarela, sarda, verdel. En inglés: *mackerel*

Cacahuate. Maní. En inglés: *peanut*

Calabaza de invierno. Calabaza de corteza dura, como la calabaza común (*pumpkin*), la calabaza de cidra (*butternut squash*) o la calabaza bellota (*acorn squash*). En inglés: *winter squash*

Calabaza de verano. Calabaza de cáscara fina, como el calabacín. En inglés: *summer squash*

Caminadora. Banda caminadora, caminadora estacionaria, cinta para correr, trotadora. En inglés: *treadmill*

CFL. Bombilla fluorescente compacta. En inglés: *Compact Fluorescent Light*

Champiñones blancos. Champiñones de botón. En inglés: *white button mushrooms*

Chícharos. Alverjas, arvejas, guisantes verdes. En inglés: *green peas*

Chile. Ají, guindilla, pimiento picante. En inglés: *hot pepper*

Chili. Guiso típico del suroeste de Estados Unidos con carne (de res o de cerdo), chiles y frijoles.

Ciruela pasa. Ciruela deshidratada, guindón. En inglés: *dried plum, prune*

Col rizada. En inglés: *kale*

Corazoncillo. Hierba de San Juan, hipérico, hipericón. En inglés: *St. John's wort*

Crema de cacahuate. Crema de maní, mantequilla de cacahuate. En inglés: *peanut butter*

Cúrcuma. Azafrán de raíz, palillo, yuquilla. En inglés: *turmeric*

Digitopresión. Digitopuntura. En inglés: *acupressure*

DMAE. Degeneración macular asociada a la edad. En inglés: *age-related macular degeneration (AMD)*

Entrenamiento de fuerza. Ejercicios de fortalecimiento muscular, entrenamiento de resistencia. En inglés: *strength training*

Escaramujo. En inglés: *rose hip*

Espino. Majuelo, tejocote. En inglés: *hawthorn*

Frijoles. Alubias, caraotas, frejoles, habichuelas, judías, porotos. En inglés: *beans*

Frijoles carita. Caupí, frijoles castilla, frijoles de carete, frijoles ojo negro. En inglés: *black-eyed peas*

Frutas secas o deshidratadas. Las pasas de uva (*raisins*, en inglés), las ciruelas pasas (*prunes*), los higos secos (*dried figs*) son frutas secas. En inglés: *dried fruits*

Frutos secos. La nuez (*walnut*, en inglés) es un tipo de fruto seco, como lo es la almendra (*almond*) y la avellana (*hazelnut*). En inglés: *nuts*

Garra del diablo. Harpagófito, uña del diablo. En inglés: *devil's claw*

GMS. Glutamato monosódico. En inglés: *monosodium glutamate (MSG)*

Habas blancas. Habas de Lima, pallares. En inglés: *lima beans*

Habichuelas verdes. Ejotes, judías verdes, vainitas. En inglés: *green beans*

Harina de maíz. En inglés: *cornmeal*

HDL. Colesterol transportado por las lipoproteínas de alta densidad (LAD) o colesterol "bueno". Del inglés *high-density lipoprotein*

Herpes zóster. Culebrilla. En inglés: *shingles*

Hibisco. Flor de Jamaica, rosela. En inglés: *hibiscus*

Hipogloso. Fletán. En inglés: *halibut*

Hojas de nabo. Grelos. En inglés: *turnip greens*

Hongos. Champiñones, setas. Hay muchas variedades de hongos comestibles. En inglés: *mushrooms*

Hummus. Puré de garbanzos que se prepara con aceite de oliva, limón, ajo y una pasta de semillas de sésamo.

Jengibre. Kión. En inglés: *ginger*

LDL. Colesterol transportado por las lipoproteínas de baja densidad (LBD) o colesterol "malo". Del inglés *low-density lipoprotein*

Lejía. Blanqueador, cloro, lavandina. En inglés: *bleach*

Limón. Limón amarillo. En inglés: *lemon*

Limón verde. Lima, limón criollo. En inglés: *lime*

Linaza. Semillas de lino. En inglés: *flaxseed*

Lupino. Altramuz, chocho, lupín, tarwi. En inglés: *lupin*

Maíz. Choclo, elote. En inglés: *corn*

Natto. Granos de soya cocidos al vapor y fermentados.

Ocra. Gombo, molondrón, quimbombó. En inglés: *okra*

Oolong. Té chino tradicional también conocido como té azul.

Pacana. Nuez cáscara de papel, pecana. En inglés: *pecan*

Pajilla. Absorbente, calimete, caña, pajita, pitillo, popote, sorbete, sorbeto. En inglés: *drinking straw*

Palomitas (de maíz). Rositas de maíz, cotufas. En inglés: *popcorn*

Pargo. Chillo, huachinango. En inglés: *red snapper*

Pimiento. Pimentón, pimiento dulce, pimiento morrón. En inglés: *bell pepper*

Piña. Ananá. En inglés: *pineapple*

Platija. En inglés: *flounder*

PSA. Antígeno prostático específico. En inglés: *prostate-specific antigen*

Raíz de oro. *Rhodiola rosea.* En inglés: *goldenroot*

Repollitos de Bruselas. Coles de Bruselas. En inglés: *Brussels sprouts*

Repollo. Col. En inglés: *cabbage*

Salvia. En inglés: sage

Sauce, corteza de. En inglés: *willow bark*

Sofocos. Bochornos, calores. En inglés: *hot flashes*

Tempeh. Alimento firme y compacto hecho de la fermentación de la soya.

Tofu. Se prepara de la leche de soya cuajada. Con una consistencia parecida a la del queso, puede ser firme o cremoso.

Toronja. Pamplemusa, pomelo. En inglés: *grapefruit*

Trigo sarraceno. Alforfón, alforjón, trigo negro. En inglés: *buckwheat*

Índice de términos

B

Bacopa monnieri, para alzhéimer 20
Bacterias multirresistentes 113, 289, 305
Banana, beneficios para la salud 65
Banda gástrica ajustable por vía
 laparoscópica, para bajar de peso 226
Barrera hematoencefálica 2, 3, 45
Bastón, cómo comprar y utilizar 152
Beta hidroxiácido (BHA) 303
Betacaroteno
 para depresión 15
 para equilibrio 322
Betarraga, jugo para colesterol alto 80
Bifenilos policlorados (PCB, en inglés),
 en pescados y mariscos 51
Bisfenol A (BPA), enfermedades
 cardíacas y 107
Bloqueadores de grasa, para bajar de
 peso 228
Bombilla fluorescente compacta (CFL,
 en inglés), y problemas de piel 300
Borraja, para artritis 145
Boswellia serrata, para artritis 144
Bótox, inyecciones de
 efectos secundarios, advertencia 314
 para arrugas 311
 para fascitis plantar 164
 para incontinencia urinaria 251
 para temblor esencial 43
Brócoli. *Vea* Sulforafano
Bronquitis crónica. *Vea* Enfermedad
 pulmonar obstructiva crónica
Buproprión, para bajar de peso 229

C

Cabello, pérdida de
 aceites de aromaterapia para 309
 hierro para 65
Cabeza, dolor de. *Vea* Dolores de cabeza
Café
 cálculos renales y 240
 caries y 277
 derrame cerebral y 59, 79
 diabetes y 197, 198
 ejercicio y 343
 enfermedad de Parkinson y 18
 enfermedades cardíacas, advertencia 57
 estrés y 14
 gota y 126
 osteoporosis y 126
 para cálculos biliares 198
 precauciones 59

Cafeína
 enfermedad de Alzheimer y 2
 bebidas energizantes y 326
 cálculos renales y 240
 ejercicio y 343
 enfermedad de Parkinson y 18
 fatiga y 14
 inhibidores de monoaminooxidasa y 3
Caídas, prevención 345, 365
Calcio
 agua mineral y 120
 cálculos renales y 240
 cáncer de colon y 196
 chocolate, advertencia 124
 deficiencia y comer en excesivo 166
 derrame cerebral y 79
 diabetes y 183
 dieta alta en proteínas y 167
 osteoporosis y 118
 pautas 119
 sal y 119
 suplementos 137
Cálculos biliares, café para 198
Cálculos renales
 mitos al descubierto 239
 síndrome metabólico y 249
 suplementos de fósforo para 242
Callos y callosidades. *Vea* Dolor en el pie
Caminar. *Vea* Ejercicio
Cáncer de cabeza y cuello, prevenir 281
Cáncer de colon
 aceite de *krill* para 87
 ácidos grasos omega-3 para 187
 aspirina para 230
 cúrcuma para 194
 ejercicio para 211
 frutas, verduras y legumbres para 190
 lácteos para 196
 niveles elevados de insulina y 190
 pruebas de detección 224
Cáncer de estómago, sulforafano para
 192
Cáncer de mama
 alimentos para 231-233
 aspirina para 249
 curación gradual y 247
 dieta mediterránea para prevenir 50
 grasas saturadas y 233
 nuevas pruebas para la detección
  temprana 250
 soya y 234
 suplementos dietéticos, advertencia 241

Estimulación de la médula espinal 361
Estimulación magnética transcraneal
 para acúfenos 271
 para depresión 46
Estrés
 dolor crónico y 337
 risa para 100
 música para 95
 problemas de piel y 301
Exfoliación química 311
Extracto de hoja de alcachofa, beneficios
 para la salud 90

F
Fascitis plantar 154, 163
Fatiga
 albaricoque para 65
 aromaterapia para 216
 desayuno y 14
 digitopresión para 215
 ejercicio para 211
 quercetina para 324
Fibra
 degeneración macular asociada a la
  edad y 257
 función pulmonar y 328
 pérdida de peso y 179
Fibromialgia
 ejercicio para 340
 proloterapia para 358
Filtro HEPA, beneficios para la salud 101
Folato
 beneficios para la salud 9
 fuentes de 10
Frijoles, beneficios para la salud 68
Frutos secos
 beneficios para la salud 50
 cáncer de mama y 232
 para diabetes 184

G
Garra del diablo, para dolor de espalda 333
Gastritis, sulforafano para 192
Genisteína, advertencia sobre cáncer 241
Ginkgo
 memoria y
 para accidentes cerebrovasculares 89
Ginseng
 para diabetes 202-204
 para impotencia 245
Glaucoma
 ejercicio y 264
 nueva prueba de detección 273

Glucosamina
 para arrugas 295
 para artritis 135
Glutamato monosódico y obesidad 173
Goma de mascar
 cirugía colorrectal y 225
 para controlar antojos 210
Gota
 café y 126
 jarabe de maíz con alto contenido
  de fructosa 134
 vitamina C para 127
Gotu kola, para alzhéimer 21
Granada, jugo de
 para artritis 133
 para cáncer de próstata 236
 para salud dental 279
Grasa marrón, y pérdida de peso 217
Grasas monoinsaturadas
 densidad ósea y 117
 frena antojos 186
 fuentes de 50
 para salud cardíaca 297
Grasas saturadas
 cáncer de mama y colesterol alto y 54
Grasas trans, tipos de 54

H
H. pylori, y problemas digestivos 193
Harina de maíz, para piel más suave 298
Harina de lupino, beneficios para la
 salud 73
Hemocromatosis 161
Herpes simple tipo 1, y alzhéimer 44
Herpes zóster
 tai chi y 308
 vacuna 308, 314-316
Hierro
 enfermedad de Parkinson y 17
 fatiga y 65
 hemocromatosis 161
 para síndrome de piernas inquietas 334
Hiperplasia prostática benigna (HPB)
 autoayuda 247
 verduras para 238
Homocisteína, vitaminas B y 9, 121,
 244, 262
Huevos
 beneficios para la salud 70
 cáncer de mama y 232
 diabetes, precauciones 169
 para bajar de peso 168
Huperzina A, para alzhéimer 21

I

Imágenes mamarias por radar 251
Implante de cartílago autólogo, para artritis 159
Implantes palatales, para apnea del sueño 221
Impotencia
　fruta para 237
　hemocromatosis y 161
　suplementos para 244
　tratamientos para cáncer de próstata y 254
Incontinencia urinaria
　alimentos que debe evitar 236
　anticolinérgicos, advertencia 45, 252
　autoayuda 246
　inyecciones para 251
Índice glucémico 187-190
Infusión de hierbas, para hipertensión 61
Insomnio. *Vea* Sueño
Insuficiencia cardíaca congestiva
　ácidos grasos omega-3 y 52
　espino para 89
　riesgo de fractura de cadera y 162
Intervención coronaria percutánea. *Vea* Angioplastia

J

Jabón antibacteriano, precauciones 307
Jarabe de maíz con alto contenido de fructosa, riesgos 176-178, 240
Jaroset, beneficios para la salud 65
Jengibre, para colesterol alto 62
Juanetes. *Vea* Dolor en el pie

K

Kegel, ejercicios de 246

L

L-carnitina
　beneficios antienvejecimiento 200
　para densidad ósea 141
　para neuropatía diabética periférica 205
Lácteos
　cálculos renales y 240
　diabetes y 182-184
　para bajar de peso 167
　para cáncer de colon 196
Leche con chocolate, para pérdida de músculo 319
Legumbres, para el cáncer de colon 190
Levantamiento de pesas
　artículos caseros para 343
　beneficios para la salud 340-342

para presión arterial alta 94
Licopeno
　albaricoques y 64
　cáncer de piel y 292
　enfisema y 328
　para cáncer de próstata 237
　tomates y 75, 117
Limón, jugo para manchas de la edad 298
Linaza, aceite de
　arrugas y 294
　cáncer de próstata, advertencia 235
　riesgo de ataque cardíaco y accidente cerebrovascular 72
Linaza
　ácidos grasos omega-3 y 53
　beneficios para la salud 72
Luz solar, y vitamina D 83

M

Magnesio 121
　cáncer de colon y196
　diabetes y 182
　osteoporosis y 121
　para dormir 326
　para pérdida de audición 261
Manchas de la edad, jugo de limón y 298
Mandíbula, deterioro. *Vea* Osteonecrosis de la mandíbula
Maniobra de Epley 348
Manzana
　beneficios para la salud 65
　jugo para alzhéimer 4
　para cáncer de mama 231
Mareos, causas comunes 323, 346-348. *Vea también* Equilibrio
Masaje
　para dolor crónico 336
　para presión arterial alta 97
MC-FAQ, prueba de detección para enfermedad de Alzheimer 42
Melatonina
　para acidez estomacal 206
　para dormir 325
Memoria, mejorar 34, 36, 38, 342
Memoria, pérdida de. *Vea también* Enfermedad de Alzheimer
　anticolinérgicos y 45
　carbohidratos y 17
　ginkgo y 19
　Juvenon para 22
　restricción calórica y 13
　soya y 16
　sueño y 38

enjuague bucal, advertencia 283
radiografía, precauciones 284
Salvia, para alzhéimer 8
SAMe (S-adenosilmetionina)
para artritis 139-141
para depresión 24
Sarcopenia. *Vea* Músculo, pérdida de
Sauce, corteza del
para artritis 144
para dolor de espalda 333
Selenio
cáncer de piel y 292
diabetes, advertencia 243
Silicio, densidad ósea y 126
Síndrome de las piernas inquietas
deficiencia de hierro y 334
difenhidramina, advertencia 358
ejercicio para 353
valeriana para 332
Síndrome de Sjögren, té verde para 278
Síndrome metabólico
cálculos renales y 249
ejercicio y 209
frutos secos para 50
leche baja en grasa 70
Sodio. *Vea* Sal
Soya
cáncer de mama y 234
densidad ósea y 124
memoria y 15
suplemento de genisteína, advertencia 241
Staphylococcus aureus resistente a la meticilina (SARM) 113, 305
Sueño
consejos de nutrición 325
diabetes y 212-214
enfermedades cardíacas y 100
estrategias inteligentes 350-352, 363-365
memoria y 38
riesgo de caídas y 347
Sulforafano
cáncer de colon y 191
cáncer de mama y 232
cáncer de vejiga y 238
para problemas digestivos 193
beneficios para la salud 76
Suplementos de aceite de pescado 6, 88, 331. *Vea también* Ácidos grasos omega-3
Suplementos de fósforo, para cálculos renales 242

Suplementos herbarios
para artritis 143-145
para pérdida de memoria 20
para salud cardíaca 89
Suplementos multivitamínicos, ventajas y desventajas 81, 243
Supresores del apetito 228

T

Tai chi, beneficios para la salud 94, 148, 247, 308, 349
Talón, dolor en. *Vea* Fascitis plantar
Taquicardia ventricular. *Vea* Arritmia
Tararear, beneficios para la salud 95
Tempeh. *Vea* Soya
Té negro
cálculos renales y 240
caries y 277
como estimulante cerebral 2
accidentes cerebrovasculares y 79
osteoporosis y 118
Té *oolong*
caries y 277
como estimulante cerebral 2
Té verde
accidentes cerebrovasculares y 79
arrugas y 287
cáncer de piel y 288
caries y 277
enfermedad de Alzheimer y 2
enfermedad de las encías y 277
enfermedad de Parkinson y 2
osteoporosis y 118
para bajar de peso 61, 172
para síndrome de Sjögren 278
presión arterial alta y 60
Teanina, como estimulante cerebral 2
Técnica Alexander, para dolor crónico 337
Temblor esencial, inyecciones de bótox para 43
Terapia hormonal, y enfermedad de la vesícula biliar 228
Terapia quiropráctica
para dolor crónico 335
para presión arterial alta 97
Tesofensina, para bajar de peso 228
Tinnitus. *Vea* Acúfenos
Tofu. *Vea* Soya
Tomosíntesis digital mamaria 250
Trastorno afectivo estacional (TAE), terapia de luz para 40

Trastornos de la articulación temporomandibular (ATM), y acúfenos 266
Trombosis venosa profunda, filtro HEPA para 101
Trombosis venosa, migrañas y 103
TYM, prueba de detección para el alzhéimer 43

U
Úlceras
sulforafano para 193
suplementos de curcumina para 195
Uva
beneficios para la salud 56
jugo para alzhéimer 4
memoria y 4
para bajar de peso 181

V
Vacuna contra la neumonía, ataque al corazón y 114
Vainilla, advertencia sobre extracto de 66
Valeriana
para ansiedad 25
para síndrome de piernas inquietas 332
Vejiga hiperactiva. *Vea* Incontinencia urinaria
Venas varicosas 99
Verduras crucíferas, beneficios para la salud 76, 232, 238
Verduras de hoja verde, beneficios para la salud 76
Verduras de mar 77
Vértigo paroxístico posicional benigno. *Vea* Mareos
Videojuegos, para la salud mental 37
Vitamina B12
depresión y 11, 15
enfermedad de Alzheimer y 10
osteoporosis y 121
Prilosec, advertencia 204
Vitamina B3
cáncer de piel y 293
colesterol alto y 84
enfermedad de Alzheimer y 11
suplementos, advertencia 86
Vitamina C
arrugas y 290
cáncer, advertencia 241
cataratas y 79, 256
densidad ósea y 128

para accidente cerebrovascular 58
para artritis 127
para depresión 15
para gota 127
Vitamina D
ataque al corazón y 70
beneficios para la salud 82
cáncer de colon y 197
degeneración macular asociada a la edad y 258
depresión y 12
diabetes y 183
enfermedad de Alzheimer y 12
enfermedad de Parkinson y 12
fractura de cadera y 136
función pulmonar y 328
para artritis 131
para dolor crónico 317
para equilibrio 321
pautas 137
suplementos 138
tipos de 83
Vitamina E
cáncer, advertencia 241, 243
enfermedad de Parkinson y 18
para equilibrio 322
Vitamina K
beneficios para la salud 76
riesgo de fractura y 116, 142
Vitaminas B
beneficios para la salud 10, 84
degeneración macular asociada a la edad y 261
homocisteína y 9, 121, 244, 262

W
Wii, de Nintendo. *Vea* Videojuegos, para salud mental

X
Xilitol, y caries 281

Y
Yoga, beneficios para la salud 349
Yogur
para piel más suave 298
periodontitis y 278

Z
Zinc, crema para dentaduras postizas y sobredosis de 347
Zostavax, vacuna para herpes zóster 314